le Guide du r

Directeur de colle
Philippe GLO

Cofondateurs
Philippe GLOAGUEN et Michel DUVAL

Rédacteur en chef
Pierre JOSSE

Rédacteurs en chef adjoints
Amanda KERAVEL et Benoît LUCCHINI

Directrice de la coordination
Florence CHARMETANT

Directrice administrative
Bénédicte GLOAGUEN

Direction éditoriale
Catherine JULHE

Rédaction
Olivier PAGE, Véronique de CHARDON,
Isabelle AL SUBAIHI, Anne-Caroline DUMAS,
Carole BORDES, André PONCELET,
Marie BURIN des ROZIERS, Thierry BROUARD,
Géraldine LEMAUF-BEAUVOIS,
Anne POINSOT, Mathilde de BOISGROLLIER,
Alain PALLIER, Gavin's CLEMENTE-RUÏZ
et Fiona DEBRABANDER

BERLIN

2010

hachette

Avis aux hôteliers et aux restaurateurs

Les enquêteurs du *Guide du routard* travaillent dans le plus strict anonymat. Aucune réduction, aucun avantage quelconque, aucune rétribution n'est jamais demandé en contrepartie. Face aux aigrefins, la loi autorise les hôteliers et restaurateurs à porter plainte.

Hors-d'œuvre

Le *Guide du routard,* ce n'est pas comme le bon vin, il vieillit mal. On ne veut pas pousser à la consommation, mais évitez de partir avec une édition ancienne. Les modifications sont souvent importantes.

routard.com dépasse 2 millions de visiteurs uniques par mois !

● *routard.com* ● Sur notre site, tout pour préparer votre périple. Des fiches pratiques sur plus de 200 destinations, de nombreuses informations et des services : photos, cartes, météo, dossiers, agenda, itinéraires, billets d'avion, réservation d'hôtels, location de voitures, visas... Et aussi un vaste forum pour échanger ses bons plans, partager ses photos, définir son passeport routard ou trouver son compagnon de voyage. Sans oublier *routard mag,* ses reportages, ses carnets de route et ses infos pour bien voyager. La boîte à outils indispensable du routard.

Petits restos des grands chefs

Ce qui est bon n'est pas forcément cher ! Partout en France, nous avons dégoté de bonnes petites tables de grands chefs aux prix aussi raisonnables que la cuisine est fameuse. Évidemment, tous les grands chefs n'ont pas été retenus : certains font payer cher leur nom pour une petite table qu'ils ne fréquentent guère. Au total, 510 adresses réactualisées, dont une centaine de nouveautés, retenues pour la qualité et la créativité de la cuisine, sans pour autant ruiner votre portefeuille. À proximité des restaurants sélectionnés, 510 hôtels de charme sont indiqués pour prolonger la fête.

Nos meilleurs campings en France

Se réveiller au milieu des prés, dormir au bord de l'eau ou dans une hutte, voici nos 1 800 meilleures adresses en pleine nature. Du camping à la ferme aux équipements les plus sophistiqués, nous avons sélectionné les plus beaux emplacements : mer, montagne, campagne ou lac. Sans oublier les balades à proximité, les jeux pour enfants... Des centaines de réductions pour nos lecteurs.

Avis aux lecteurs

Les réductions accordées à nos lecteurs ne sont jamais demandées par nos rédacteurs afin de préserver leur indépendance. Les hôteliers et restaurateurs sont sollicités par une société de mailing, totalement indépendante de la rédaction, qui reste donc libre de ses choix. De même pour les autocollants et plaques émaillées.

Pour que votre pub voyage autant que nos lecteurs,
contactez nos régies publicitaires :
● *fbrunel@hachette-livre.fr* ●
● *veronique@routard.com* ●

Le contenu des annonces publicitaires insérées dans ce guide n'engage en rien la responsabilité de l'éditeur.

Mille excuses, on ne peut plus répondre individuellement aux centaines de CV reçus chaque année.

TABLE DES MATIÈRES

INFORMATIONS ET ADRESSES UTILES

BERLIN, QUARTIER PAR QUARTIER

CHARLOTTENBURG-WILMERSDORF

LES QUARTIERS DE TIERGARTEN ET SCHÖNEBERG

LE QUARTIER DE MITTE

LE QUARTIER DE KREUZBERG

LE QUARTIER DE PRENZLAUERBERG

QUITTER BERLIN

☎ **112** : voici le numéro d'urgence commun à la France et à tous les pays de l'UE, à composer en cas d'accident, d'agression ou de détresse. Il permet de se faire localiser et aider en français, tout en améliorant les délais d'intervention des services de secours.

LES GUIDES DU ROUTARD
2010-2011

(dates de parution sur **routard.com**)

France

Nationaux

- Nos meilleures chambres d'hôtes en France
- Nos meilleurs campings en France
- Nos meilleurs hôtels et restos en France
- Nos meilleurs produits du terroir
- Petits restos des grands chefs
- Nord-Pas-de-Calais
- Normandie
- Pays basque (France, Espagne), Béarn
- Pays de la Loire
- Picardie
- Poitou-Charentes
- Provence
- Pyrénées, Gascogne et Pays toulousain
- Réunion
- **La Normandie des impressionnistes (avril 2010)**

Régions françaises

- Alpes
- Alsace (Vosges)
- Ardèche, Drôme
- Auvergne
- **Berry (mai 2010)**
- Bordelais, Landes, Lot-et-Garonne
- Bourgogne
- Bretagne Nord
- Bretagne Sud
- **Champagne-Ardennes (mai 2010)**
- Châteaux de la Loire
- Corse
- Côte d'Azur
- **Dordogne-Périgord (nouveauté)**
- Franche-Comté
- Guadeloupe, Saint-Martin, Saint-Barth
- Languedoc-Roussillon
- Limousin
- Lorraine
- Lot, Aveyron, Tarn
- Martinique

Villes françaises

- Lyon
- Marseille
- Nice

Paris

- Environs de Paris
- Junior à Paris et ses environs
- Paris
- Paris balades
- Paris la nuit
- Paris, ouvert le dimanche
- Paris à vélo
- Paris zen
- Restos et bistrots de Paris
- Le Routard des amoureux à Paris
- Week-ends autour de Paris

Europe

Pays européens

- Allemagne
- Andalousie
- Angleterre, Pays de Galles
- Autriche
- Baléares
- Belgique
- Catalogne (+ Valence et Andorre)
- Crète
- Croatie
- Danemark, Suède
- Écosse
- Espagne du Nord-Ouest (Galice, Asturies, Cantabrie)
- Finlande
- Grèce continentale
- Hongrie, République tchèque, Slovaquie
- Îles grecques et Athènes
- Irlande
- Islande
- Italie du Nord
- Italie du Sud
- Lacs italiens
- Madrid, Castille (Aragon et Estrémadure)
- Malte
- Norvège
- Pologne et capitales baltes
- Portugal
- Roumanie, Bulgarie
- Sicile
- Suisse
- Toscane, Ombrie

LES GUIDES DU ROUTARD
2010-2011 (suite)

(dates de parution sur **routard.com**)

Villes européennes

- Amsterdam et ses environs
- Barcelone
- Berlin
- **Bruxelles (nouveauté)**
- Florence
- Lisbonne
- Londres
- Moscou, Saint-Pétersbourg
- Prague
- Rome
- Venise

Amériques

- Argentine
- Brésil
- Californie
- Canada Ouest et Ontario
- Chili et île de Pâques
- Équateur et les îles Galápagos
- États-Unis côte Est
- Floride
- Guatemala, Yucatán et Chiapas
- Louisiane et les villes du Sud
- Mexique
- New York
- Parcs nationaux de l'Ouest américain et Las Vegas
- Pérou, Bolivie
- Québec et Provinces maritimes

Asie

- Bali, Lombok
- Birmanie (Myanmar)
- Cambodge, Laos
- Chine (Sud, Pékin, Yunnan)
- Inde du Nord
- Inde du Sud
- Istanbul
- Jordanie, Syrie
- Malaisie, Singapour
- Népal, Tibet
- Sri Lanka (Ceylan)
- Thaïlande
- Tokyo, Kyoto et environs
- Turquie
- Vietnam

Afrique

- Afrique de l'Ouest
- Afrique du Sud
- Égypte
- Kenya, Tanzanie et Zanzibar
- Maroc
- Marrakech
- Sénégal, Gambie
- Tunisie

Îles Caraïbes et océan Indien

- Cuba
- Île Maurice, Rodrigues
- Madagascar
- République dominicaine (Saint-Domingue)

Guides de conversation

- Allemand
- Anglais
- Arabe du Maghreb
- Arabe du Proche-Orient
- Chinois
- Croate
- Espagnol
- Grec
- Italien
- Japonais
- Portugais
- Russe

Et aussi...

- Tourisme durable
- G'palémo

Nous tenons à remercier tout particulièrement Loup-Maëlle Besançon, Thierry Bessou, Gérard Bouchu, Grégory Dalex, Fabrice Doumergue, Cédric Fischer, Carole Fouque, Michelle Georget, David Giason, Claude Hervé-Bazin, Lucien Jedwab, Emmanuel Juste, Fabrice de Lestang, Pierre Mitrano, Jean-Sébastien Petitdemange, Thomas Rivallain, Claudio Tombari et Solange Vivier pour leur collaboration régulière.

Et pour cette nouvelle collection, nous remercions aussi :

David Alon
Jean-Jacques Bordier-Chêne
Michèle Boucher
Nathalie Capiez
Raymond Chabaud
Alain Chaplais
François Chauvin
Cécile Chavent
Stéphanie Condis
Agnès Debiage
Nathalie Delos
Jérôme Denoix
Solenne Deschamps
Tovi et Ahmet Diler
Florence Douret
Céline Druon
Nicolas Dubost
Clélie Dudon
Sophie Duval
Alain Fisch
Aurélie Gaillot
Adrien et Clément Gloaguen
Stéphane Gourmelen
Claudine de Gubernatis
Xavier Haudiquet

Bernard Hilaire
Sébastien Jauffret
François et Sylvie Jouffa
Dimitri Lefèvre
Jacques Lemoine
Sacha Lenormand
Valérie Loth
Julie Marest-Cornillon
Romain Meynier
Éric Milet
Jacques Muller
Caroline Ollion
Nicolas Pallier
Martine Partrat
Odile Paugam et Didier Jehanno
Émilie Pollet
Xavier Ramon
Dominique Roland et Stéphanie Déro
Corinne Russo
Prakit Saiporn
Jean-Luc et Antigone Schilling
Julien Vitry
Céline Vo
Fabian Zegowitz

Direction : Nathalie Pujo
Contrôle de gestion : Joséphine Veyres, Héloïse Morel d'Arleux et Aurélie Knafo
Secrétariat : Catherine Maîtrepierre
Direction éditoriale : Catherine Julhe
Édition : Matthieu Devaux, Géraldine Péron, Jean Tiffon, Olga Krokhina, Gia-Quy Tran, Vanessa Di Domenico, Julie Dupré, Christine de Geyer et Gaëlle Leguéné
Préparation-lecture : Catherine Hidé
Cartographie : Frédéric Clémençon et Aurélie Huot
Fabrication : Nathalie Lautout et Audrey Detournay
Relations presse France : COM'PROD, Fred Papet. ☎ 01-56-43-36-38.
● info@comprod.fr ●
Direction marketing : Dominique Nouvel, Lydie Firmin et Claire Bourdillon
Responsable des partenariats : André Magniez
Édition des partenariats : Juliette de Lavaur et Mélanie Radepont
Informatique éditoriale : Lionel Barth
Couverture : Seenk
Relations presse : Martine Levens (Belgique) et Maureen Browne (Suisse)
Régie publicitaire : Florence Brunel

Remerciements

Pour la nouvelle édition 2010 du *Guide du routard Berlin,* nous tenons à remercier pour leur aide :

– *Christian Tänzler,* de l'office de tourisme de Berlin ;
– *Claudio Tombari.*

LES QUESTIONS QU'ON SE POSE LE PLUS SOUVENT

➤ **Peut-on visiter Berlin en un week-end ?**

Cela paraît difficile. L'idéal serait d'y rester une semaine, tant il y a de choses à découvrir. Néanmoins, en 3 jours bien remplis, on peut déjà s'en faire une idée. À condition de se promettre ensuite d'y revenir.

➤ **Y fait-il toujours gris et froid ?**

Un cliché qui a la vie dure. La région de Berlin jouit d'un climat continental, donc très contrasté entre l'été et l'hiver. Si la neige y persiste plus longtemps que chez nous, les mois d'été peuvent être chauds et secs. Et allez donc faire un tour du côté des lacs autour de la ville, vous serez plutôt surpris par le nombre de Berlinois qui y font bronzette !

➤ **La vie y est-elle chère ?**

Étant la plus grande ville étudiante d'Allemagne, le coût de la vie à Berlin est moins élevé que dans le reste du pays : il y a vraiment moyen d'y séjourner à l'économie en fréquentant les pensions et les auberges de jeunesse, et au restaurant, vu la taille des portions servies dans l'assiette, on peut facilement se passer d'entrée.

➤ **Comment se déplacer à Berlin ?**

La voiture ne sera pas d'une grande utilité, même si la circulation est relativement fluide. Les transports en commun tissent une toile dense et sont très pratiques, même pour les points les plus éloignés. Aux beaux jours, le vélo est très utilisé par les Berlinois eux-mêmes.

➤ **Mange-t-on gras et lourd en Allemagne ?**

Voilà encore une idée reçue pêchée dans une inépuisable liste de poncifs. Si, à la base de la cuisine, on trouve souvent le cochon sous toutes ses formes, sachez que les Allemands sont les plus grands voyageurs du monde et qu'à Berlin on trouve une offre culinaire en provenance des quatre coins de la planète.

➤ **N'y boit-on que de la bière ?**

C'est vrai que l'Allemand moyen ingurgite facilement ses 150 litres annuels. Mais certains vins produits (surtout les blancs) pourront étonner les plus fins palais gaulois. En revanche, le *sekt* (mousseux) ne fera jamais oublier le champagne...

➤ **L'allemand est-il une langue difficile ?**

Si, au lycée, vous avez passé du temps à côté du radiateur pendant que le prof s'échinait à vous inculquer les subtilités des déclinaisons, vous aurez un peu de mal à demander votre chemin. En revanche, vous serez étonné du nombre d'Allemands qui, eux, se débrouillent en français. Et puis, comme partout ailleurs, il reste l'anglais pour débroussailler le terrain.

➤ **Et la culture dans tout cela ?**

Alors là, pas de souci (comme le château homonyme à Potsdam) ! Berlin est devenu en quelques années l'épicentre de la culture européenne. Vous allez vous régaler : une architecture contemporaine fascinante, des musées fabuleux et pas trop chers, des expos pointues, des concerts classiques à gogo, toutes les musiques actuelles, la scène alternative... et une riche histoire présente à chaque coin de rue. À Berlin, le mot *Kultur* n'est jamais galvaudé.

LES COUPS DE CŒUR DU ROUTARD

- Monter dans la coupole du Reichstag et contempler l'architecture futuriste du nouveau Berlin.

- Suivre au sol la ligne qui matérialise le tracé du Mur jusqu'à Checkpoint Charlie.

- Visiter la seule synagogue que les nazis n'ont pas détruite et découvrir le Musée juif.

- Déguster une « jambe de glace » (jarret de porc) arrosée de bière dans un troquet de Kreuzberg.

- Se pâmer devant les plus belles toilettes de Marlène Dietrich au musée du Cinéma.

- Déambuler dans les quartiers les plus emblématiques de l'Est : à Prenzlauerberg pour le côté shopping branché et à Friedrichshain pour retrouver une ambiance plus populaire.

- Se plonger dans les joyeusetés de la vie quotidienne à l'Est au musée de la DDR.

- Faire la teuf dans une des méga-technothèques autour d'Alexanderplatz.

- Passer de bar en bar sous les arcades du pont ferroviaire le long de la voie ferrée qui prolonge Dircksen Strasse pour goûter à des atmosphères très variées.

- Comprendre enfin l'histoire de l'Allemagne en parcourant les salles du Deutsches Historisches Museum.

- S'offrir un Berlin by night à bicyclette et découvrir ses monuments sous un autre... jour, pour finir dans l'une des guinguettes du Tiergarten.

- Se confectionner et suivre des itinéraires thématiques (IIIᵉ Reich, RDA...) : la ville est pleine d'histoire et le passé se dévoile encore dans le béton.

- Se baigner l'été (en tenue d'Ève ou d'Adam) sur les rives de la Spree ou au bord de la Havel.

- Tomber amoureux du buste de Néfertiti dans la section égyptienne de l'Altes Museum.

- Sortir dans le quartier branché du Scheunenviertel autour du Hackerscher Markt.

- Vivre à la berlinoise, sortir jusqu'à plus d'heure et faire une after en forme de brunch, une spécialité locale. Puis aller se coucher... et recommencer.

- Rester scotché devant les totems et masques funéraires de la section Océanie du Musée ethnographique de Dahlem.

- Profiter de l'excellent réseau de métro, RER et bus pour circuler de jour comme de nuit avec les transports en commun.

- Prendre le train jusqu'à Potsdam et se plonger dans l'univers rococo du château de Sans-Souci.

COMMENT Y ALLER ?

EN AVION

Les compagnies régulières

▲ AIR FRANCE

Rens et résas au ☎ 36-54 (0,34 €/mn – tlj 6h30-22h), sur ● airfrance.fr ●, dans les agences Air France et dans toutes les agences de voyages. Fermées dim.

➤ 5 vols/j. à destination de Berlin depuis Roissy.

Air France propose à tous des tarifs attractifs toute l'année. Vous avez la possibilité de consulter les meilleurs tarifs du moment sur ● *airfrance.fr* ●, rubrique « Réservations et promotions ».

Le programme de fidélisation Air France KLM permet de cumuler des *miles* à son rythme et de profiter d'un large choix de primes. Avec votre carte *Flying Blue,* vous êtes immédiatement identifié comme client privilégié lorsque vous voyagez avec tous les partenaires.

Air France propose également des réductions jeunes avec la carte *Flying Blue Jeune,* réservée aux jeunes âgés de 2 à 24 ans résidant en France métropolitaine, dans les départements d'Outre-Mer, au Maroc ou en Tunisie. Avec plus de 18 000 vols/j., 800 destinations, et plus de 100 partenaires, *Flying Blue Jeune* offre autant d'occasions de cumuler des *miles* partout dans le monde.

▲ BRUSSELS AIRLINES

– Rens : ☎ *0892-64-00-30 (0,34 €/mn) depuis la France et* ☎ *0902-51-600 (0,75 €/mn) en Belgique.* ● *brusselsairlines.com* ●

➤ La compagnie assure 5 à 7 liaisons/j. en sem depuis Bruxelles à destination de Berlin-Tegel, et 2-4 liaisons le w-e.

Deux tarifications : « b-flex », pour une clientèle professionnelle, et « b-light », proposant des formules *low-cost* depuis Brussels-Airport vers 50 destinations en Europe.

▲ LUFTHANSA

– Rens : ☎ *0892-231-690 (0,34 €/mn).* ● *lufthansa.fr* ●

Les compagnies membres de Lufthansa et ses partenaires de Star Alliance opérant au terminal 1 de l'aéroport de Paris-Charles-de-Gaulle (CDG) sont installées dans le nouveau hall 4 de CDG1. Les comptoirs d'enregistrement et de billetterie sont désormais situés hall 4, niveau « Départs », portes 28-30.

➤ *Départs depuis la France :* 1 vol direct/j. de Paris-CDG vers Berlin-Tegel. Les aéroports français desservis par Lufthansa : Bordeaux, Lyon, Marseille, Mulhouse, Nice, Strasbourg et Toulouse.

➤ *Départs depuis la Belgique :* 7 vols directs/j. en sem depuis Bruxelles vers Berlin-Tegel.

➤ *Départs depuis la Suisse :* 6 vols directs/j. depuis Zurich vers Berlin-Tegel en partage de codes avec *Swiss.*

Lufthansa propose plus de 700 vols par semaine entre la France et l'Allemagne. En dehors des vols depuis Paris, escale à Munich, Cologne, Nuremberg, Stuttgart, Hanovre, Düsseldorf, Hambourg ou Francfort.

Les compagnies *low-cost*

Ce sont des compagnies dites « à bas prix ». De nombreuses villes de province sont desservies, ainsi que les aéroports limitrophes des grandes villes. Ne pas trop espérer trouver facilement des billets à prix plancher lors des périodes les plus

MIQUE-AUX-NOCES

fréquentées (vacances scolaires, week-end...). À bord, c'est service minimum. Afin de réduire les files d'attente dans les aéroports, certaines font même payer l'enregistrement aux comptoirs d'aéroport. Pour éviter cette nouvelle taxe qui ne dit pas son nom, les voyageurs ont intérêt à s'enregistrer directement sur Internet, où le service est gratuit. La réservation se fait parfois par téléphone (pas d'agence, juste un numéro de réservation et un billet à imprimer soi-même), et aucune garantie de remboursement n'existe en cas de difficultés financières de la compagnie. En outre, les pénalités en cas de changement d'horaires sont assez importantes, et les taxes d'aéroport rarement incluses. Il faut aussi rappeler que plusieurs compagnies facturent maintenant les bagages en soute. Ne pas oublier non plus d'ajouter le prix du bus pour se rendre à ces aéroports, souvent assez éloignés du centre-ville. Au final, même si les prix de base restent très attractifs, il convient de prendre en compte tous ces frais annexes pour calculer le plus justement son budget.

▲ AIR BERLIN

– *France :* ☎ *0826-967-378 (0,95 €/mn).*
– *Belgique :* ☎ *0782-50-146 (tarif local).*
– *Suisse :* ☎ *0848-737-800 (0,11 Fs/mn).*
● *airberlin.com* ● *Service clientèle 24h/24.*
Compagnie *low-cost* desservant près d'une vingtaine de villes allemandes.
➤ Liaisons tlj vers Berlin-Tegel (2 vols/j. en sem ; 1 vol/j. le w-e) au départ de Paris-Orly et Nice. Vol direct le sam en été depuis Calvi. Au départ de Paris (Orly également), nombreuses liaisons vers plusieurs villes allemandes, d'où il est possible de prendre une correspondance pour Berlin. Liaisons directes aussi depuis Sarrebruck (pour ceux qui habitent dans l'Est) et de Zurich pour les Suisses.

▲ EASYJET

– *Résas uniquement sur Internet :* ● *easyjet.com* ●
➤ Vols vers Berlin-Schönefeld, au départ de Paris-Orly, Nice, Bruxelles, Genève et Bâle-Mulhouse.

▲ GERMANWINGS

– *France :* ☎ *0826-460-950 (0,34 €/mn), 5h-23h.*
– *Belgique :* ☎ *0702-74900 (0,15 €/mn).*
– *Suisse :* ☎ *0900-000-407 (0,64 Fs/min).*
● *germanwings.com* ●
➤ Vols vers Berlin-Schönefeld au départ de Marseille, Toulouse, Nice, Bastia (en été slt) et Zurich. Liaison directe de Zweibrücken (en Allemagne, non loin de Metz) vers Berlin 2 fois/j.

LES ORGANISMES DE VOYAGES

Ne pas croire que les vols à tarif réduit sont tous au même prix pour une même destination à une même époque : loin de là. On a déjà vu, dans un même avion partagé par deux organismes, des passagers qui avaient payé 40 % plus cher que les autres. De plus, une agence bon marché ne l'est pas forcément toute l'année (elle peut n'être compétitive qu'à certaines dates bien précises). Donc, contactez tous les organismes et jugez vous-même.
Les organismes cités sont classés par ordre alphabétique, pour éviter les jalousies et les grincements de dents.

En France

▲ BSP-HOTELS.COM
● *bsp-hotels.com* ● *Résas gratuites à partir de la France au* ☎ *01-43-46-20-70 ou sur leur site dédié à Berlin* ● *0800berlin-hotels.com* ● *Réduc de 5 % pour les lecteurs de ce guide (code promo : ROUTARD).*

Des quartiers les plus prestigieux aux emplacements atypiques, pour une pension de famille ou un 4-étoiles branché, BSP-Hotels et son équipe de francophones basés à Berlin ont sélectionné pour vous un éventail de plus de 200 établissements à prix négociés.

▲ DB FRANCE
– *Rens : 20, rue Laffitte, 75009 Paris. Vente et rens exclusivement par tél, lun-ven 9h-18h, au* ☎ *01-44-58-95-40.* ● *dbfrance.fr* ● *Ts les horaires de trains pour l'Europe sont disponibles sur le site ou sur place, dans les gares.*
DB France ne se contente pas de vendre des billets de train ; c'est aussi un excellent spécialiste de l'organisation du voyage en Allemagne, en individuel ou en groupe.

▲ NOUVELLES FRONTIÈRES
– *Rens et résas dans tte la France :* ☎ *0825-000-825 (0,15 €/mn).* ● *nouvelles-frontieres.fr* ● *Les brochures Nouvelles Frontières sont disponibles gratuitement dans les 300 agences du réseau, par tél et sur Internet.*
Plus de 40 ans d'existence, 1 million de clients par an, 250 destinations, deux chaînes d'hôtels-clubs, *Paladien* et *Koudou,* et une compagnie aérienne, *Corsairfly.* Pas étonnant que Nouvelles Frontières soit devenu une référence incontournable, notamment en matière de tarifs. Le fait de réduire au maximum les intermédiaires permet d'offrir des prix « super serrés ».
Un choix illimité de formules vous est proposé : des vols sur la compagnie aérienne de Nouvelles Frontières au départ de Paris et de province, en classe Horizon ou Grand Large, et sur toutes les compagnies aériennes régulières, avec une gamme de tarifs selon votre budget. Sont également proposés toutes sortes de circuits, aventure ou organisés ; des séjours en hôtels, en hôtels-clubs et en résidences ; des week-ends, des formules à la carte (vol, nuits d'hôtel, excursions, location de voitures...), des séjours neige, des croisières, des séjours thématiques, plongée, thalasso. Avant le départ, des réunions d'information sont organisées. Intéressant : des brochures thématiques (plongée, aventure, rando, trek et sport, et nouvelles rencontres).

▲ VOYAGES-SNCF.COM
Voyages-sncf.com, acteur majeur du tourisme français qui recense neuf millions de visiteurs par mois, propose d'acheter en ligne des billets de train, d'avion, des chambres d'hôtel, des locations de voitures, de vacances et des séjours clés en main ou Alacarte®, ainsi que des spectacles, des excursions et des musées. Un large choix et des prix avantageux sont offerts toute l'année, pour tous types de voyages dans le monde entier : SNCF, 180 compagnies aériennes, 84 000 hôtels référencés et les principaux loueurs de voitures.
Leur site ● *voyages-sncf.com* ● permet d'accéder tous les jours, 24h/24, à plusieurs services : envoi gratuit des billets à domicile, Alerte Résa pour être informé de l'ouverture des réservations et profiter du plus grand choix, calendrier des meilleurs prix (TTC), mais aussi des offres de dernière minute et des promotions... Pratique : ● *voyages-sncf.mobi* ● , le site mobile pour réserver, s'informer et profiter des bons plans n'importe où et à n'importe quel moment.
Et grâce à l'Écocomparateur, en exclusivité sur ● *voyages-sncf.com* ●, possibilité de comparer le prix, le temps de trajet et l'indice de pollution pour un même trajet en train, en avion ou en voiture.

▲ VOYAGEURS EN EUROPE CENTRALE
☎ *0892-236-161 (0,34 €/mn).* ● *vdm.com* ●
– *Paris : La Cité des Voyageurs, 55, rue Sainte-Anne, 75002.* ☎ *0892-235-656 (0,34 €/mn).* Ⓜ *Opéra ou Pyramides. Lun-sam 9h30-19h.*
– *Également des agences à Bordeaux, Caen, Grenoble, Lille, Lyon, Marseille, Montpellier, Nantes, Nice, Rennes, Rouen, Strasbourg et Toulouse.*
Le grand spécialiste du voyage en individuel sur mesure. Pour partir à la découverte de plus de 150 pays, des experts pays, de près de 30 nationalités et grands

spécialistes de leurs destinations, guident à travers une collection de 30 brochures (dont 6 thématiques) comme autant de trames d'itinéraires destinées à être adaptés à vos besoins et vos envies pour élaborer étape après étape son propre voyage en individuel.

Dans chacune des *Cités des Voyageurs,* tout appelle au voyage : librairies spécialisées, boutiques d'accessoires de voyage, expositions-ventes d'artisanat, ou encore cocktails-conférences. Toute l'actualité de VDM et des devis en temps réel à consulter sur leur site internet.

Voyageurs du Monde est membre de l'association ATR (Agir pour un tourisme responsable) et a obtenu en 2008 sa certification Tourisme responsable AFAQ/AFNOR.

En Belgique

▲ AIRSTOP
Pour ttes les adresses Airstop, un seul numéro de téléphone : ☎ *070-233-188.*
● airstop.be ● Lun-ven 9h-18h30, sam 10h-17h.
– Bruxelles : rue Fossé-aux-Loups, 28, 1000.
– Anvers : Jezusstraat, 16, 2000.
– Bruges : Dweersstraat, 2, 8000.
– Gand : Maria Hendrikaplein, 65, 9000.
– Louvain : Maria Theresiastraat, 125, 3000.
Airstop offre une large gamme de prestations, du vol sec au séjour tout compris à travers le monde.

▲ NOUVELLES FRONTIÈRES
– Bruxelles (siège) : bd Lemonnier, 2, 1000. ☎ 02-547-44-44. ● nouvelles-frontie res.be ●
– Également d'autres agences à Bruxelles, Charleroi, Liège, Mons, Namur, Waterloo, Wavre et au Luxembourg.
Voir texte dans la partie « En France ».

▲ VOYAGEURS DU MONDE
– Bruxelles : 23, chaussée de Charleroi, 1060. ☎ 0900-44-500 (0,45 €/mn). ● vdm. com ● Le grand spécialiste du voyage en individuel sur mesure.
Voir texte dans la partie « En France ».

En Suisse

▲ NOUVELLES FRONTIÈRES
– Genève : rue Chantepoulet, 25, 1201. ☎ 022-716-15-70.
– Lausanne : Grand-Chêne, 4, 1002. ☎ 021-321-41-11.
Voir texte dans la partie « En France ».

▲ STA TRAVEL
– Fribourg : 24, rue de Lausanne, 1700. ☎ 058-450-49-80.
– Genève : 3, rue Vignier, 1205. ☎ 058-450-48-30.
– Lausanne : 20, bd de Grancy, 1006. ☎ 058-450-48-50.
– Lausanne : à l'université, bâtiment L'Humense, 1015. ☎ 058-450-49-20.
– Montreux : 25, av. des Alpes, 1820. ☎ 058-450-49-30.
– Neuchâtel : 2, Grand-Rue, 2000. ☎ 058-450-49-70.
– Nyon : 17, rue de la Gare, 1260. ☎ 058-450-49-00.
● statravel.ch ●
Agences spécialisées dans les voyages pour jeunes et étudiants. Gros avantage en cas de problème : 150 bureaux STA et plus de 700 agents du même groupe répartis dans le monde entier sont là pour donner un coup de main *(Travel Help).*
STA propose des voyages très avantageux : vols secs *(Skybreaker),* hôtels, écoles de langue, *work & travel,* circuits d'aventure, voitures de location, etc. Délivre la carte internationale d'étudiant *ISIC* et la carte *Jeune Go 25.*

STA est membre du fonds de garantie de la branche suisse du voyage ; les montants versés par les clients pour les voyages forfaitaires sont assurés.

Au Québec

▲ TOURS CHANTECLERC
● *tourschanteclerc.com* ●
Tours Chanteclerc est un tour-opérateur qui publie différentes brochures de voyages : Europe, Amérique du Nord, Amérique du Sud, Asie et Pacifique Sud, Afrique et le Bassin méditerranéen en circuits ou en séjours. Il se présente comme l'une des « références sur l'Europe » avec deux brochures : groupes (circuits guidés en français) et individuels. Le catalogue « Mosaïque Europe » s'adresse aux voyageurs indépendants qui réservent un billet d'avion, un hébergement (dans toute l'Europe), des excursions ou une location de voiture.

▲ TOURSMAISON
Spécialiste des vacances sur mesure, ce voyagiste sélectionne plusieurs « Évasions soleil » (plus de 600 hôtels ou appartements dans quelque 45 destinations), offre l'Europe à la carte toute l'année (plus de 17 pays) et une vaste sélection de compagnies de croisières (11 compagnies au choix). Toursmaison concocte par ailleurs des forfaits escapades à la carte aux États-Unis et au Canada. Au choix : transport aérien, hébergement (variété d'hôtels de toutes catégories ; appartements dans le sud de la France ; maisons de location et condos en Floride), location de voitures pratiquement partout dans le monde. Des billets pour le train, les attractions, les excursions et les spectacles peuvent également être achetés avant le départ.

▲ VACANCES TOURS MONT ROYAL
● *vacancestmr.com* ●
Le voyagiste propose une offre complète sur les destinations et les styles de voyages suivants : Europe, destinations soleils d'hiver et d'été, forfaits tout compris, circuits accompagnés ou en liberté. Au programme Europe, tout ce qu'il faut pour les voyageurs indépendants : locations de voitures, cartes de train, bonne sélection d'hôtels, excursions à la carte, forfaits à Paris, etc. À signaler : l'option achat/rachat de voiture (17 jours minimum, avec prise en France et remise en France ou ailleurs en Europe). Également : vols entre Montréal et Londres, Bruxelles, Bâle, Madrid, Malaga, Barcelone et Vienne avec Air Transat ; les vols à destination de Paris sont assurés par la compagnie Corsair au départ de Montréal, d'Halifax et de Québec avec Corsairfly. Nouvelle destination : l'Islande.

EN BUS

▲ CLUB ALLIANCE
– *Paris : 33, rue de Fleurus, 75006.* ☎ *01-45-48-89-53.* Ⓜ *Notre-Dame-des-Champs.* Lun-ven 10h30-19h, sam 13h30-19h. Brochure gratuite sur demande.
Spécialiste des week-ends (Londres, Bruxelles) et des ponts de 3 ou 4 jours (Berlin, Barcelone, Copenhague, Venise, Vienne, Prague, Budapest, Florence, les châteaux de la Loire, le Mont-Saint-Michel...). Circuits de 1 à 14 jours en Europe, y compris en France.

▲ EUROLINES
☎ *0892-899-091 (0,34 €/mn), tlj 8h-21h (10h-17h dim).* ● *eurolines.fr* ● *Vous trouverez également les services d'Eurolines sur* ● *routard.com* ● *Eurolines propose 10 % de réduc pour les jeunes et les seniors. Un seul bagage gratuit/pers en Europe. Gare routière internationale à Paris :* ☎ *01-49-72-51-61 (Ⓜ Gallieni).*
Première *low-cost* par bus en Europe, Eurolines permet de voyager vers plus de 1 500 destinations en Europe avec des départs quotidiens depuis 110 villes françaises.

Pass Eurolines : pour un prix fixe valable 15 ou 30 jours, vous voyagez autant que vous le désirez sur le réseau entre 45 villes européennes. Également un mini *pass* pour visiter deux capitales européennes.

▲ **VOYAGES 4A**
– *Saint-Jean-de-Luz :* 203, rue des Artisans, 64501. Rens et résas : ☎ 05-59-23-90-37. ● *voyages4a.com* ● Lun-ven 10h-18h.
Voyages 4A propose des voyages en autocar sur lignes régulières à destination des grandes cités européennes, des séjours et circuits Europe durant les ponts et vacances, le Carnaval de Venise, les grands festivals et expositions, des voyages en transsibérien, des séjours en Russie. Formules tout public au départ de Paris, Lyon, Marseille et autres grandes villes de France.

EN TRAIN

Plusieurs trains quotidiens relient Paris à Berlin (HBF).
Deux options pour aller à Berlin :
➢ *Au départ de Paris-Nord :* 6 allers-retours tlj en *Thalys* avec changement à Cologne pour emprunter le réseau Intercity (compter 8h45 de trajet). Train de nuit avec couchettes : depuis Paris, départ à 20h46 et arrivée à Berlin à 8h02, via Bielefeld, Hanovre et Wolfsburg.
➢ *Au départ de Paris-Est :* pour rejoindre Berlin, TGV-Est soit jusqu'à Saarbrücken, Kaiserslautern puis Mannheim et Francfort ou Strasbourg, Offenburg, Karlsruhe, et par Stuttgart via le réseau ICE (compter 8h45 de trajet). Pour en savoir plus, se renseigner sur le site ● *tgvesteuropeen.com* ●

Pour préparer votre voyage

– *Billet à domicile :* commandez et payez votre billet par téléphone au ☎ 36-35 *(0,34 €/mn)* ou sur Internet, la SNCF vous l'envoie gratuitement à domicile.
– *Service « Bagages à domicile » :* appelez le ☎ 36-35 *(0,34 €/mn),* la SNCF prend en charge vos bagages où vous le souhaitez et vous les livre là où vous allez en **24h de porte à porte.**

Pour voyager au meilleur prix

La SNCF propose des tarifs adaptés à chacun de vos voyages.
➢ *TGV Prem's, Téoz Prem's et Lunéa Prem's :* des petits prix disponibles toute l'année. Tarifs non échangeables et non remboursables (offres soumises à conditions).
– *Prem's :* pour des prix minis si vous réservez jusqu'à 90 jours avant votre départ, à partir de 22 € l'aller en 2de classe avec TGV, 17 € en 2de classe avec Téoz et 35 € en 2de classe en couchette avec Lunéa (32 € sur Internet).
– *Prem's Dernière Minute :* des offres exclusives à saisir sur Internet. Bénéficiez jusqu'à 50 % de réduction sur des places encore disponibles quelques jours avant le départ du train.
– *Prem's Vente Flash :* des promotions ponctuelles.
– *TGV Prem's Week-End :* 25 € ou 45 € garantis en 2de classe pour des départs sur les derniers TGV du vendredi et du dimanche soir (une offre exclusive TGV).
➢ *Les tarifs Loisirs :* une offre pour tous ceux qui programment leurs voyages mais souhaitent avoir la liberté de décider au dernier moment et de changer d'avis (offres soumises à conditions). Tarifs échangeables et remboursables. Pour bénéficier des meilleures réductions, pensez à réserver vos billets à l'avance (les réservations sont ouvertes jusqu'à 90 jours avant le départ) ou à voyager en période de faible affluence.

➢ *Les cartes :* pour ceux qui voyagent régulièrement, profitez de réductions garanties tout le temps avec les *cartes Enfant +, 12-25, Escapades* ou *Senior* (valables 1 an).

– *Vous voyagez avec un enfant de moins 12 ans :* pour 70 €, la *carte Enfant +* permet aux accompagnateurs (jusqu'à 4 adultes ou enfants, sans obligation de lien de parenté) de bénéficier de réductions allant jusqu'à 50 %, et à l'enfant titulaire de la carte de payer la moitié du prix adulte après réduction (s'il a moins de 4 ans, l'enfant voyage gratuitement).

– *Vous avez entre 12 et 25 ans :* avec la *carte 12-25,* pour 49 €, vous bénéficiez jusqu'à 60 % de réduction et - 25 % garantis sur tous vos voyages, même au dernier moment.

– *Vous avez entre 26 et 59 ans :* avec la *carte Escapades,* pour 85 €, vous bénéficiez jusqu'à 40 % de réduction et - 25 % garantis sur tous vos voyages, même au dernier moment. Ces réductions sont valables pour tout aller-retour de plus de 200 km effectué sur la journée du samedi ou du dimanche, ou comprenant la nuit du samedi au dimanche sur place.

– *Vous avez plus de 60 ans :* avec la *carte Senior,* pour 56 €, vous bénéficiez jusqu'à 50 % de réduction et - 25 % garantis sur tous vos voyages, même au dernier moment.

➢ *Pass InterRail :* avec les *Pass InterRail,* les résidents européens peuvent voyager dans 30 pays d'Europe, dont l'Allemagne. Plusieurs formules et autant de tarifs, en fonction de la destination et de l'âge. À noter que le *Pass InterRail* n'est pas valable dans votre pays de résidence (cependant l'*InterRail Global Pass* offre une réduction de 50 % de votre point de départ jusqu'au point frontière en France).

– Pour les grands voyageurs, l'*InterRail Global Pass* est valable dans l'ensemble des 30 pays européens concernés ; intéressant si vous comptez parcourir plusieurs pays au cours du même périple. Il se présente sous quatre formes au choix. *Deux formules flexibles :* utilisable 5 jours sur une période de validité de 10 jours (249 € pour les plus de 25 ans, 159 € pour les 12-25 ans), ou 10 jours sur une période de validité de 22 jours (359 € pour les plus de 25 ans, 239 € pour les 12-25 ans). *Deux formules « continues » :* pass 22 jours (469 € pour les plus de 25 ans, 309 € pour les 12-25 ans), *pass* 1 mois (599 € pour les plus de 25 ans, 399 € pour les 12-25 ans). Ces quatre formules existent aussi en version 1re classe !

– Si vous ne parcourez que l'Allemagne, le **One Country Pass** vous suffira. D'une période de validité de 1 mois, et utilisable, selon les formules, 3, 4, 6 ou 8 jours en discontinu (à vous de calculer avant le départ le nombre de jours que vous passerez sur les rails).

Tarifs Allemagne

	Plus de 25 ans	12-25 ans	4-11 ans
3 jours	189 €	125 €	94,50 €
4 jours	209 €	139 €	104,50 €
6 jours	269 €	175 €	134,50 €
8 jours	299 €	194 €	149,50 €

Là encore, ces formules existent en version 1re classe (mais ce n'est pas le même prix, bien sûr).
InterRail vous offre également la possibilité d'obtenir des réductions ou avantages à travers toute l'Europe avec ses partenaires bonus (musées, chemins de fer privés, hôtels, etc.).

Pour obtenir plus d'informations sur les conditions, pour réserver et acheter vos billets

– *Internet :* • voyages-sncf.com • tgv.com • corailteoz.com • coraillunea.fr •
– *Téléphone :* ☎ 36-35 (0,34 €/mn).
– *Également dans les gares, les boutiques SNCF et les agences de voyages agréées.*

EN VOITURE

Ceux qui ont bien suivi leurs cours de géographie savent sans doute que l'Allemagne est un pays limitrophe de la France. Ceux qui étaient à cette époque entre le radiateur et la fenêtre peuvent encore consulter une carte pour constater cette réalité. En tout cas, vous l'avez compris, ce n'est pas si loin ! De plus, à partir de la Belgique et après Strasbourg, les autoroutes sont nombreuses, gratuites, et l'essence à peine plus chère. En Allemagne, il n'y a pas de limitation de vitesse sur les autoroutes, mais on vous conseille de ne pas dépasser les 130 km/h.

➢ *Pour rejoindre le nord de l'Allemagne et Berlin au départ de Paris :* l'itinéraire passera par la Belgique. Autoroute du Nord A 1, puis A 2 vers Mons et E 42 vers Charleroi, Liège, Cologne, Düsseldorf, Hanovre, Braunschweig, Magdebourg, Potsdam et Berlin. Berlin se trouve à 1 060 km de Paris ; le trajet peut s'accomplir en 10h de route. Le parcours est entièrement autoroutier, et les seuls péages se trouvent sur le territoire français.

➢ *Pour rejoindre Berlin au départ du sud-est de la France :* compter 1 500 km (15h) depuis Marseille. Prendre l'A 7 vers Lyon, passer en Suisse par Genève, Lausanne, Berne et Bâle (attention, vignette suisse à payer pour utiliser les autoroutes), puis, en Allemagne, Stuttgart, Nuremberg, Leipzig et enfin Berlin. Les autoroutes allemandes sont gratuites.

BERLIN UTILE

ABC DE BERLIN

- **Statut :** *Land* fédéral, mais aussi capitale de l'Allemagne réunifiée depuis 1991.
- **Superficie :** 892 km² (neuf fois Paris !).
- **Population :** environ 3,4 millions d'habitants (4,3 avec la banlieue) répartis en 12 *Bezirke*. 137 000 hab. d'origine turque, 100 000 Russes, 38 000 ex-Yougoslaves, 28 000 Polonais.
- **Densité :** 3 811 hab./km².
- **Taux de chômage :** environ 13,5 % en juin 2008.
- **Religions :** protestantisme luthérien dominant, mais aussi 200 000 musulmans et 11 000 juifs.
- **Langue officielle :** l'allemand.
- **Monnaie :** l'euro.
- **Régime politique :** *Land* fédéral, avec une Chambre des députés élue pour 5 ans qui désigne le maire et les sénateurs de la ville.
- **Maire de Berlin :** Klaus Wowereit (SPD).
- **Coalition au pouvoir :** SPD-PDS, reconduite en septembre 2006.

AVANT LE DÉPART

Adresses utiles

En France

🛈 Office national allemand du tourisme (ONAT) : Le Ponant II, 21, rue Leblanc, 75015 Paris. ☎ 01-40-20-01-88. ● gntopar@d-z-t.com ● allemagne-tourisme.com ● Fermé au public. Rens par tél lun-ven 9h-17h. Très compétent. Brochures en libre-service 24h/24 par téléphone ou sur le service *webshop*, notamment : *Escapades culturelles, Vacances linguistiques, L'Allemagne à prix malins...*

■ Institut Goethe : 17, av. d'Iéna, 75016 Paris. ☎ 01-44-43-92-30. ● goethe.de/paris ● Ⓜ Iéna. Tlj sf dim et en août 9h-21h (9h-14h sam). Accès à la bibliothèque mar-ven 12h-20h, sam 10h-14h ; fermée début juil-début sept. Cinéma, expositions, etc. Toute la culture allemande dans un lieu lumineux, complètement relooké. Succursales à Bordeaux, Lille, Lyon, Nancy, Strasbourg et Toulouse.

■ Office allemand d'échanges universitaires (DAAD) : 24, rue Marbeau, 75116 Paris. ☎ 01-44-17-02-30. ● paris.daad.de ● Ⓜ Porte-Dauphine. L'office est chargé de la coopération franco-allemande dans le domaine de l'enseignement. Il s'adresse aux étudiants désireux de poursuivre leurs études ou recherches en Allemagne. Vous y trouverez des informations sur l'organisation de l'enseignement supérieur allemand, ses voies et conditions d'accès et la reconnaissance de vos diplômes.

■ *Office franco-allemand pour la jeunesse (OFAJ) :* 51, rue de l'Amiral-Mouchez, 75013 Paris. ☎ 01-40-78-18-18. ● ofaj.org ● Ⓜ Cité-Universitaire. L'OFAJ dispose de nombreuses informations utiles, dont une brochure très complète sur toutes les possibilités de contact avec l'Allemagne (stages, formations, voyages, rencontres...). Il attribue aussi des bourses dans certains cas.

■ *Centre d'information de l'ambassade d'Allemagne (CIDAL) :* 24, rue Marbeau, 75116 Paris. ☎ 01-44-17-31-31. ● cidal.diplo.de ● Ⓜ Porte-Dauphine. Lun-ven 10h-17h.

■ *Ambassade d'Allemagne :* 13-15, av. Franklin-D.-Roosevelt, 75008 Paris.

☎ 01-53-83-45-00. ● paris.diplo.de ● Ⓜ Franklin-D.-Roosevelt.

■ *Consulats d'Allemagne :*
– Paris : 28, rue Marbeau, 75116. ☎ 01-53-83-45-00. ● service.consulaire@amb-allemagne.fr ● Ⓜ Porte-Dauphine. Lun-ven 9h-12h.
– Bordeaux : 377, bd du Président-Wilson, 33021 Bordeaux-Cauderan Cedex. ☎ 05-56-17-12-22.
– Lyon : 33, bd des Belges, 69458 Cedex 06. ☎ 04-72-69-98-98.
– Marseille : 338, av. du Prado, Cedex 08. ☎ 04-91-16-75-20.
– Strasbourg : 6, quai Mullenheim, CS 10030, 67084 Cedex. ☎ 03-88-24-67-00.

■ *Librairies allemandes : Der Buchladen,* 3, rue Burq, 75018 Paris. ☎ 01-42-55-42-13. *Marissal,* 42, rue Rambuteau, 75003 Paris. ☎ 01-42-74-37-47.

En Belgique

🛈 *Office national allemand du tourisme :* Val d'Or 92, Bruxelles 1200. ☎ 02-245-97-00. ● vacances-en-allemagne.be ● Lun-ven 9h-12h30.

■ *Ambassade d'Allemagne :* rue J.-de-Lalaing, 8-14, Bruxelles 1040. ☎ 02-787-18-00. ● bruessel.diplo.de ●

En Suisse

🛈 *Deutsches zentrale für tourismus (DZT) :* Talstr 62, 8001 Zurich. ☎ 044-213-22-00. ● deutschland-tourismus.ch ● Lun-ven 9h30-17h.

■ *Ambassade d'Allemagne :* Willadingweg 83, 3000 Bern 15. ☎ 031-359-41-11. ● bern.diplo.de ●

Au Canada

🛈 *German national tourist office :* 480 University Ave, Suite 1500, Toronto (Ontario) M5G-1V2. ☎ (416) 968-1685. ● cometogermany.com ●

■ *Ambassade d'Allemagne :* 1 Waverley St, Ottawa (Ontario) K2P-0T8. ☎ (613) 232-1101. ● ottawa.diplo.de ●

Formalités

– Une *carte d'identité* en cours de validité ou un *passeport* français, belge ou suisse, même périmé depuis moins de 5 ans, suffisent pour entrer en Allemagne. Les Canadiens doivent se munir de leur passeport, mais sont exemptés de visa. Bon à savoir : la loi allemande exige que l'on ait toujours sur soi une pièce d'identité valable.
– Pour les conducteurs : *permis de conduire, carte grise* et *assurance.*
– Pour circuler dans les centres-villes, n'oubliez pas de vous procurer la *vignette* attestant que votre véhicule respecte les normes *antipollution.* Villes concernées : Berlin, Hanovre, Cologne, Stuttgart... Tous les détails sur les normes en

vigueur et les endroits où l'on peut se procurer la vignette sur présentation de la carte grise sur ● *connexion-francaise.com/region/article/umweltzone-pensez-a-la-vignette-auto* ●

– Les toutous et les matous doivent être munis d'un *certificat de vaccination antirabique* traduit en allemand. Modèle bilingue disponible à l'office national allemand du tourisme.

Assurances voyage

■ *Routard Assurance (c/o AVI International) :* 28, rue de Mogador, 75009 Paris. ☎ 01-44-63-51-00. ● *avi-international.com* ● Ⓜ *Trinité-d'Estienned'Orves.* Depuis 1995, *Routard Assurance,* en collaboration avec *AVI International,* spécialiste de l'assurance voyage, propose aux routards un tarif à la semaine qui inclut une assurance bagages de 1 000 € et appareils photo de 300 €. Pour les séjours longs (2 mois à 1 an), il existe le *Plan Marco Polo.* Depuis peu, également un nouveau contrat pour les seniors, en courts et longs séjours. *Routard Assurance* est aussi disponible en version « light » (durée adaptée aux week-ends et courts séjours en Europe). Vous trouverez un bulletin de souscription dans les dernières pages de chaque guide.

■ *AVA :* 25, rue de Maubeuge, 75009 Paris. ☎ 01-53-20-44-20. ● *ava.fr* ● Ⓜ *Cadet.* Un autre courtier fiable pour ceux qui souhaitent s'assurer en cas de décès-invalidité-accident lors d'un voyage à l'étranger, mais surtout pour bénéficier d'une assistance rapatriement, perte de bagages et annulation. Attention, franchises pour leurs contrats d'assurance voyage.

■ *Pixel Assur :* 18, rue des Plantes, 78600 Maisons-Laffitte. ☎ 01-39-62-28-63. ● *pixel-assur.com* ● *RER A :* Maisons-Laffitte. Assurance de matériel photo et vidéo tous risques dans le monde entier. Devis basé sur le prix d'achat de votre matériel. Avantage : garantie à l'année.

Carte internationale d'étudiant (carte ISIC)

Elle prouve le statut d'étudiant dans le monde entier et permet de bénéficier de tous les avantages, services, réductions étudiants du monde, soit 37 000 avantages (dont plus de 8 000 en France) concernant les transports, les hébergements, la culture, les loisirs... C'est la clé de la mobilité étudiante !
La carte ISIC donne aussi accès à des avantages exclusifs sur le voyage (billets d'avion spéciaux, assurances de voyage, cartes de téléphone internationales, cartes SIM, locations de voitures, navettes aéroport...).
Pour plus d'informations sur la carte ISIC et pour la commander en ligne, rendez-vous sur les sites internet propres à chaque pays.

Pour l'obtenir en France

Pour localiser un point de vente proche de chez vous : ● *isic.fr* ● ou ☎ 01-40-49-01-01.
Se présenter au point de vente avec :
– une preuve du statut d'étudiant (carte d'étudiant, certificat de scolarité...) ;
– une photo d'identité ;
– 12 €, ou 13 € par correspondance incluant les frais d'envoi des documents d'information sur la carte.
Émission immédiate.

En Belgique

La carte coûte 9 € et s'obtient sur présentation de la carte d'identité, de la carte d'étudiant et d'une photo auprès de *Connections : rens au* ☎ 070-23-33-13. ● *isic.be* ●

En Suisse

La carte s'obtient dans toutes les agences *STA Travel* (☎ 058-450-40-00), sur présentation de la carte d'étudiant, d'une photo et de 20 Fs. Commande de la carte en ligne : ● *isic.ch* ● ou ● *statravel.ch* ●

Au Canada

La carte coûte 16 $Ca ; elle est disponible dans les agences TravelCuts/Voyages Campus, mais aussi dans les bureaux d'associations étudiants. Pour plus d'infos : ● *voyagescampus.com* ●

Carte d'adhésion internationale aux auberges de jeunesse (carte FUAJ)

Cette carte, valable dans plus de 80 pays, vous ouvre les portes des 4 200 auberges de jeunesse du réseau *Hostelling International* réparties dans le monde entier. Les périodes d'ouverture varient selon les pays et les AJ. À noter, la carte est souvent obligatoire pour séjourner en auberge de jeunesse, donc nous vous conseillons de vous la procurer avant votre départ. En effet, adhérer en France vous reviendra moins cher qu'à l'étranger.

Pour tous renseignements et réservation en France

Sur place

■ **Fédération unie des auberges de jeunesse (FUAJ) :** *27, rue Pajol, 75018 Paris.* ☎ *01-44-89-87-27.* ● *fuaj.org* ● Ⓜ *Marx-Dormoy ou La Chapelle. Horaires d'ouverture disponibles sur le site internet. Adhésion possible également dans ttes les auberges de jeunesse, points d'information et de réservation FUAJ en France.*
– Montant de l'adhésion : 11 € pour les personnes de moins de 26 ans et 16 € pour les plus de 26 ans (tarifs 2009).
– Munissez-vous de votre pièce d'identité lors de l'inscription. Pour les mineurs, une autorisation des parents leur permettant de séjourner seul(e) en auberge de jeunesse est nécessaire (une photocopie de la carte d'identité du parent qui autorise le mineur est obligatoire).

Par correspondance

Envoyer une photocopie recto verso d'une pièce d'identité et un chèque à l'ordre de « FUAJ » correspondant au montant de l'adhésion. Ajouter 2 € pour les frais d'envoi de la FUAJ. Vous recevrez votre carte sous 15 jours.

– La FUAJ propose également une **carte d'adhésion « Famille »,** valable pour un ou deux adultes ayant un ou plusieurs enfants âgés de moins de 14 ans. Fournir une copie du livret de famille. Elle coûte 23 € (tarif 2009). Une seule carte est délivrée pour toute la famille, mais les parents peuvent s'en servir lorsqu'ils voyagent seuls. Seuls les enfants de moins de 14 ans peuvent figurer sur cette carte. Les plus de 14 ans devront acquérir une carte individuelle.
– La carte donne également droit à des réductions sur les transports, les musées et les attractions touristiques de plus de 80 pays mais ces avantages varient d'un pays à l'autre, ce qui n'empêche pas de la présenter à chaque occasion. Liste de ces réductions disponible sur ● *hihostels.com* ● et les réductions en France sur ● *fuaj.org* ●

En Belgique

La carte d'adhésion est obligatoire. Son prix varie selon l'âge : entre 3 et 15 ans, 3 € ; entre 16 et 25 ans, 9 € ; après 25 ans, 15 €.

Renseignements et inscriptions

■ **LAJ :** *rue de la Sablonnière, 28, 1000 Bruxelles.* ☎ *02-219-56-76.* ● *info@laj. be* ● *laj.be* ●

■ **Vlaamse Jeugdherbergcentrale (VJH) :** *Van Stralenstraat 40, B 2060 Antwerpen.* ☎ *03-232-72-18.* ● *vjh.be* ●

– Votre carte de membre vous permet d'obtenir de 3 à 20 € de réduction sur votre première nuit dans les réseaux LAJ, VJH et CAJL (Luxembourg), ainsi que des réductions auprès de nombreux partenaires en Belgique.

En Suisse (SJH)

Le prix de la carte dépend de l'âge : 22 Fs pour les moins de 18 ans, 33 Fs pour les adultes et 44 Fs pour une famille avec des enfants de moins de 18 ans.

Renseignements et inscriptions

■ **Schweizer Jugendherbergen (SJH) :** *service des membres, Schaff-hauserstr 14, 8042 Zurich.* ☎ *01-360-* *14-14.* ● *bookingoffice@youthhostel.ch* ● *youthhostel.ch* ●

Au Canada

La carte coûte 35 $Ca pour une durée de 16 à 28 mois et 175 $Ca pour une carte valable à vie. Gratuite pour les enfants de moins de 18 ans qui accompagnent leurs parents.

Renseignements et inscriptions

■ **Auberges de jeunesse du Saint-Laurent/St Laurent Youth Hostels :**
– À Montréal : 3514, av. Lacombe, Montréal (Québec) H3T-1M1. ☎ *(514) 731-1015. Sans frais (au Canada) :* ☎ *1-866-754-1015.*
– À Québec : 94, bd René-Lévesque *Ouest, Québec (Québec) G1R-2A4.* ☎ *(418) 522-2552.*
■ **Canadian Hostelling Association :** *205 Catherine St, bureau 400, Ottawa (Ontario) K2P-1C3.* ☎ *(613) 237-7884.* ● *info@hihostels.ca* ● *hihostels.ca* ●

ARGENT, BANQUES, CHANGE

Argent

Sur les pièces des euros allemands figurent au verso la feuille de chêne, la porte de Brande-bourg ou l'aigle de la démocratie. À côté de la date, une lettre indique où la pièce a été frappée : A pour Berlin, D pour Munich, F pour Stuttgart, G pour Karlsruhe et J pour Hambourg.
Attention, les Allemands ont l'habitude de tout payer en liquide,

ON L'A ÉCHAPPÉ BELLE !

Petite anecdote : c'est grâce aux Allemands que la monnaie européenne ne s'est pas appelée écu : c'était trop proche de kuh qui veut dire « vache » ! De même, c'est à leur demande que l'on a créé la grosse coupure de 500 €. Cela correspond à leur ancien billet de 1 000 DM.

les cartes de paiement sont donc rarement acceptées, y compris dans les hôtels, les restaurants et même dans les supermarchés.

Banques, change

Les banques sont généralement ouvertes en semaine de 8h30 à 13h et de 14h30 à 16h ou 17h30. Fermées le week-end.

Pour nos amis suisses et canadiens, les bureaux de change dans les aéroports, aux frontières et dans les gares des grandes villes sont ouverts de 6h à 22h, même le week-end ! Les commissions sur le change ne varient que très peu d'une banque à l'autre. Pour les retraits en euros aux DAB, en principe plus de commission si votre compte se situe dans la zone euro, en revanche vérifiez auprès de votre banque si ce n'est pas le cas.

Cartes de paiement

Quelle que soit la carte que vous possédez, chaque banque gère elle-même le processus d'opposition et le numéro de téléphone correspondant ! Avant de partir, notez donc bien le numéro d'opposition propre à votre banque (il figure souvent au dos des tickets de retrait, sur votre contrat, ou à côté des distributeurs de billets), ainsi que le numéro à 16 chiffres de votre carte. Bien entendu, conservez ces informations en lieu sûr et séparément de votre carte. Par ailleurs, l'assistance médicale se limite aux 90 premiers jours du voyage.

– *Carte Bleue Visa Internationale : assistance médicale et véhicule incluse ; numéro d'urgence (Europ Assistance) :* ☎ *(00-33) 1-41-85-88-81. Pour faire opposition, contactez le numéro communiqué par votre banque.* ● *carte-bleue.fr* ●
– *Carte MasterCard : assistance médicale incluse ; numéro d'urgence :* ☎ *(00-33) 1-45-16-65-65.* ● *mastercardfrance.com* ● *En cas de perte ou de vol, composez le numéro communiqué par votre banque ou à défaut le numéro général :* ☎ *(00-33) 892-699-292 pour faire opposition ; numéro également valable pour les autres cartes de paiement émises par le Crédit Agricole et le Crédit Mutuel.*
– *Pour la carte American Express, téléphonez en cas de pépin au* ☎ *(00-33) 1-47-77-72-00. Numéro accessible tlj, 24h/24.* ● *americanexpress.fr* ●
– *Pour toutes les cartes émises par La Banque Postale, composez le* ☎ *0825-809-803 (0,15 €/mn) et pour les DOM ou depuis l'étranger le* ☎ *(00-33) 5-55-42-51-96.*
– *Également un numéro d'appel valable quelle que soit votre carte de paiement :* ☎ *0892-705-705 (serveur vocal à 0,34 €/mn). Ne fonctionne ni en PCV, ni depuis l'étranger.*

Petite mesure de précaution : si vous retirez de l'argent dans un distributeur, utilisez de préférence les distributeurs attenants à une agence bancaire. En cas de pépin avec votre carte (carte avalée, erreurs de numéro...), vous aurez un interlocuteur dans l'agence, pendant les heures ouvrables du moins.

Western Union Money Transfer

En cas de besoin urgent d'argent liquide (perte ou vol de billets, chèques de voyage, carte de paiement), vous pouvez être dépanné en quelques minutes grâce au système *Western Union Money Transfer*. Pour cela, demandez à quelqu'un de vous déposer de l'argent en euros dans l'un des bureaux *Western Union* ; les correspondants en France de *Western Union* sont *La Banque Postale (fermée sam ap-m, n'oubliez pas !* ☎ *0825-00-98-98)* et *Travelex* en collaboration avec la *Société Financière de Paiement (SFDP ;* ☎ *0825-825-842).* L'argent vous est transféré en moins d'un quart d'heure. La commission, assez élevée, est payée par l'expéditeur. Possibilité d'effectuer un transfert en ligne 24h/24 par carte de paiement (Visa ou MasterCard émise en France) sur ● *westernunion.com* ● N'oubliez pas de vous munir d'une pièce d'identité.

BUDGET

S'il fallait ne retenir qu'une des vertus de l'euro, ce serait celle de la démystification ! Le Deutsche Mark, présenté comme un aspirateur de portefeuilles, a terrorisé des générations de touristes potentiels. Bien sûr, la monnaie allemande était très forte et les salaires de nos voisins comptaient parmi les plus élevés au monde, mais à Berlin, le coût de la vie n'a rien de prohibitif. On peut considérer que c'est même de 20 à 30 % meilleur marché qu'à Paris. Manger au resto à Berlin revient globalement moins cher qu'en France. Vu la générosité des portions, les Allemands se contentent habituellement d'un plat. Aucun serveur ne vous imposera une entrée, un plat et un dessert. Les boissons sont également meilleur marché, à moins évidemment de choisir un vin étranger. L'hébergement demeure effectivement onéreux, mais les campings et surtout les *hostels* et autres AJ officielles ou privées (plébiscitées également par les seniors et offrant de confortables chambres doubles) constituent une bonne alternative !

Hébergement

Compter autour de 20 € par personne pour une nuit dans les adresses figurant en catégorie « Bon marché » (auberges de jeunesse et campings). Pour les adresses « Prix moyens », compter de 30 à 40 € par personne. Les quelques adresses classées « Plus chic » commencent à 45 € par personne.

Restaurants

En ce qui concerne la restauration, un repas en resto U ou dans un *Imbiss* (une variété de snack-bar avec plats à emporter mais sans sandwichs) vous coûtera moins de 4 €. Pour un repas au restaurant, compter 10 € dans une adresse « Bon marché », 18 € dans une adresse « Prix moyens », et à partir de 25 € dans une adresse « Plus chic ».

Transports

Un ticket de transport en commun coûte 2,10 € pour les zones A et B, mais il existe de nombreuses formules économiques (voir la rubrique « Comment se déplacer ? » dans les « Informations et adresses utiles »).

Réductions

En bref, profiter de toutes les **réductions** possibles : les étudiants sont particulièrement bien lotis avec des réductions jusqu'à 50 % sur les musées et les spectacles...
– *Réductions étudiants :* vous pouvez faire établir une carte franco-allemande d'étudiant pour 3 € auprès du Crous, • *crous-paris.fr* • Elle permet aux étudiants français d'être considérés comme des étudiants allemands. Carte imprimée bilingue : aucune contestation possible. Mais il existe également des avantages dont chacun peut profiter : billets de théâtre et d'opéra à 50 % le soir même, logement en résidence universitaire (quand il y a de la place), etc.
– De plus, Berlin propose des cartes de transport pour 2, 3, 5 et 7 jours, offrant des réductions sur les musées, concerts et spectacles. Particulièrement intéressantes pour les parents car avec une carte adulte on fait bénéficier jusqu'à trois enfants entre 6 et 14 ans. Voir *Welcome Card* dans les « Adresses et infos utiles » de Berlin.

Musées

Prévoir un gros budget : leur tarif est raisonnable, mais ils sont nombreux... et fabuleux ! À Berlin, on en compte 180 ! Sur tous les sujets imaginables... des nounours à la *currywurst* (saucisse au curry). Les collections de peintures (de sculptures aussi, d'ailleurs) sont d'une richesse époustouflante. Musées généralement très bien organisés, avec plans détaillés, consignes, cafétéria, etc.
– Bon à savoir : si la plupart du temps l'accès aux musées de moins de 16 ans est gratuit, ils accordent aussi toujours des réductions pour étudiants (ne pas oublier sa carte ; sinon, la carte des auberges de jeunesse peut faire l'affaire si le caissier est souple), pour enfants, familles, personnes âgées, militaires, personnes handicapées, etc.

BERLIN UTILE

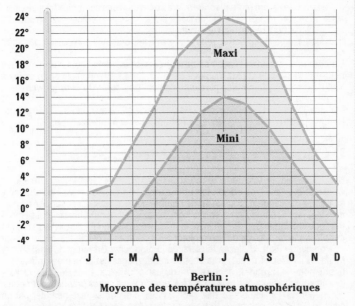

Berlin :
Moyenne des températures atmosphériques

– *SchauLust-Museen Berlin :* c'est le nom du *Museumpass* à 19 € qui est proposé pour 3 jours (réduc : 9,50 €). Il donne droit à l'accès de 70 musées. Ceux-ci ouvrent généralement (sauf quelques exceptions) de 10h à 18h (17h le samedi) et sont fermés le lundi. Mais vérifiez au cas par cas.
– Dans la plupart des grands musées, il est souvent possible d'entrer gratuitement le jeudi après 18h (la fermeture est à 22h ce jour-là). En cas d'entrée gratuite, l'audioguide est bien sûr payant.
– Deux fois par an (fin janvier et fin août) la ***Longue Nuit des musées*** permet un accès aux musées jusqu'à très tard (pour 15 €) et également une utilisation gratuite des transports publics.

CLIMAT

C'est sûr, Berlin n'est pas la capitale la plus ensoleillée d'Europe. Frais mais peu humide, le climat de Berlin reste agréable toute l'année, idéal pour les déplacements en ville.
L'hiver n'est pas la meilleure saison pour s'y rendre car les températures peuvent descendre jusqu'à -15 °C, avec des vents d'est « sibériens » et de la neige entre décembre et février. Les lacs se transforment en patinoire et la neige peut y subsister jusqu'en avril, il y a de quoi hésiter ! Mais surtout, sachez que certains établissements ferment à cette période. De même, les mois d'hiver sont-ils le plus souvent couverts. Et, surprise, si le ciel est couvert, la nuit peut vous surprendre... dès 4h de l'après-midi ! En revanche, c'est au début du mois de décembre que les marchés de Noël égaient la ville.
Le printemps est long à s'installer, mais quels débordements de joie et d'activité dès les premières chaleurs : les parcs et leurs *Biergarten* (« jardins à bière ») sont

pris rapidement d'assaut par la population. L'été est chaud sans être caniculaire, parfait pour se rendre en fin d'après-midi au bord d'un des nombreux lacs de Berlin et de sa région. L'idéal est donc de partir entre mai et septembre tout en sachant que ce climat continental rend souvent étouffant le cœur de l'été. Un conseil : pour faire face à la fraîcheur des soirées et aux averses orageuses, n'oubliez pas votre petite laine et surtout un bon imper.

L'automne n'est pas ici synonyme de rentrée scolaire (début août à Berlin) : c'est peut-être la période la plus magique de la ville, mais attention, il peut pleuvoir à tout moment. Septembre se révèle également très agréable pour un week-end découverte.

Par ailleurs, évitez de vous rendre à Berlin lors de foires ou congrès. Sachez également que de nombreuses salles de spectacles sont fermées en été.

DANGERS ET ENQUIQUINEMENTS

Berlin se révèle une ville très sûre : c'est en fait une grande capitale avec un style de vie plutôt provincial, ce qui est fort appréciable ! Agressions et vols à l'arraché y sont rares. Cependant, comme en de nombreux lieux, on s'abstiendra de se promener (la nuit en particulier) avec des signes ostentatoires de richesse (grosse montre, bijoux bling-bling...). Ça serait, en outre, de mauvais goût ; les Berlinois restant dans leur grande majorité des gens plutôt naturels et sans chichis. De même, autour de Potsdamer Platz, d'Alexanderplatz, de Zoologischer Garten et de Hackescher Markt (où il y a foule), dans les marchés et grands magasins aux heures d'affluence, pas de portefeuille dans la poche arrière du jean pour ne pas tenter les pickpockets (qui ne sont d'ailleurs pas plus nombreux que dans les autres grandes métropoles européennes). Finalement, le plus gros danger, c'est de se faire percuter par un cycliste sur un des nombreux trottoirs que les piétons sont obligés de partager. La vigilance et l'attention dans les couloirs pour vélos sont deux réflexes à acquérir très rapidement, on en a fait l'expérience ! Et puis, cerise sur le gâteau, la police se révèle fort discrète, d'une grande affabilité.

DÉCALAGE HORAIRE

Et bien non, il n'y a aucune différence d'heure entre Berlin et la France. Nous vivons à la même heure et passons de l'heure d'hiver à l'heure d'été en même temps. Seule différence : Berlin est à 1 000 bornes plus à l'est de Paris (entre autres) ; résultat, le soleil s'y lève plus tôt et s'y couche plus tôt.

ENFANTS

Berlin, une ville pour les enfants ? Oui, incontestablement ! D'abord, par sa qualité de vie, son calme, ses nombreux et immenses espaces verts. C'est en tout cas une ville détendue pour les minots, une ville où il fera bon rouler à vélo avec eux sans angoisse. Également, nombreuses activités culturelles et ludiques à leur disposition : musées avec sections spécifiques « enfants », activités nature, randonnées, balades diverses, piscines de plein air, baignades dans des rivières et des lacs aux eaux claires et saines, spectacles et animations pour enfants.

Courte sélection : les robots rigolos qui jouent avec les visiteurs au *musée de la Communication*, les magnifiques sections indiennes et océaniennes du *Musée ethnographique de Dahlem,* les dinosaures qui reprennent vie au *Museum für Naturkunde...* Également possibilité de manipuler et d'effectuer de nombreuses expériences techniques et scientifiques au *musée des Techniques.* Le *Kindermuseum Labyrinth* possède ses fans, ainsi que le *Museumsdorf Düppel* (reconstitution d'un village de l'an 1200 apr. J.-C.). Dernier venu, le **Legoland Discovery Center** est promis à un bel avenir. Belles **balades en bateau** sur la Spree et au départ de Potsdam... En été, se rafraîchir à la grande et populaire **plage de Wannsee...** Ne pas manquer non plus le **zoo**, l'un des plus avancés d'Europe en matière de respect des animaux et de leur environnement, ainsi que le **jardin botanique** et son parc de 43 ha, propice à de belles balades...

À propos, découvrez aussi, en pleine ville, cette authentique ferme du **Domäne Dahlem** (avec 15 ha de champs et vergers, et des activités pour les enfants) et le **planétarium** avec sa plus longue lunette au monde. En hiver, possibilité de patiner sur les lacs gelés de la ville et de faire de la luge dans le parc de Tiergarten et ses nombreux confrères.

FÊTES ET JOURS FÉRIÉS

Les magasins, musées, établissements publics sont fermés les jours suivants (mais renseignez-vous avant pour les musées, car il y a des exceptions) :
– 1er janvier, Vendredi saint, dimanche et lundi de Pâques, 1er mai, jeudi de l'Ascension, dimanche et lundi de Pentecôte, Fête-Dieu, Noël et 26 décembre.
– **Fête nationale :** le 3 octobre, date de la réunification. Tout est fermé ce jour-là.

Calendrier

– **Janvier :** *Longue Nuit des musées* (jusqu'à minuit et au-delà) le dernier week-end du mois.
– **Mi-février :** *Festival du cinéma.* Rens au ☎ 254-89-100. C'est là qu'on décerne le fameux Ours d'or. La manifestation a eu lieu pour la première fois dans les bâtiments neufs de la Potsdamer Platz. Un festival entièrement ouvert au public.
– **Mars :** *Foire du tourisme* et *Biennale de musique* (les années impaires).
– **Fin mai-début juin :** *Carnaval des cultures,* le w-e de la Pentecôte, à Kreuzberg. ☎ 622-42-32. ● karneval-berlin.de ● *Dates 2010 : 21-24 mai, avec une journée réservée aux enfants.* Créé en 1996, ce carnaval *multi-kulti,* comme on dit ici, accueille aujourd'hui 4 000 participants d'une soixantaine de nationalités et connaît un succès toujours croissant. Riche en couleurs, le défilé des chars se déroule le dimanche, mais la fête dure 4 jours, du vendredi au lundi, avec de nombreux concerts de musiques du monde. Un mini-Rio à Berlin.
– **Juin :** *Gay Pride, pour le Christopher St Day.* Le trajet s'effectue dans une ambiance de fête à Schöneberg, entre le zoo et la porte de Brandebourg.
– **Juillet :** *Festival des musiques d'ailleurs* tous les ans sur un thème différent, au Tempodrom. Et *Classic Open Air* : sur Gendarmenmarkt.
– **Août :** *Festival international de danse.* Deuxième *Longue Nuit des musées* le dernier week-end du mois.
– **Septembre :** *Marathon de Berlin,* à Charlottenburg.
– **Fin septembre-début octobre :** *Art Forum* (festival d'art contemporain). Cette foire internationale d'art contemporain a lieu chaque année. Parallèlement à cet événement incontournable de la scène artistique internationale et berlinoise se tiennent désormais pas moins de trois manifestations off disséminées dans l'est de la ville : le *Berliner Kunstsalon* à Kreuzberg/Treptow, la *Berliner Liste* et le *Preview Berlin* à Prenzlauerberg.
– **Octobre-novembre :** *Jazz Fest* (se renseigner à l'office de tourisme).
– **Novembre :** *Jazz Fest* et *Journées de la culture juive.*
– **Décembre :** *Weihnachtsmärkte* (marchés de Noël). Durant tout le mois : artisanat, vin chaud à la cannelle, saucisses à profusion, pains d'épice... sur la Breischeidplatz et l'Alexanderplatz, mais celui de Spandau est le plus grand.

HÉBERGEMENT

Voilà le problème principal. Nous insistons : RÉSERVER chambres d'hôtel, AJ et campings LE PLUS TÔT POSSIBLE avant de partir. Nous indiquons un maximum d'adresses, car il est plus prudent de réserver par écrit ou par e-mail.

En été, les Allemands partent massivement en vacances à l'étranger. On trouve donc de la place assez aisément. Passer par les offices de tourisme qui font généralement très bien leur boulot.

Auberges de jeunesse

– Il n'y a pas de limite d'âge pour séjourner en AJ. Il faut simplement être adhérent.

– La FUAJ offre à ses adhérents la possibilité de réserver en ligne grâce à son système de réservation international ● hihostels.com ● jusqu'à 12 mois à l'avance, dans plus de 1 200 auberges de jeunesse situées en France et à l'étranger (le réseau *Hostelling International* couvre plus de 80 pays). Gros avantage, les AJ étant souvent complètes, votre lit est réservé à la date souhaitée. Et si vous prévoyez un séjour itinérant, vous pouvez réserver plusieurs auberges en une fois. L'intérêt, c'est que tout cela se passe avant le départ, en français et en euros, donc sans frais de change ! Vous versez simplement un acompte de 5 % et des frais de réservation de 1,51 £, soit 1,60 € selon le cours du jour (non remboursables). Vous recevrez en échange un reçu de réservation que vous présenterez à l'AJ une fois sur place. Ce service permet aussi d'annuler et d'être remboursé selon le délai d'annulation, qui varie d'une AJ à l'autre. Le système de réservation international accessible sur le site ● hihostels.com ● permet d'obtenir toutes informations utiles sur les auberges reliées au système, de vérifier les disponibilités, de réserver et de payer en ligne, de visiter virtuellement une auberge et bien d'autres astuces !

En Allemagne

Les AJ (plus de 550) existent sous deux formes : la *Jugendherberge* et la *Jugendgästehaus*. La seconde est un peu plus chère que la première ; les deux exigent la carte des AJ et pratiquent le couvre-feu (23h ou minuit). Hors saison, elles sont essentiellement utilisées par les groupes scolaires. Leurs règlements varient parfois d'une région à l'autre ; renseignez-vous avant de partir. Dans le nord de l'Allemagne, elles sont assidûment fréquentées par les seniors.

Les AJ allemandes ne sont pas toutes mixtes (ne rêvons pas !), mais certaines proposent des chambres doubles et « familiales » (à petits lits). Le petit déj est généralement inclus dans le prix de la nuit. Il est rare qu'on puisse y faire sa cuisine, mais la plupart servent des repas chauds (à heures fixes, généralement tôt par rapport aux habitudes françaises !) bon marché. On y trouve presque toujours de nombreuses infos pour les routards (horaires de trains et bus, excursions, visites...) et toutes sortes d'activités sportives. Mais, dans la plupart, les « corvées » (du genre : donner un coup de balai) sont obligatoires, comme en Grande-Bretagne !

À noter que quasi toutes les AJ allemandes sont fermées quelques jours autour de Noël et du Jour de l'an. Bien se renseigner au coup par coup.

– Site internet : ● djh.de ●

■ **Deutsches Jugendherbergswerk Berlin-Brandenburg :** *Kluckstr 3,* │ 10785 Berlin. ☎ 26-49-520. ● djh-berlin-brandenburg.de ● Lun-ven 8h-19h.

On note également un nombre croissant d'*hostels* indépendants, et proches des *backpackers* anglo-saxons. Situation centrale, pas de carte de membre obligatoire, pas de limite d'âge, service tous les jours 24h/24. Plus de lits disponibles que dans les AJ officielles, plus de services, etc. On y trouve une ambiance moins rigide, mais parfois aussi un confort et un entretien plus aléatoires. ● backpackernetwork. de ● europeanhostels.com/hostels/germany ●

BERLIN UTILE

Campings en Allemagne

Terrains souvent bien situés, en bordure de lac ou de forêt, voire les deux. Bien équipés également. Pour avoir un ordre d'idée, les tarifs varient de 3 à 5 € par personne et par nuit, et autour de 5 € par emplacement. Attention, douches, eau chaude, électricité et papier toilette parfois payants !

La *Fédération allemande du camping* (DDC) et l'*Automobile Club allemand* (ADAC) peuvent vous renseigner sur le camping-caravaning en Allemagne. Le guide camping de l'ADAC est en vente notamment à la librairie *L'Astrolabe* (46, rue de Provence, 75009 Paris. Ⓜ Chaussée-d'Antin).

– Site internet : ● camping-club.de ●

– Pour les campings de Berlin, réservez au *Landesverband Deutscher Camping Club Berlin* : *Geisbergstr 11, 10777 Berlin.* ● dccberlin.de ● *Ou appelez le* ☎ 218-60-71 ou 72.

Les tarifs sont les mêmes partout.

⅄ *Campingplatz Krossinsee* (plan d'ensemble C3) : Wernsdorfer Str 38, 12527 Schmöckwitz, sur le lac Krossin. ☎ 675-86-87. ● krossinsee@dccberlin. de ● À 35 km de la ville, au sud-est. Prendre le S-Bahn jusqu'à Grünau, puis le tramway n° 68, puis le bus jusqu'à Schmöckwitz (dernier arrêt) en direction de Ziegenhals. Ouv tte l'année. Compter 17 € pour 2 avec une tente.

⅄ *Internationales Jugendcamp Fliesstal, Backpacker's Paradise* (plan d'ensemble B1) : Ziekowstr 161, 13509 Berlin-Tegel. ☎ 791-30-40. ● camp@berlinerjugendclub.de ● back

packersparadise.de ● S-Bahn S 25 à Tegel et U-Bahn 6 : Alt Tegel, puis bus n° 222 direction Alt Lübars. Ouv slt de mi-juin à fin août. Pas de résa à l'avance. Compter 8,50 € la nuit sous tentes collectives. Sinon, compter 19 € la nuit pour 2 avec sa propre tente. Assez loin du centre, petit et sans charme, il faut bien le dire. Mais le prix est de loin le plus avantageux. Tentes communes d'une vingtaine de places, matelas et couvertures fournis. Utilisation des douches comprise. Petit déj à 2,50 €. Le soir, feu de camp. Propose également une formule AJ, souvent complète et de préférence pour les groupes.

Chez l'habitant, les *Bed & Breakfast*

Une solution qui en sauvera plus d'un. D'abord, c'est trois à six fois moins cher qu'un hôtel, et surtout on en trouve partout, la formule est assez répandue. Guetter les pancartes « *Zimmer frei* » ou demander aux offices de tourisme locaux les adresses des habitants prêts à accueillir les touristes. Dans les campagnes, il faut compter environ entre 40 et 50 € la chambre pour deux personnes, avec petit déj. Celui-ci (généralement compris dans le prix) est souvent copieux.

■ *Bed & Breakfast Berlin :* ☎ 789-139-71. ● bed-and-breakfast.de ● Doubles 41-68 € sans petit déj. 2 nuits min.

Site très complet et descriptif. Propose des chambres chez l'habitant à Berlin et ses environs entre 40 et 70 € la nuit.

En cas de séjour prolongé, on peut s'adresser à des *Mitwohnzentralen,* qui proposent des *appartements* (55-85 €) ou des *chambres* à louer. On vous facturera une commission proportionnelle au prix de la location.

■ *Wohn-Agentur-Freiraum :* Wienerstr 14, 10999 Berlin-Kreuzberg. ☎ 00-49(0) 30-61-82-008. ● info@freiraum-berlin.com ● freiraum-berlin. com ● Lun-ven 10h-17h, sam 10h-14h.

Tarifs très intéressants au mois. ■ *Home Company :* Bundesalle 39-40a, 10719 Berlin-Charlottenburg. ☎ 19-445. ● homecompany.de ● Lun-ven 9h-18h (17h ven), sam 10h-13h.

BERLIN UTILE

Hôtels

L'hôtellerie allemande est assez chère, et parfois insuffisante au regard de la demande. À noter, les chambres doubles *(Doppelzimmer)* ont presque toujours des lits jumeaux ; le lit double est une denrée rare en Allemagne ! Et la couette, douillette en hiver et trop chaude en été, se retrouve sur tous les lits. Attention, pas de confusion, dans les brochures et sur les sites internet, les prix sont souvent indiqués par nuit et *par personne.* Bien faire préciser le prix à la réservation.

Berlin se distingue en Allemagne par l'apparition d'une nouvelle tendance de l'hôtellerie moderne, celle des *Small Design Hotels* et des *Art Hotels,* alliant confort et dernières tendances de la production artistique contemporaine. Quelques-uns de ces petits bijoux font partie de nos choix d'hébergement, leur prix n'étant pas hors de portée.

À noter également, l'intéressante initiative de l'Office national allemand du tourisme qui propose la brochure *L'Allemagne à prix malins,* avec des références d'hôtels et de pensions où l'on parle le français. Prix à moins de 40 € par personne. La liste est disponible sur le site de l'ONAT.

ITINÉRAIRES

Voici quelques suggestions d'itinéraires, de sites à voir et de choses à faire pour 3, 5 et 7 jours de séjour.

Trois jours

Les monuments incontournables : la *porte de Brandebourg,* le *Reichstag,* le *Berliner Dom* (la cathédrale), le *Schloss Charlottenburg* (une demi-journée) et le *Nikolaiviertel* (reconstruction d'un quartier du vieux Berlin).

Itinéraire qui permet de voir un maximum de choses : de la porte de Brandebourg à Alexanderplatz (plus de 5 km de long) en traversant l'île aux Musées et dans un rayon de 300 m de part et d'autre. Les musées inévitables : la *Gemäldegalerie* (rayon peinture, c'est le « Louvre de Berlin » ; au moins 3h de visite), le *Pergamonmuseum* (incluant le musée d'Art islamique et celui du Proche-Orient ; 2h minimum). Également *Checkpoint Charlie* et le *musée du Mur* (témoignages de la guerre Froide), le *Jüdisches Museum* (l'émouvant *Musée juif,* dessiné par le grand architecte David Libeskind). Garder du temps pour « magasiner » (comme disent nos amis québécois) sur le *Kurfürstendamm* (la grande avenue commerçante de l'Ouest) et *Unter den Linden* (l'avenue la plus élégante de la ville). Consacrer une fin d'après-midi à se balader nez au vent et se restaurer dans *Prenzlauerberg,* un vieux quartier de l'Est récupéré par les bobos et aujourd'hui branché.

Autre itinéraire incontournable : le quartier de *Scheunenviertel* pour sa vie nocturne d'enfer, le *Tacheles* (symbole de la marginalité artistique radicale), les galeries d'avant-garde, etc. Enfin, saisir le nouveau visage de Berlin à travers *Potsdamer Platz,* cette vaste friche de « l'après-Mur », devenue aujourd'hui le visage du Berlin du XXIᵉ s, avec l'audacieux *Sony Center* de Helmut Jahn.

Cinq jours

Tout ce qui précède, plus une demi-journée au minimum consacrée à *Potsdam,* l'historique capitale du Brandebourg (qu'on peut aussi caler sur les 3 jours, mais en sacrifiant autre chose). Pour son merveilleux *château Sans-Souci* et son pittoresque *quartier hollandais.* Côté monuments, on rajoutera le *Schloss Bellevue,* la *Konzerthaus,* chef-d'œuvre de Schinkel, la *Fernsehturm* pour le prodigieux panorama sur la ville.

Côté musées, même si c'est très subjectif, voici d'autres musts : le *Hamburger Bahnhof,* prodigieux musée d'art moderne (que les fans auront casé bien sûr sur les 3 jours !), le *Musée ethnographique de Dahlem* (magnifiques sections sur les cultures indienne, océanienne et asiatique), la *Alte Nationalgalerie* (pour découvrir la peinture allemande du XIXe s) et la *Neue Nationalgalerie* (pour celle du XXe s). Réserver également quelques heures pour une balade à *Kreuzberg,* quartier bohémo-turc vivant et branché, notamment sur *Oranienstrasse* et le *Landwehrkanal* et ses alentours.

Sept jours

Tout ce qui précède, plus une exploration en profondeur d'autres quartiers socialement et culturellement intéressants (après *Prenzlauerberg* et *Kreuzberg*) comme *Friedrichshain* (vie nocturne dense sur Simon-Dach Strasse et importants vestiges du Mur). Les fans de Bertolt Brecht lui consacreront évidemment quelques heures et les amateurs de musées trouveront leur bonheur parmi les quelque 150 qui parsèment la ville, en particulier le *musée du Cinéma,* celui *de la Photo* (avec la *collection Newton* que la France a stupidement laissé partir !) et bien d'autres fascinants musées d'art et d'archéologie.

LANGUE

Tout comme le français, la langue allemande doit se défendre contre l'envahissement de l'anglais. Les universités se sont senties obligées de mener campagne contre l'anglicisation de la vie quotidienne.
Assez doués pour les langues, les Allemands de l'Ouest parlent souvent l'anglais, plus rarement le français. À l'Est aussi, la langue de Shakespeare a supplanté le russe, à ranger au rayon des souvenirs historiques. Plus curieux, une bonne partie des professionnels du tourisme ne comprennent rien d'autre que l'allemand !
Pour vous débrouiller dans la langue de Goethe, on vous recommande fortement notre *Guide de conversation du routard en allemand.*
Et si vous êtes intéressé par un séjour linguistique, demandez à l'Office national allemand du tourisme à Paris la brochure *Parlez-vous Deutsch* (à consulter aussi sur leur site internet), qui recense plus de 70 associations et agences de voyages proposant séjours, rencontres, échanges, voyages scolaires, stages ou jobs pour apprendre ou améliorer son allemand.

Prononciation

La prononciation et l'intonation sont très importantes pour se faire comprendre en Allemagne. Aucune lettre n'est muette, elles doivent toutes être prononcées (sauf le « h » dans certains cas).

e	se prononce *é*	y	se prononce *u*
g	se prononce *gué*	z	se prononce *tse*
j	se prononce *yeu*	ä	se prononce *è*
q	se prononce *qveu*	ö	se prononce *œ*
u	se prononce *ou*	ü	se prononce *u*
v	se prononce *f*	au	se prononce *ao*
w	se prononce *v*	eu	se prononce *oï*

Attention, derrière des voyelles fortes (a, o, u), le couple de consonnes « ch » se prononce « r » (exemple : *Buch* se prononce « bour »), alors que *Bücherei* se prononce « bucheraï »).
– Autre particularité : le « ß » (appelé « estset ») est une lettre qui n'existe que dans l'alphabet allemand. Il se traduit par le double s, et se prononce de la même façon. Exemple : *Straße* = Strasse.

Un peu de grammaire

Très structurée, la langue allemande est riche, tellement riche que sa grammaire est la hantise principale de tous les cancres au lycée. En effet, elle ne laisse aucune place au hasard : tout se décline, comme en latin, les verbes, les adjectifs, les articles et les pronoms ; c'est à en perdre son allemand ! Cela dit, comme le couple franco-allemand se trouve être le fer de lance de la construction européenne, nous aurions tout intérêt à nous atteler à la tâche...

– Dans la phrase simple : le verbe occupe toujours la deuxième place. Exemple : *Er spielt mit dem Ball* (« il joue avec la balle »).
– Dans la subordonnée : le verbe est renvoyé en fin de phrase, ce qui complique l'affaire : *Er spielt mit dem Ball, der rot **ist*** (« il joue avec la balle qui est rouge »). La virgule devant le pronom relatif (ici, *der*) est indispensable.
– Attention, en allemand, les noms communs prennent toujours une majuscule. Exemple : *der Ball* (la balle). Ne confondez donc pas une carte de restaurant avec une liste d'invités !

Spécificités du dialecte berlinois

Exagération, humour et rudesse ostentatoires sont les caractéristiques du berlinois. Beaucoup d'expressions sont dérivées du français (apport des huguenots) et également du yiddish. Quelques termes typiques :
– *Molle* : une bière grand format.
– *Destille* : un bistrot du coin, type *Kneipe,* mais devenu rare.
– *Weisse mit Schuss* : bière blanche amère et jus de framboise (ou d'aspérule) que l'on boit à la paille.
– *Knallkopp !* : idiot ! (à prendre avec philosophie...). Commun à toute l'Allemagne.
– *Meschugge* : débile. Aussi à New York !
– Enfin, pour les branchés, la *Szene* : lieu branché, souvent *off.*

LIVRES DE ROUTE

Livres illustrés

– ***Berlin Architecture & Design,*** de Chris van Uffelen (Éditions teNeues, 2005). Un petit guide illustré très bien fait avec des textes en français, anglais, allemand et espagnol, et des photos des lieux les plus intéressants de Berlin sur le plan de la créativité architecturale et de la décoration intérieure. Une sélection d'hôtels et de restos design, de bars et de clubs, d'immeubles et de maisons, sans oublier les immeubles de société, les musées, les bâtiments officiels fraîchement construits pour les nouveaux ministères. Un livre au format de poche, pratique et pas cher, dans l'excellente collection « And Guides » chez teNeues. Une preuve de plus que Berlin est bel et bien une capitale du design européen et de l'innovation.
– ***Berlin, portrait d'une ville*** (Éditions Taschen, 2007). Ville en perpétuel changement, jamais épargnée par les événements, la cité allemande garde une incroyable capacité à se renouveler. L'album (un grand format, difficile à emporter dans son sac) retrace son histoire et fait l'étude approfondie de toutes ses facettes avec, à l'appui, des images splendides de plus de 280 photographies, tels que Henri Cartier-Bresson, Helmut Newton ou Robert Capa.

Livres de fiction

– ***Berlin, Alexanderplatz,*** roman d'Alfred Döblin publié en 1929 (Folio n° 1239, 1981). Döblin, médecin et romancier allemand, est l'équivalent germanique de Louis-Ferdinand Céline. Il décrit les bas-fonds du Berlin des années 1925-1930. L'antihéros Franz Biberkopf est un criminel repenti. Mais la fatalité le rattrape et il retombe dans la délinquance. Ce récit résolument moderne est composé de références bibliques et mythologiques, de collages d'extraits de journaux, et mélange, dans une cacophonie effrayante, la tragédie à la drôlerie populaire.

– *L'Espion qui venait du froid,* polar de John Le Carré (Folio n° 414, 1973). Dans un Berlin dévasté par la guerre, coupé en deux par le Mur, un espion anglais tente d'élucider la disparition d'un réseau patiemment constitué à l'Est.

– *Le Sauteur de mur,* essai de réalité-fiction de Peter Schneider (Grasset, 2000). Le Berlinois Peter Schneider, qui fut, dans les années 1960, l'un des fers de lance du mouvement contestataire étudiant, visite les deux parties de sa ville, interroge l'identité allemande et bâtit sa réflexion sur le récit parabolique d'un certain M. Kabe, un Ouest-Allemand qui saute délibérément du côté Est (!) parce qu'il est le seul à avoir gardé ce réflexe instinctif de l'enfant : « Sauter par-dessus un mur pour voir ce qu'il y a de l'autre côté. »

– *Retour à Berlin,* récit historique de Jean-Michel Palmier (Voyageurs Payot, 1997). Rêveur éveillé et flâneur cultivé, l'auteur parcourt la ville et en rapporte des images saisissantes, de l'époque de la république de Weimar au Berlin des ruines et des immeubles modernes, jusqu'à la ville de Wim Wenders, frôlée par les ailes des anges.

– *Herr Lehmann,* roman de Sven Regener (Le Seuil, 2004). Berlin-Ouest, septembre 1989. Frank Lehmann va bientôt avoir 30 ans. À son grand déplaisir, ses amis l'appellent désormais « monsieur » Lehmann. Reconnaissance ou dérision ? Frank n'a pourtant rien d'un monsieur : il évolue avec aisance et satisfaction dans son quartier dont il répugne à sortir, le Kreuzberg des bars et de la bohème berlinoise. Un texte qui donne envie de découvrir Berlin sans attendre.

– *Toute une histoire,* roman de Günter Grass (Le Seuil, 2000). Les critiques se sont déchaînées contre lui et ce nouveau roman, vision stéréoscopique de l'histoire. Berlin de 1989 à 1991, au moment de la réunification, observé par un couple littéraire digne de Cervantès : le grand et maigre Fonty, le petit et trapu Hoftaller.

– *Berlin Est-Ouest et autres récits,* nouvelles de Hans Joachim Schädlich (Gallimard, 1990). Ces nouvelles constituent, sur l'histoire récente de l'Allemagne, un témoignage d'une exceptionnelle acuité et d'une originalité totale dans l'expression.

– *Adieu à Berlin,* roman de Christopher Isherwood (Hachette Littératures, 2002). Ce livre évoque indirectement la tempête qui se prépare à Berlin, avant et juste après la prise du pouvoir par les nazis. La peinture de l'effet brutal des événements sur la vie quotidienne des êtres est une réussite totale. *Adieu à Berlin* est devenu à l'écran *Cabaret,* célèbre comédie musicale avec Liza Minnelli.

– *À Berlin,* œuvre journalistique de Joseph Roth (Éditions du Rocher, 2000). Chroniques sur le Berlin des années 1920. Roth s'aventura jusqu'au cœur de la ville, tenant la chronique de la vie de ses habitants oubliés, des infirmes de guerre aux immigrants juifs, et dépeignant aussi les aspects plus fantaisistes de la capitale comme l'industrie naissante du spectacle.

– *Seul dans Berlin,* roman de Hans Fallada (Gallimard, coll. « Folio », 2004). De ce roman, Primo Levi disait qu'il était « l'un des plus beaux livres sur la résistance allemande antinazie ». En mai 1940, la ferveur nazie est au plus haut en Allemagne. Un monde de misère et de peur se terre dans les petites rues de Berlin. Persécuteurs et persécutés cohabitent : familles juives dénoncées et pillées, jeunes recrues des SS, résistants au régime du Reich... Ce roman décrit avec fidélité les conditions réelles de la vie des citoyens allemands sous la dictature d'Hitler.

– *L'Ami allemand,* roman de Joseph Kanon (Pocket n° 1239, 2006). Berlin, 1945 : un correspondant de la CBS découvre la ville où il a vécu en ruine. Il tente, au milieu du chaos, de retrouver une femme qu'il a aimée jadis. L'intrigue policière se développe sur fond de guerre Froide qui s'amorce. Adapté au cinéma par Steven Soderbergh.

– *La Télévision,* roman de Jean-Philippe Toussaint (Éditions de Minuit, 2002). L'été à Berlin raconté par un historien d'art en résidence dans la ville, son travail au quotidien, les petits déjeuners studieux, les promenades dans les parcs de la ville, ses piscines. Drôle et limpide.

– *Une femme à Berlin,* récit anonyme (Folio n° 4653). Journal d'une jeune Berlinoise qui relate les derniers jours de la guerre d'avril 1945 aux débuts de l'occupation russe en juin 1945. Description hyperréaliste de la vie quotidienne des Berlinois livrés à eux-mêmes dans le chaos de la débâcle allemande et surtout des Berlinoises tenaillées tant par la faim que par la peur. L'occupation soviétique se révélant rapidement être un cauchemar pour les femmes, reléguées au statut de gibier sexuel pour la soldatesque russe.

– *Je t'écris de Berlin,* roman de Klaus Kordon (Folio Junior n° 979). Matze, jeune adolescent de Berlin-Est, jette dans la Spree une lettre avec son adresse. Il espère recevoir une réponse venue de l'autre bout du monde ; en réalité, elle ne fait que traverser le mur puisqu'une jeune fille la récupère côté Ouest. Une correspondance se met alors en place, défiant la surveillance de la RDA...

Bande dessinée

– *Asterix et les Goths :* en 1963, Ostrogoths et Wisigoths vivaient dans une Germanie divisée en deux. Goscinny s'en est donné à cœur joie en envoyant Teleferic, Electric (le général), Cloridric et Passmoilcric capturer le druide Panoramix pour s'emparer du secret de la potion magique, en prévision des futures invasions barbares. Uderzo, lui, les coiffe de désopilants casques à pointes.

POSTE

Bureaux ouverts du lundi au vendredi entre 8h et 18h, ainsi que le samedi de 8h à 12h. Dans les gares des grandes villes et dans les aéroports, ils restent ouverts plus longtemps, et le sont parfois même le dimanche.

Les tarifs d'expédition « pour l'intérieur » s'appliquent également aux pays de l'Union européenne, ainsi qu'à la Turquie, la Suisse et l'Autriche. En 2008, l'affranchissement d'une lettre était de 0,70 € et celui d'une carte postale de 0,65 €.

POURBOIRE

Dans les restaurants berlinois, les prix affichés incluent toujours le service et les taxes. Mais dans cette grande ville universitaire, le service est souvent assuré par des étudiants qui dépendent du pourboire pour s'assurer un revenu (les salaires ici sont plus bas que dans le reste du pays). Il est donc convenu d'arrondir la note plus ou moins largement en fonction de la disponibilité et de l'empathie/sympathie du serveur ou de la serveuse. Les Allemands, qui fonctionnent à la mode anglo-saxonne en la matière, laissent au moins 10 % du total.

Dans les restos où l'on vous sert à table, on vous demandera, si vous êtes plusieurs, *zusammen oder getrennt* (« ensemble ou séparé »), et même si vous êtes 15, chacun pourra régler séparément sa note. Indiquez alors le montant du pourboire en payant, car on ne le laisse jamais sur la table. Précisez : *stimmtso* (on prononce « chtimtzo ») si vous laissez la monnaie.

Toutefois, sachez que dans beaucoup de bars et de cafés le service est souvent minimum et qu'il faut passer sa commande au comptoir et la porter à table tout seul, comme un grand. Cela dit, c'est presque toujours avec gentillesse et de manière détendue, même si vous ne parlez pas l'allemand.

SANTÉ

Pour un séjour temporaire en Allemagne, pensez à vous procurer la carte européenne d'assurance maladie. Il vous suffit d'appeler votre centre de Sécurité sociale (ou se connecter au site internet de votre centre, encore plus rapide !), qui vous l'enverra sous une quinzaine de jours. Cette carte fonctionne avec tous les pays membres de l'Union européenne, ainsi qu'en Islande, au Lichtenstein, en Norvège et en Suisse. C'est une carte plastifiée bleue du même format que la carte vitale. Attention, elle est valable 1 an, gratuite et personnelle (chaque membre de la famille doit avoir la sienne, y compris les enfants). La carte n'est pas valable pour les soins délivrés dans les établissements privés.

Les médecins consultent en général de 8h à 12h et de 16h à 18h, sauf les mercredi, samedi et dimanche. En cas de pépin, on peut toujours appeler le consulat de France, qui fournira une liste de médecins. En urgence, demander l'*Ärztlicher Notdienst* au ☎ 39-00-31 ou 31-00-31.

SITES INTERNET

● *routard.com* ● Tout pour préparer votre périple. Des fiches pratiques sur plus de 180 destinations, de nombreuses informations et des services : photos, cartes, météo, dossiers, agenda, itinéraires, billets d'avion, réservation d'hôtels, location de voitures, visas... Et aussi un espace communautaire pour échanger ses bons plans, partager ses photos ou trouver son compagnon de voyage. Sans oublier *Routard mag,* ses reportages, ses carnets de route et ses infos pour bien voyager. La boîte à outils indispensable du routard.

● *visiteberlin.fr* ● Le site officiel de l'office de tourisme de la ville, en français. Calendrier des manifestations, attractions culturelles, hôtels, sorties, shopping... très complet. Offre aussi un volet télévisuel, très bien fait : ● *visitberlin.tv* ●

● *berlin-en-ligne.com* ● Un site qui est une aubaine pour préparer son voyage : on s'y croirait rien qu'en cliquant. Liste d'hôtels très complète.

● *berlinpoche.de* ● La version téléchargeable du nouveau magazine culturel pour les francophones.

● *berlinfo.com* ● Toutes les infos (en anglais) sur les restos, les bars, les spectacles et la vie nocturne.

● *leader-city.com/allemagne* ● De bons conseils pour ceux qui voudraient travailler et s'établir en Allemagne.

● *berlin-life.com* ● En anglais, un site plein d'infos utiles où vous pourrez écouter (en allemand) les mots pour commander deux bières ou inviter une conquête.

● *berlin.de* ● Ce site (avec une version en français) propose de nombreuses infos sur la ville. La culture, les affaires économiques et politiques y sont abordées.

● *lagazettedeberlin.de* ● L'unique bimensuel francophone des Alpes à la Baltique.

● *connexion-francaise.com* ● Le site-portail des Français en Allemagne.

● *welt.de* ● Le site du plus grand quotidien allemand.

● *lange-nacht-der-museen.de* ● Pour ne rien rater de la Longue Nuit des musées.

● *karneval-berlin.de* ● La grande manifestation du Carnaval des cultures.

● *leslapinstechno.com* ● Un sympathique blog en français sur les sorties nocturnes : actualité des clubs, concerts, bars, etc.

● *cafespots.de* ● La liste complète de tous les cafés wifi et Internet d'Allemagne.

● *ampelmann.de* ● Le site consacré au petit personnage qui animait (et anime encore) les feux de circulation à Berlin-Est.

TABAC

Les Allemands suivent le modèle de leurs voisins et appliquent depuis le 1er janvier 2008 des lois antitabac sur les **lieux publics,** les **lieux de travail** et dans la **restauration.** Mais du fait du fédéralisme chaque *Land* a sa propre législation, ce qui entretient un peu la confusion. En 2008, le tribunal suprême de Karlsruhe a ordonné aux législateurs de revoir leur verdict sur l'interdiction de fumer dans les bistrots, bars et « cafés du coin » (les *Eckkneipe*) car trop exigus pour séparer fumeurs et non-fumeurs. La justice allemande a en effet assoupli la législation antitabac qui était en vigueur dans 14 des 16 Länder au motif que les établissements constitués d'une seule pièce, qui n'ont donc pas la possibilité de se doter d'un espace fumeurs distinct, sont discriminés. Ainsi, les Berlinois, qui entretiennent un rapport entre familial et social avec ces bistrots-cafés de leur quartier, montrent une grande tolérance en la matière et on peut y fumer à condition qu'il soit claire-ment indiqué que le lieu est fumeurs et que l'entrée est interdite aux mineurs.

TÉLÉPHONE

L'indicatif téléphonique de Berlin est le 030.
Allemagne → France : 00 + 33 + numéro du correspondant à 9 chiffres (on ne compose pas le 0).
France → Allemagne : 00 (tonalité) + 49 + indicatif de la ville + numéro du correspondant.
Allemagne → Belgique : 00 + 32 + indicatif de la ville + numéro.
Belgique → Allemagne : 00 + 49 + indicatif de la ville + numéro.
Allemagne → Allemagne : pour téléphoner d'une localité à l'autre de l'Allema-gne, il faut composer le 0 devant l'indicatif de la ville.
– **Renseignements nationaux :** ☎ 01-188.
– **Renseignements internationaux :** ☎ 00-118 depuis l'Allemagne et ☎ 00-33-12 + code pays (49 pour l'Allemagne) depuis la France.
– **Appel en PCV :** ☎ 013-08-000 + 33 (pour la France).
– **Urgences** (de n'importe quel poste, dans tout le pays) : ☎ 110, appel de secours.
– **Sapeurs-pompiers :** ☎ 112.
– **Telefonkarten :** elles sont en vente à 5 ou 10 €.

Urgence : en cas de perte ou de vol de votre téléphone portable

Suspendre aussitôt sa ligne permet d'éviter de douloureuses surprises au retour du voyage ! Voici les numéros des trois opérateurs français, accessibles depuis l'étranger :
– **SFR :** depuis l'étranger : ☎ + 33-6-1000-1900.
– **Bouygues Télécom :** ☎ 0800-29-1000 (remplacer le « 0 » initial par « + 33 » depuis l'étranger).
– **Orange :** ☎ + 33-6-07-62-64-64.
Le blocage de votre portable peut aussi se faire via Internet.

TRANSPORTS

La bicyclette

Moyen de locomotion économique et écologique, la bicyclette est particulièrement appréciée des Berlinois. Dans certains quartiers, on en voit partout ! Pour un peu, on se croirait en Chine... De nombreuses pistes cyclables ont été aménagées. Pié-tons, prudence ! Dessinées sur les trottoirs, ces pistes sont exclusivement réser-vées aux cyclistes, qui foncent sans toujours avertir. Ce sont d'ailleurs les mêmes qui portent... des casques.
Avertissement aux automobilistes : en ville, les cyclistes font partie intégrante de la circulation et sont donc respectés par les conducteurs de véhicules. De ce fait, les cyclistes ont tendance à être moins vigilants (par exemple, quand ils ont la priorité). Soyez prudent et ne faites pas n'importe quoi quand vous partagez la route avec eux.
Une remarque qui peut servir : certains loueurs de vélos équipent ceux-ci d'une serrure qui permet de bloquer la roue. Ne l'oubliez jamais dessus car certains rigo-los les enlèvent et vous voilà avec un vélo à traîner !

La voiture

L'Allemagne possède l'un des meilleurs réseaux routiers d'Europe (11 500 km d'autoroutes gratuites), mais les travaux omniprésents à l'Est ralentissent considérablement l'allure. Elles sont désignées par un **A** *(Autobahn)* de couleur bleue. Les numéros pairs concernent celles qui vont d'ouest en est (ou l'inverse) et les impairs concernent les axes nord-sud (ou l'inverse, vous aviez compris !).

L'essence est un peu plus chère qu'en France. La ceinture de sécurité (avant et arrière) est obligatoire dans l'ensemble du pays. Il est conseillé de ne pas dépasser 130 km/h sur autoroute (bien qu'il ne soit pas interdit de le faire) ; vitesse limitée à 100 km/h en dehors des agglomérations, et attention, en ville, de bien respecter la vitesse de 50 km/h ou 30 km/h, selon les zones, car il y a souvent des radars fixes. Le taux d'alcool toléré dans le sang est de 0,5 g. Téléphoner au volant sans « mains libres » est interdit.

En ville, n'oubliez pas les tramways. Ils peuvent surprendre l'automobiliste distrait. Sachez qu'ils doivent toujours être dépassés par la droite, et jamais à l'arrêt. Cette règle peut vous éviter un homicide involontaire !

– Bon plan : l'*ADAC* est un service de dépannage présent dans presque toutes les villes. La main-d'œuvre est gratuite, seuls les frais de pièces doivent être remboursés. Les dépanneurs (leurs véhicules jaunes sont aisément identifiables) sont souvent très sympas et méritent un bon pourboire. Appelez le numéro national : ☎ 0180-2-222-222 (0,06 €/mn ; ne composez pas le ☎ 0180 depuis un portable). ● *adac.de* ●

Restrictions de circulation dans le centre

Attention, depuis 2008, les véhicules diesel (même étrangers) à émission de particules polluantes ne sont pas autorisés à circuler dans une zone centrale signalée « UMWELT ». Pour pouvoir circuler, il faut être muni d'une vignette autocollante de couleur correspondant à une norme antipollution. Elles coûtent entre 5 et 15 € et sont délivrées par des centres de contrôle technique. Tous les renseignements sur le site ● *berlin.de/umweltzone* ● Une amende de 40 € est prévue en cas de défaut d'affichage de la vignette.

La location de voitures

Les sociétés *Sixt, Hertz, Europcar, Avis* et autres louent des voitures de différents types pour toutes durées. Bureaux de location dans tous les aéroports, les gares principales et les villes. Tarif week-end du vendredi 12h au lundi 9h.

■ ***Auto Escape :*** ☎ *0820-150-300 (0,12 €/mn).* ● *autoescape.com* ● Vous trouverez également les services d'Auto Escape sur ● *routard.com* ● L'agence Auto Escape réserve auprès des loueurs de véhicules de gros volumes d'affaires, ce qui garantit des tarifs très compétitifs. Il est recommandé de réserver à l'avance. Auto Escape offre 50 % de remise sur l'option d'assurance « zéro franchise » (soit 2,50 € par jour au lieu de 5 €) pour les lecteurs du *Guide du routard*.
■ ***BSP Auto :*** ☎ *01-43-46-20-74 (tlj).* ● *bsp-auto.com* ● Les prix proposés sont attractifs et comprennent le kilométrage illimité et les assurances.

BSP Auto vous propose exclusivement les grandes compagnies de location sur place, vous assurant un très bon niveau de service. Le plus : vous ne payez votre location que 5 jours avant le départ.
■ ***Hertz :*** *aéroport de Tegel (☎ 417-046-74) ; Friedrichstr 50-55 (☎ 242-44-40) ; Hauptbahnhof, Europaplatz 1 (☎ 20-64-93-28) ; et Budapester Str 39 (☎ 261-10-53). Résas internationales :* ☎ *(01805) 33-35-35.* ● *hertz.com* ●
■ ***Europcar :*** *aéroport de Tegel (☎ 417-85-20) ; aéroport de Schoene-feld (☎ 634-91-60) ; sur Budapester Str (près de l'Europa Center) ; et sur Spandauer Str (à l'angle de la Karl-Liebknecht Str).* ● *europcar.de* ●

HOMMES, CULTURE ET ENVIRONNEMENT

« Berlin est pauvre mais sexy ! », c'est son maire Klaus Wowereit qui l'affirme... et elle est sans aucun doute actuellement la ville la plus en vogue, la plus branchée du continent. C'est une jeune capitale, en mouvement de jour comme de nuit : on trouve là toutes les tendances existantes, bien sûr beaucoup d'art et de cinéma, mais aussi de l'architecture, de la musique, du théâtre, de la danse... Berlin possède une force d'attraction incroyable, un enthousiasme étonnant dans cette Europe maussade et policée, bref, c'est le lieu où un autre style de vie semble encore possible. Les artistes et les créateurs qui y affluent du monde entier ne s'y sont pas trompés, eux qui affirment que Berlin est l'équivalent du New York des années 1960-1970 !

Berlin aujourd'hui, c'est un grand brassage des genres : celui de l'Est et de l'Ouest, celui de l'architecture baroque et des nouveaux bâtiments « avant-garde », celui de la grande culture classique et de la *subkultur* libertaire, mélangeant les *wessis* (les Allemands friqués de l'Ouest) et des trentenaires bobos estampillés UE qui se partagent les territoires de cette énorme métropole avec les étudiants, les artistes et autres « alternatifs ». La ville étant très étendue et les prix de l'immobilier encore abordables, les Berlinois peuvent s'offrir le luxe de changer de domicile assez souvent, au gré des évolutions des quartiers montants. Pour les visiteurs, le côté éphémère et mutant de Berlin est une véritable aubaine : à l'est ou à l'ouest, d'un côté ou de l'autre de la Spree se trouvera toujours un nouveau lieu à découvrir.

Dans ce climat de renouveau, ce cœur d'Allemagne du XXIᵉ s est frappé d'une vague d'*Ostalgie*, jeu de mots entre nostalgie et *Ost* (« Est » au sens large). La vie quotidienne dans l'ex-RDA se retrouve dans les films comme *Good Bye Lenin*, ou *La Vie des autres*, le musée de la DDR, les visites guidées de la ville au volant de la cultissime (et polluante) Trabant, les bars-restos à thème truffés d'objets de la redoutable Stasi, et même un *Ostel* à la déco datée et au confort plus que sommaire affichant complet chaque nuit. Le tout oscillant entre le morbide et le ludique, jouant sur la fascination des années noires... Alors que la composante socialo-chic de la population berlinoise, désormais trop galvaudée pour être *trendy*, occupe toujours son fief à *Prenzlauerberg*, ex-quartier populo de l'Est avec son taux record de boutiques fringues-fripes-design et de produits bio au mètre carré, les alternatifs, eux, se sont translatés vers des coins moins prétentieux comme *Friedrichshain* ou *Neukölln*, au sud-est de Kreuzberg, quartiers ouvriers de l'ex-zone charnière et à forte empreinte turque. Peut-être les dernières places fortes contre la spéculation générée par la branchitude bien pensante ? Pourtant, à Berlin-Est subsistent bien d'autres témoignages du régime passé qu'il faut voir avant qu'ils ne disparaissent totalement, comme de curieux monuments à la gloire du peuple : la Karl-Marx Allee – l'équivalent des Champs-Élysées communistes – ou des quartiers de HLM dans la plus pure tradition socialiste.

On vous le répète : la vraie richesse de Berlin, c'est le mélange des cultures, constat présent dans ses musées, certes, mais surtout dans la rue. Avant 1989, la ville servait de vitrine à l'idéologie des « deux Grands » qui se faisaient face là, mieux que nulle part ailleurs. L'Ouest a ainsi bénéficié d'importantes subventions destinées notamment à son rayonnement culturel. Dans Berlin réunifié, on recense à présent 150 théâtres, 300 galeries et quelque 180 musées ! Il reste de ces années un dynamisme artistique et culturel qui ne tarit pas, même si de nombreuses salles de spectacle doivent aujourd'hui faire face à une diminution sensible des aides de l'État, tandis que, grâce à des investissements considérables, les musées berlinois ont été rénovés de fond en comble et présentent un nouvel attrait culturel. D'ailleurs, fin 2009, le Neues Museum (situé dans l'île aux Musées) a rouvert ses portes en inaugurant les nouvelles salles des antiquités égyptiennes, issues des collections venant de l'Ouest et de l'Est. Et la symbolique de la grandeur ne saurait s'arrêter en si bon chemin : au Zoologischer Garten on trouve désormais la roue la plus haute du monde (185 m), reléguant la *London Eye* au deuxième rang. Sans oublier la *Szene* diurne et nocturne, où toutes les tendances musicales sont représentées (un plus pour l'électro et le jazz) et où, contrairement à Londres ou à New York, les lieux de la nuit ne connaissent pas d'heure de fermeture !

Enfin, si les Berlinois éprouvent de la fierté pour leur ville, c'est davantage pour sa vitalité et sa topographie (ses parcs, ses lacs, les quartiers aérés) que pour son passé impérial. Européenne avant l'heure, la culture allemande est également la nôtre, de Bach à Goethe, de Luther à Wagner et de Brecht au Bauhaus. Malgré les cicatrices encore vives de sa tragique histoire au XXe s, voilà tout ce que l'on ira chercher derrière les derniers vestiges du Mur dont on a commémoré les 20 ans de la chute en 2009.

CUISINE ET BOISSONS

Grâce au petit déjeuner copieux, avec pains aux graines ou noir, müesli, harengs marinés, salades de pommes de terre, charcuteries, et même une coupe de champagne, on peut aisément se contenter d'un repas léger à midi.

– Pour se restaurer rapidement ou pour les petits budgets, on conseille les nombreux *Imbiss* (fast-foods où l'on mange debout), qui proposent, parfois 24h/24, des *chawarma* ou *döner kebabs* (viande de mouton grillé présentée dans un pain *pitta*), des saucisses, des *Buletten* (boulettes de viande hachée avec des épices et des oignons, dont le nom a été donné par les huguenots), mais aussi la non moins célèbre *Currywurst*.

– En plus des restaurants, les *Kneipen* (cités dans la rubrique « Les cafés berlinois ») ont la particularité de servir des petites choses à grignoter sur le pouce. Inversement, dans les restos on peut aussi ne boire qu'un verre.

Quelques particularités sont encore à noter :

– en Allemagne, l'eau en carafe n'est pas une habitude, à la maison comme au restaurant. On boit de la *Mineralwasser,* en bouteille, pétillante ou pas, à préciser au moment de la commande.

– Que ceux qui font attention à leur ligne se réjouissent : il n'y a pratiquement jamais de pain à table. En effet, on ne mélange pas ici le pain et les pommes de terre, qui accompagnent la plupart des plats. C'est plus sain comme cela, vous affirmera-t-on ; mais en insistant un peu, on peut avoir quelques tranches de pain... pour saucer.

– Encore une dernière chose, également très importante : sachez qu'au moment de payer, il est de règle d'arrondir la somme due directement auprès de la serveuse ou du serveur (voir plus haut), à haute voix ; donc : ne pas laisser de pourboire sur la table !

Saucisses à gogo

On en trouve partout dans les rues, dans de petites baraques commerçantes, les *Imbiss Stuben*, à des prix dérisoires. Grâce à notre ouvrage de référence *(Larousse gastro),* tâchons de distinguer les grandes tendances.

– La *Currywurst* : voir l'encadré page suivante. Elle plaisait aux GI's en poste à Berlin.

– La *Weisswurst*, sorte de boudin blanc, est de loin la meilleure (surtout servie au curry).
– La *Bockwurst* a une peau trop dure.
– La *Plockwurst*, aux airs de knack rosie, contient aussi du bœuf.
– La *Bierwurst*, sorte de salami, accompagne la bière.
– La *Bratwurst*, originaire de Nuremberg, servie grillée, a fait en 2003 son entrée dans le club très sélect des AOP (appellations d'origine protégées).
– La *Schinkenwurst*, fumée mais à grains épais, n'a pas l'air engageant.
– La *Leberwurst*, au foie, peut être tartinée, et la *Knackwurst* est la moins passionnante !

GIMMI MA NE CURRYWURST !

Le 4 septembre 1949, dans son Imbiss *de la Stuttgartterplatz, Herta Charlotte Heuwer inventait la* Currywurst *un jour où le client se faisait rare. En fait, une banale* Bratwurst, *coupée en petits morceaux, mais pas à n'importe quelle sauce ! Un savant mélange contenant concentré de tomate, sauce Worcester, curry, poivre de Cayenne, piment, huile d'olive, moutarde, oignons finement hachés, poivre et sel. Une plaque commémorative à l'angle de la Kantstrasse et de la Kaiser-Friedrichstrasse a même été érigée en souvenir de cette pionnière qui fit rougir la bonne vieille saucisse. Idéalement arrosée d'une bière blanche.*

– Nous ne nous étendrons pas sur leurs consœurs : *Wiener, Brägen, Zungen* et autres *Würste* plus rares.
Cela dit, on vous laissera vous faire une opinion par vous-même.

Spécialités berlinoises

– À Berlin règne la pomme de terre prussienne, *Pellkartoffel*.
– *Eisbein mit Erbspüree und Sauerkraut :* le classique jarret de porc avec purée de pois et choucroute.
– *Schlachtplatte :* boudin noir et saucisse de foie, pied et viande de porc.
– *Kasseler Rippenspee :* côtes de porc fumées.
– *Dill :* marinade de hareng à l'aneth.
– *Aal grün :* anguille sauce au chou.
– *Bockwürstchen :* petite saucisse de porc.
– *Boulette :* issue de l'héritage huguenot ; croquette de viande de pot-au-feu hachée, mélangée à la mie de pain. Se mange chaude ou froide avec de la salade de pommes de terre.
– *Rinderbrust auf Berliner Art :* poitrine de bœuf à la berlinoise.
– *Eberswalder Spritzkuchen :* gâteau au saindoux du Mardi gras.
– *Hackepeter :* hachis de porc assaisonné, à tartiner.
– *Käsekuchen :* gâteau de fromage blanc.
– *Rote Grütze :* compote de fruits rouges nappée de crème vanillée.
– *Berliner* (ou *Pfannkuchen*) *:* gros beignet à la confiture.
– On peut aussi désormais ranger au rayon des spécialités régionales le *döner kebab*, ce sandwich turc fourré à la viande de mouton, de porc ou de poulet accompagnée d'oignons frits et de sauce piquante. On en trouve à chaque coin de rue du quartier de Kreuzberg.

Boissons

Les marques *Kindl* et *Schultheiss* se partagent le marché de la bière. Avec la grande chope, on sert une eau-de-vie de grain *(Molle mit Korn)*.
– *Berliner Weisse :* bière blanche brassée à partir de froment, légèrement pétillante et acidulée. Elle rafraîchit agréablement les gosiers en été. Les soldats de la Grande Armée l'appelaient « champagne du Nord ». Comme le kir, on peut la compléter d'une dose de sirop de framboise *(Himbier)*.

– *Warmbier* : bière blanche, battue avec du jaune d'œuf, du lait et du sucre, puis chauffée.

– *Heffe* : bière légère à la levure.

Bon à savoir : la plupart des bars et restos proposent une *happy hour* qui dépasse largement les 60 minutes... généralement entre 17h et 20h.

Voilà pour les us et coutumes. Cela dit, les Allemands sont de grands voyageurs et leur sol a accueilli des immigrés de toutes origines. L'offre culinaire s'est beaucoup diversifiée et les Allemands (surtout les Allemandes) ont appris à tenir compte des aspects diététiques de l'alimentation pour se trouver, l'été venu, à leur avantage sur les plages de Majorque ou des îles grecques. On trouvera donc de plus en plus de cartes variées et savoureuses (mais plutôt chères), plus soucieuses d'équilibre pondéral que de gavage d'estomac. Le hic, c'est que la bière, elle, s'ingurgite toujours à coup de chopines d'un demi-litre et qu'elle reste la boisson alcoolisée avec le plus fort taux de sucre !

Le brunch

C'est l'un des plaisirs incontournables des Berlinois, surtout le week-end. En terrasse l'été ou dans des petits cafés à l'ambiance chaleureuse quand la température est plus fraîche, on ne se lasse jamais de ces copieux brunchs, à prix raisonnables, servis à l'assiette ou en buffet à volonté, généralement de 10h à 16h. La formule étant appliquée dans la quasi-totalité des établissements, il vous suffit de choisir votre style. Pour vous aider, vous trouverez plus loin dans nos adresses une rubrique par quartier indiquant les lieux qui proposent un brunch.

Les cafés berlinois *(Kneipen)*

Les *Kneipen* font partie intégrante de l'art de vivre berlinois. Il y a ici une véritable culture du « café du coin », presque un rituel. À croire que les Berlinois passent plus de temps dans les bistrots que dans leur appartement (le syndrome de l'étudiant éternel est très répandu ici... une aubaine donc pour les lève-tard). D'autant plus qu'il n'y a pas d'heure de fermeture officielle. Pour la plupart, les bars restent ouverts jusqu'à ce qu'il n'y ait plus personne... donc jusqu'à très tard dans la nuit. Si vous recherchez des bars qui bougent bien, mettez le cap sur Kreuzberg, Friedrichshain, Neukölln, Mitte ou encore Prenzlauerberg ; Charlottenburg attire une clientèle plus âgée et d'un niveau économique aux manifestations ostentatoires.

– Afin d'éviter tout malentendu, lorsque vous commandez un café, précisez toujours ce que vous souhaitez exactement : *espresso, cappuccino, latte, macchiato,* ce qui n'est pas très difficile, c'est de l'italien ! Si vous êtes distrait, vous obtiendrez une grande tasse de café filtre allongé, généralement imbuvable. Vous pouvez aussi demander un *Cafeaulait* ou *Milchkaffee,* et il n'est pas rare que l'on vous le serve dans une sorte de bol.

– Même chose avec la bière, ici pas de galopin ni de demi-pression, ou plutôt si : ce sont de véritables demi-litres, pression ou bouteille. Goûtez les bières *Heffe Weizen* : *Kristall* (idéale l'été, avec une rondelle de citron), *Hell* (blonde mais trouble *because* levure de blé !) ou *Dunkel* (bière sombre, arrière-goût de girofle). Et la *Berliner Weisse mit Schuss,* servie dans un drôle de verre avec du sirop (rouge ou vert), bière amère mais rafraîchissante, à boire l'été donc... mais à l'aide d'une paille !

– Tous proposent également de délicieux gâteaux faits maison qui accompagneront votre café ou votre bière (!) ; on peut boire de l'*Apfelsaftschorle,* mélange de jus de pomme et d'eau gazeuse (non sucrée), et toutes sortes de jus de fruits, pressés sur place ou non.

ÉCONOMIE

Au cours des vingt dernières années, l'économie berlinoise a connu de profondes mutations structurelles. Les Berlinois attendaient peut-être trop de la réunification des deux Allemagne. La chute du Mur a mis un terme aux généreuses subventions fédérales (la RFA prenait en charge la moitié du budget municipal). Les primes de 8 % généreusement accordées aux salariés pour indemnité d'exil ont été supprimées (normal !). Le secteur immobilier n'a pas connu le boom escompté suite au déménagement des institutions fédérales. Entre 1991 et 2003, le nombre des travailleurs dans le secteur industriel a baissé de 411 000 unités. En dépit de ces suppressions d'emploi, le *Land* conserve un noyau industriel fort avec, en 2006, quelque 96 000 personnes travaillant dans des entreprises industrielles de 20 salariés et plus. Les exportations, qui ont augmenté d'environ 38 % entre 2000 et 2006, soulignent les bonnes performances de l'industrie. Plus de 50 % des personnes actives (720 000 emplois) travaillent à Berlin dans le secteur privé des services, y compris dans les domaines du commerce, des banques et des assurances, ainsi que transports et informations.

La hausse dans ce secteur n'a cependant pas réussi à compenser les pertes du secteur industriel. Au début de l'année 2006, on comptait environ 306 000 demandeurs d'emploi à Berlin et un taux de chômage de plus de 18 %. De 1994 à 2003, le produit intérieur brut n'a augmenté que de 4 % et la croissance a plafonné à 7 %. Avec 61 milliards d'euros de dettes, Berlin se trouvait dans la situation peu enviable de lanterne rouge des *Länder* allemands. Fin 2005, chaque habitant de Berlin se traînait 17 275 € de dette contre 7 300 € en moyenne en Allemagne. Les 2,8 milliards d'économies réalisées entre 2001 et 2006 ont permis d'équilibrer recettes et dépenses courantes à la fin 2007, pour enfin s'attaquer au remboursement de la dette qui s'élève encore à 68 milliards d'euros fin 2009.

La part de l'industrie et du BTP a nettement baissé tandis que la place du secteur tertiaire augmentait. Aujourd'hui, Berlin et sa région sont caractérisées par un parc d'entreprises performantes, créé avec le soutien de moyens financiers considérables accordés par le Fonds structurel européen en vue du renforcement de l'économie et des infrastructures : ces fonds étaient d'environ 1,3 milliard d'euros pendant la période de financement de 6 ans qui s'est achevée en 2006. Un montant similaire est disponible pour la période de financement actuelle courant jusqu'en 2013.

La ville possède pourtant le potentiel pour améliorer sa capacité en matière d'innovation économique et pour devenir une « ville de production scientifique » en disposant d'une main-d'œuvre hautement qualifiée : plus de 350 000 Berlinois sont diplômés d'une école supérieure et plus de la moitié des personnes qui travaillent à Berlin ont moins de 40 ans. Et 45 000 personnes sont directement employées dans les domaines scientifiques. Berlin abrite plus de 26 institutions de recherche privée ainsi que 10 instituts de recherche d'État. À cela s'ajoute une aide annuelle que les entreprises berlinoises accordent au secteur de la recherche. Les chances et les potentialités de la région de Berlin se trouvent en particulier dans les domaines de la biotechnologie, la communication, les techniques de systèmes de transport, la production de matériel médical ou optique, dans le domaine des techniques de microsystèmes et de la science des matériaux.

Le nombre croissant de visiteurs nationaux et internationaux et l'importance grandissante de la ville de Berlin au niveau des salons et des congrès sont également des vecteurs de croissance économique. La nouvelle gare centrale à peine ouverte, un autre chantier démarre sur le site de *Schönefeld*. La construction du *BBI* (Berlin Brandenburg International) a débuté en 2007 pour une mise en service en 2012. Les trois autres aéroports de la ville auront alors fermé : Tempelhof depuis 2008, Tegel en 2012 et l'actuel Schönefeld.

De grands espoirs de développement reposent sur le BBI. Les premières retombées devraient toucher les alentours de l'aéroport avec l'installation de bureaux, de services et de centres de logistique, puis le sud de la ville, dont la production industrielle serait dynamisée. Enfin, le BBI devrait doper le tourisme à Berlin : l'aéroport international entend jouer la carte du *low-cost* qui devrait représenter près de 50 % de son activité. De plus, avec sa position géographique particulière et sa nombreuse population en provenance de l'Est, Berlin pourrait devenir la porte d'entrée vers les marchés de l'Est européen. Berlin peut donc espérer sortir sous peu du marasme.

Économie parallèle

À Berlin, on le constate vite, ce sont les créateurs qui donnent le ton. Les loyers étant très bas, la ville agit comme un pôle magnétique et attire tous les partisans d'une nouvelle contre-culture. L'ébullition est totale et perpétuelle. En marge de l'économie officielle s'est développée à Berlin une forme d'économie qui est loin d'être marginale comme on pourrait le penser a priori.

S'il fallait nommer ce mouvement de fond qui s'est développé chez les jeunes et les artistes, ce serait assurément celui de la *décroissance.* Cette tendance sociologique a pris ses racines dans la capitale allemande. On peut la cerner par un retour à une économie de moyens en contestation d'une société dominée par le mercantilisme. L'idée consiste à vivre avec un minimum d'objets, en posséder le moins possible et faire de sa vie une création perpétuelle. Les adeptes les plus radicaux de la décroissance, les *objecteurs de croissance,* se déplacent à vélo, ne possèdent pas de frigo, achètent leurs produits et les cuisinent au jour le jour. Ils recyclent, fréquentent les friperies, procèdent par troc et partagent le maximum de services collectifs. Personne ne donne plus de 10 € pour un pull. Jeans, parka, *low-boots* seventies ou vieilles baskets de l'armée allemande, les Berlinois s'habillent de façon cool et stylée à la fois. Internet a largement contribué à favoriser ce modèle de vie en favorisant l'accès gratuit (parfois de façon illégale) aux contenus culturels. L'idée dominante est de passer du champ de la consommation à celui de la création. Voir à ce propos le film de Hans Weingartner, *Die fetten Jahre sind vorbei* (*The Educators,* 2004), tourné en partie à Berlin, où trois jeunes décident de jouer un tour à la société capitaliste en rentrant par effraction dans des riches demeures, non pas pour voler, mais juste pour déplacer des objets coûteux. Une forme de « sensibilisation » de la bourgeoisie sur l'inutilité de leurs accumulations.

ENVIRONNEMENT

On parlait qualité de vie dans un chapitre précédent. Les Berlinois y tiennent, d'autant plus qu'ils possèdent un environnement exceptionnel : près de 40 % de la superficie de la ville est couverte par des espaces verts (plus de 400 000 arbres) et des plans d'eau. La campagne se révèle tellement présente à Berlin que certains quartiers (comme Zehlendorf, Grünewald, Spandau, Wimersdorf, etc.) doivent faire face à de nouveaux et peu ordinaires locataires : les sangliers (attirés par la richesse des poubelles et le radoucissement climatique), mais aussi des renards (on en a vu en longeant le Tiergarten, mais aussi dans la Köpenicker Strasse, en plein quartier de Mitte !).

Bien entendu, sérieuse bataille contre la pollution automobile et pour la qualité de l'air... en donnant l'exemple : des dizaines de milliers d'habitants roulent à vélo (on parle de 250 000 !) sur 700 km de pistes cyclables. En outre, possibilité d'emmener son vélo dans le métro et le S-Bahn. Les Berlinois ont l'habitude de se plaindre des embouteillages du matin et de fin de journée, mais rien à voir avec les nôtres. Le fait que tant de gens aillent au boulot en vélo a bien entendu considérablement contenu la pollution atmosphérique. Enfin, dès que le soleil recommence à chauffer les peaux, on se précipite pour se relaxer et bronzer sur le moindre carré de verdure (et Dieu sait combien il y en a !) et les nombreuses plages de sable artificielles qui parsèment la ville, jusqu'aux quartiers les plus centraux (et pas seulement pendant un mois en été comme à Paris !).

Le respect de l'environnement et de la qualité de vie, une préoccupation majeure des Berlinois. D'ailleurs, le poids politique des *Grünen,* les écolos locaux, est là pour le démontrer.

HOMMES, CULTURE ET ENVIRONNEMENT

HISTOIRE

Deux villages de pêcheurs sont à l'origine de la ville : Berlin et Cölln, habités depuis le XIIe s par la tribu slave des Wendes. Au XIVe s, Berlin est la ville principale de la Marche de Brandebourg. La croissance de Berlin s'accompagne d'une envie d'indépendance et, pour résister aux princes allemands, elle s'allie à la Hanse en 1430. La publication des thèses de Martin Luther au XVIe s y connaît une forte résonance et Berlin devient alors essentiellement protestante. La guerre de Trente Ans (1618-1648) laisse Berlin exsangue ; la population, décimée, est inférieure à 6 000 habitants !

Les souverains de Brandebourg en font une cité importante, en particulier le Grand Électeur qui offre, en 1685 (après la révocation de l'édit de Nantes, dont vous retrouverez la date...), l'asile à plus de 6 000 protestants français. Leur influence sera prépondérante.

Le premier roi de Prusse, Frédéric Ier (qui règne de 1701 à 1713), réunit les cinq communes de la ville et fait de Berlin sa résidence et la capitale de la Prusse (construction de Charlottenburg, de l'arsenal ou du Palais royal).

Frédéric II, lui (1740-1786) entreprend la construction de fastueux monuments (opéra, bibliothèque royale, université, église catholique, etc.), et la porte de Brandebourg est érigée peu de temps après sa mort. C'est aussi un lieu qui attire les étrangers et les intellectuels : Frédéric II se déclare despote éclairé et invite Voltaire à sa cour. De 1650 à 1789, la population passe de 10 000 à 150 000 habitants.

Avec le XIXe s, Berlin s'industrialise et accueille des usines textiles et sidérurgiques. En 1871, Berlin devient capitale du Reich allemand avec Bismarck (déjà 2 millions d'habitants en 1905), puis capitale de la république de Weimar. Après la réforme territoriale de 1920, le « Grand Berlin » voit le jour avec la fusion de ses arrondissements, des 7 villes environnantes et des 59 villages. Les 860 km^2 et les 4 millions d'habitants de la métropole en font ainsi la plus grande ville industrielle du continent ! Sa célèbre université Humboldt, les architectes du Bauhaus et le dramaturge Bertolt Brecht (voir la rubrique « Personnages ») participent alors à son rayonnement culturel, hélas interrompu par la crise économique de 1929

UN PYROMANE QUI VIENT À POINT

Le 27 février 1933, le Reichstag prend feu. Sur place, la police se saisit de van der Lubbe, un Hollandais communiste à moitié fou. Il sera accusé de l'incendie et exécuté. Un sérieux doute demeure. On pense que ce soir-là, un groupe de SA a emprunté un passage souterrain depuis la demeure de Goering jusqu'au Reichstag et y a répandu des produits inflammables. La présence du Hollandais n'aurait été que fortuite. Hitler tire habilement parti de la situation. Le lendemain, il attribue le crime à un complot communiste et fait arrêter 4 000 membres du KP. Le même jour, il fait signer par von Hindenburg un décret qui suspend toutes les libertés. Le 23 mars, on inaugure Dachau.

(plus de 600 000 chômeurs à Berlin), qui favorise l'accession d'Adolf Hitler au pouvoir en 1933... Après l'incendie du Reichstag qui lui fournit un prétexte pour éliminer les communistes et les socialistes, la répression du chancelier nazi bat son plein : arrestations en masse d'intellectuels et d'opposants, autodafé de 20 000 livres sur l'ancienne Opernplatz (actuelle Bebelplatz), « semaine sanglante de Köpenick », incendie des synagogues, puis déportation et assassinat de 60 000 Berlinois d'origine juive ! Au-delà des projets de conquête, la mégalomanie d'Hitler s'exprime aussi dans ses plans architecturaux mégalomaniaques visant à transformer la capitale du Reich.

Peu de temps après, Hitler charge le jeune et ambitieux architecte Albert Speer d'élaborer les plans de la future capitale du Reich millénaire, *Germania*, qui devra être achevée en 1950 et livrée à l'admiration du monde entier à l'occasion d'une grandiose Exposition universelle. Le programme prévoit de raser une grande partie du cœur historique de la ville pour libérer l'espace nécessaire aux réalisations pharaoniques qui plaisent au Führer. Au centre du dispositif, une *Salle du peuple* surmontée d'une coupole de 270 m de haut, susceptible d'accueillir 180 000 personnes, et qui devait se trouver au croisement des deux grands axes traversant la ville. Pour reloger les habitants expulsés des quartiers ainsi remodelés, on confisque les logements des juifs, et pour mener à bien les projets, on puise dans les réserves de travailleurs forcés et de prisonniers des camps. Très vite entravés par les attaques de l'aviation alliée, les travaux seront totalement interrompus en mars 1945.

Des ruines au Mur

Durant la Seconde Guerre mondiale, Berlin est une cible prioritaire des bombardements alliés. Cependant, elle n'est pas, contrairement à une idée reçue, la ville la plus détruite d'Allemagne : en 1945, 43 % des logements sont déclarés inhabitables, ce qui est un taux relativement faible par rapport à d'autres cibles de l'aviation alliée. Les bombardements se sont concentrés sur les quartiers centraux, mais ont épargné volontairement des zones proches des aéroports, que l'on souhaitait utiliser après la fin des hostilités. De plus, la faible densité de Berlin, la largeur des avenues, les nombreux espaces verts ont empêché de nombreuses munitions d'atteindre leur cible.

La prise de Berlin, au printemps 1945, par les forces soviétiques a été, elle, destructrice en vies humaines : de 1939 à 1945, la population chute de 4,3 à 2,8 millions d'habitants. Berlin-centre n'est plus que ruines : on évacue 75 millions de mètres cubes de décombres... Ce sont en majorité des femmes qui font le boulot.

En juin 1945, l'ancienne capitale devient le siège du Conseil de contrôle allié. On partage la ville en quatre secteurs d'occupation : soviétique pour la zone orientale (près de la moitié de la superficie totale), américain, français et britannique pour le reste. Mais des dissensions apparaissent entre les Alliés : en 1948, les Soviétiques coupent les voies d'accès à Berlin-Ouest. Les Américains organisent alors un pont aérien qui permet de ravitailler la population pendant près d'un an, transportant près de 1 900 000 tonnes de ravitaillement (dont 80 % de charbon).

Les liaisons téléphoniques entre les deux Berlin sont interrompues en 1952 par décision de l'Est. Un mouvement de mécontentement se propage dans toute la RDA ; il culmine en juin 1953 avec la grève des ouvriers du bâtiment et pousse les troupes soviétiques à intervenir pour rétablir le calme. Des centaines de milliers d'Allemands de l'Est passent alors à l'Ouest, fuyant le nouveau régime. Pour mettre fin à cette hémorragie, le Mur est érigé en 1961. Il ne tombera que le 9 novembre 1989.

De nouveau capitale

Successivement « Athènes du Nord », centre des Années folles de la Prosperity, modèle d'« ordre et de progrès »... la gigantomachie tragique de 1945 met un terme au Berlin des modèles. Mais le 9 novembre 1989, l'indéfinissable « air berlinois » emporte, à nouveau, tout sur son passage...

Avant la réunification en 1990, Bonn était la capitale provisoire de la République fédérale d'Allemagne (RFA) et Berlin-Est (officiellement « Berlin » tout court) celle de la République démocratique allemande (RDA). Le transfert des institutions fédérales de Bonn à Berlin a suscité des polémiques... Berlin, capitale de l'Allemagne, certains opposants y voyaient un rapprochement trop fort vers l'Est et l'éloignement de son ancrage occidental... C'était le rappel de Berlin capitale de la dictature nazie ou du Reich de 1871, et plus loin encore dans l'histoire, la Prusse et son autoritarisme... Et les nostalgiques de Weimar, capitale de la république de l'après-guerre de 1914, et de Bonn, capitale de la nouvelle République fédérale d'Allemagne, en 1949, choisie parce que proche des autres pays européens de l'Ouest, d'aligner les arguments : Berlin représenterait le centralisme, oubliant le fédéralisme, par ailleurs parfois remis en question.

Le traité de 1990 a rendu son statut de capitale à Berlin, mais la question du siège du gouvernement est restée en suspens jusqu'à ce que, à l'issue d'un débat passionné (par 338 voix contre 320), le Bundestag décide, le 20 juin 1991, que Berlin, capitale historique, serait le siège des institutions de l'Allemagne réunifiée. Alors que la résidence officielle du président de la République (fonction honorifique) a toujours été le château de Bellevue, à Berlin, le transfert du gouvernement et de la chancellerie à Berlin est effectif depuis 2000. En attendant, le chancelier a résidé dans l'ancien Conseil d'État de la RDA *(Staatsratsgebäude)*, bâtiment à l'architecture socialiste caractérisée, qui a fait peau neuve pour endosser ses nouvelles fonctions. Le Bundestag s'est lui-même installé au Reichstag dont le toit a été doté d'une coupole en verre pour l'occasion, symbole de ce renouveau politique de Berlin.

Pour des raisons de coût, la facture du déménagement s'élevant déjà à quelque 10 milliards d'euros, la plupart des ministères se sont installés dans des bâtiments datant du IIIe Reich ou de la RDA. Cette solution a été finalement choisie, même si certains ministres auraient préféré intégrer des bâtiments moins chargés d'histoire. La seule construction importante, mais elle est symbolique, est celle de l'imposante chancellerie, qui met un terme à la discrétion longtemps voulue par les autorités et répond peut-être clairement à une question que tout citoyen allemand se pose : pouvons-nous, en tant qu'Allemands, nous permettre ces signes extérieurs de pouvoir sans être montrés du doigt ?

Le retour des communistes

En revanche, lors d'un référendum dont l'objectif était de créer une région-capitale de taille importante, les électeurs de Berlin et du *Land* de Brandebourg ont refusé la fusion administrative de leurs entités. Berlin demeure pourtant une capitale théorique. Sa population, sans se soucier des sempiternelles discussions idéologiques, a démontré récemment que l'histoire n'est pas une science exacte. Alors que le spectre du communisme s'était pratiquement évanoui depuis la réunification, les électeurs ont voté en masse en janvier 2002 pour le PDS, l'héritier du SED de la RDA. Le choix des néo-communistes s'explique par la déroute financière de Berlin. Privée d'industries, largement subventionnée pendant la guerre Froide, la ville n'a pas su gérer correctement son indépendance économique. Avant d'être une capitale administrative, Berlin demeure une ville en même temps qu'un *Land*... ce que les électeurs ont confirmé en imposant trois communistes parmi les huit membres du Conseil. Un pied de nez historique prévisible. Les élections régionales de septembre 2006 ont confirmé l'alliance du SPD et du PDS pour la législature 2006-2011.

Berlin aujourd'hui

Toutefois, et ce malgré les divergences politiques, chacun s'accorde pour enrayer le chômage, investir dans les infrastructures à l'Est pour les mettre au niveau de celles de l'Ouest et conforter Berlin dans son rôle de « capitale de la culture ». Mais Berlin a vu grand, trop grand peut-être : la ville a frôlé la faillite. De son côté, le gouvernement fédéral ne semble pas décidé à aider la ville à sortir de ce gouffre financier. Résultat : des immeubles et bureaux vides sont vendus pour 1 € symbolique, des postes de fonctionnaires sont supprimés, les budgets alloués à la culture sont diminués.

Les autres faits marquants de ces dernières années sont, sans conteste, le départ des forces militaires alliées le 8 septembre 1994, l'« emballage » très symbolique du Reichstag par Christo en juillet 1995 et sa rénovation achevée par la construction d'une coupole de verre. Ces trois événements ont en effet profondément modifié la perception que les Berlinois avaient de leur ville. Berlin capitale, ce n'est pas seulement un nouveau rendez-vous des Allemands avec eux-mêmes, c'est aussi, depuis l'élargissement du centre de gravité de l'UE vers l'est, un rendez-vous de l'Europe avec son avenir.

Le 24 juillet 2008, c'est à un air de déjà vu que se prête la capitale allemande. Comme Kennedy en juin 1963, le candidat à la présidence des États-Unis, Barack Obama, salue l'Europe depuis Berlin. Devant près de 220 000 personnes, il joue sur les symboles, parlant de renforcer la coopération transatlantique « dans l'esprit du

LE RETOUR D'UNE ICÔNE

Vingt ans après la chute du Mur, la pétaradante Trabant, symbole de l'ex-RDA, ressuscite dans une version électrique présentée à Francfort en 2009. Conservant les formes carrées de son ancêtre, la New Trabi est nettement plus écologique et dotée d'une technologie dernier cri, avec des connexions pour navigateur et iPod. Moquée pour sa carrosserie synthétique, la puanteur de ses gaz d'échappement et sa vitesse de pointe de 120 km/h, la Trabi d'autrefois n'en était pas moins la seule voiture que pouvaient s'offrir la plupart des Allemands de l'Est, à condition toutefois de patienter 10 à 15 ans sur liste d'attente...

pont aérien (de 1948) ». Le succès est immense ! Puis, patatras !, la crise déferle sur l'Europe en touchant le secteur financier suivi par celui de l'industrie automobile, l'un des piliers de l'économie allemande. En février 2009, Michael Glos, le ministre de l'Économie, démissionne de ses fonctions alors que la crise fait rage. Il sera remplacé par Karl-Theodor zu Guttenberg, un jeune de 37 ans, censé sortir le pays de la récession.

Mais pour Berlin, 2009 restera surtout l'année des bilans plus positifs : à tout juste 20 ans de la chute du Mur, la capitale devient la destination sportive de l'été en s'offrant le championnat du monde d'athlétisme à l'Olympiastadion. Le Jamaïcain Usain Bolt y renouvelle l'exploit de Jesse Owens en 1936 en pulvérisant les records du monde du 100 m et du 200 m. Rappelons que ce stade, construit entre 1934 et 1936, avait accueilli les Jeux olympiques sous le régime nazi. Il avait été entièrement rénové en 2006 à coup de millions d'euros lors de la Coupe du monde de football.

En novembre, les Berlinois fêtent, dans la liesse et sous la pluie, les 20 ans de la chute du Mur, montrant au monde que la malédiction d'une ville peut se conjurer par la volonté d'un peuple. Exemple à suivre par tous les lieux où un mur sépare les hommes...

Chronologie

– *VIe et VIIIe s :* les territoires du Brandebourg sont colonisés par les Slaves.

– *Xe s :* les princes germaniques convoitent ces terres. La région entre l'Elbe et l'Oder est christianisée puis intégrée au Saint Empire romain germanique sous la dénomination de *Marche du Nord (Nordmark)*.

– *1157 :* Albert l'Ours devient officiellement margrave de Brandebourg.

– *1220 à 1244 :* vague de colonisation germanique avec l'arrivée des Templiers à Tempelhof.

– *1244 :* fondation de Cölln sur une île de la Spree. Berlin est mentionné pour la première fois par un acte.

– *Fin du XIIIe s :* Berlin compte près de 3 000 habitants ; le droit de battre monnaie lui est conféré en 1280.

– *1307 :* Berlin et Cölln s'unissent et décident d'organiser leur propre défense contre les chevaliers brigands en créant leur propre armée territoriale, la *Landwehr*.

– *1359 :* Berlin et Cölln intègrent la Hanse.

– *1402 :* la Nouvelle Marche *(Neumark)* est attribuée à l'Ordre teutonique qui pacifie les territoires sous son autorité.

– *1411 :* Frédéric IV de Hohenzollern, burgrave de Nuremberg, qui a aidé Sigismond à conquérir la couronne impériale, devient Frédéric Ier de Brandebourg.

– *1448 :* Berlin se soulève contre Frédéric II « Dent de Fer ». Lors du siège, privé du secours des villes de la Hanse, Berlin capitule et abandonne ses espoirs d'autonomie. Frédéric II unit le Brandebourg en rachetant ses terres à l'Ordre teutonique et en obligeant les villes du margraviat à quitter la Hanse. L'installation de la cour à Berlin permet de créer de nouveaux emplois et métiers.

– *1539 :* Joachim II se convertit au protestantisme, qui a aussi l'adhésion du peuple. Les finances de l'Électorat profitent de la sécularisation des biens du clergé catholique et de la confiscation des biens appartenant aux juifs expulsés.

– *Fin du XVIe s :* Joachim II fait venir à sa cour des artistes et des savants, et fait agrandir le château de Cölln et reconstruire les châteaux de Köpenick et de Grünewald. Les fortifications sont renforcées avec l'édification de la citadelle de Spandau.

– *XVIIe s :* lors de la guerre de Trente Ans, les princes protestants s'allient à la France catholique et la Suède de Gustave-Adolphe contre l'Autriche, qui veut rétablir l'autorité de l'Église catholique dans le Saint Empire romain germanique.

– *1627 :* Berlin perd sa fonction de résidence au profit de Königsberg, jugée alors moins exposée aux affres du conflit.

– *1648 :* la paix de Westphalie, signée à Münster, scelle l'émiettement de l'Allemagne. Le Brandebourg a perdu la moitié de sa population.

– *1650 :* Frédéric-Guillaume s'attache à reconstruire et transformer son Électorat en un puissant État centralisé. Il fait appel à de nombreux étrangers – artisans et commerçants hollandais, juifs et calvinistes français – et lance un vaste plan de redressement économique. L'avenue Unter den Linden est tracée.

– *1685 :* l'édit de Nantes est révoqué par Louis XIV. Les huguenots arrivent en nombre en Brandebourg. Création d'une ville nouvelle : Friedrichstadt.

– *1701 :* le duché de Prusse est érigé en royaume. Frédéric Ier, roi de Prusse, est couronné le 18 janvier.

– *Début du XVIIIe s :* les communes de Berlin, Cölln, Friedrichswerder, Dorotheenstadt et Friedrichstadt fusionnent.

– *1713-1740 :* Frédéric-Guillaume Ier, le Roi-Sergent, s'emploie à redresser les finances de son royaume ; les protestants de Bohême fournissent une main-d'œuvre qualifiée aux manufactures textiles.

– *1740-1748 :* Frédéric II utilise le potentiel militaire mis en place par son père pour défaire la suprématie autrichienne en Allemagne. Il s'empare de la plus riche province des Habsbourg : la Silésie.

– *1748-1756 :* Frédéric II règne en despote éclairé. Il place la relation de l'individu à l'État sous le signe de la raison. Et attire à sa cour de beaux esprits français, dont Voltaire, qui se font les chantres d'un régime néanmoins absolutiste.

– *1756-1763 :* la France, la Saxe et l'Autriche décident de contrer le rayonnement de la Prusse, qui trouve un allié inattendu, l'Angleterre. La guerre de Sept Ans éclate lorsque Frédéric et ses troupes envahissent la Saxe.

– *1760 :* Berlin est occupé par les troupes de la tsarine Elisabeth Petrovna. La mort subite du souverain russe sauve Frédéric II.

– *1765 :* Frédéric II passe ses derniers jours à Sans-Souci, vêtu de son uniforme militaire. Il est alors surnommé le « Vieux Fritz » par ses sujets. Berlin commence à s'industrialiser : 6 000 ouvriers travaillent dans les manufactures textiles.

– *1792 :* la Prusse affronte la France révolutionnaire et essuie une sévère défaite à Valmy.

– *1797 :* Frédéric-Guillaume III accède au trône. Berlin connaît un développement industriel important sous l'impulsion des manufactures d'État. Les conditions de vie des travailleurs sont dures à Berlin. Un ouvrier consacre en moyenne trois quarts de ses revenus à acheter du pain.

– *1805 :* visite à Berlin du tsar Alexandre Ier qui donne son nom à l'Alexanderplatz.

– *1806 :* après avoir rejoint la coalition antinapoléonienne, la Prusse est sévèrement battue à Iéna et Auerstedt. Napoléon fait son entrée triomphale à Berlin le 27 octobre 1806. L'occupation française dure près de 3 ans : le quadrige de la porte de Brandebourg est saisi, de lourdes contributions accablent les Berlinois, mais le servage est définitivement aboli.

– *1809-1810 :* l'Université est fondée par Wilhelm von Humboldt et devient l'un des foyers les plus ardents du nationalisme prussien.

– *1813 :* les troupes du tsar arrivent à Berlin et mettent en déroute l'arrière-garde de la Grande Armée. Victoire des Nations à Leipzig.

– *1814 :* entrée victorieuse des troupes prussiennes à Paris ; le quadrige est rapporté. Introduction du service militaire en Prusse.

– *1815 :* les troupes de Blücher participent à l'écrasement de Napoléon à Waterloo. La Prusse fait partie des grandes puissances européennes.

– *1820-1830 :* les manufactures textiles et les premières industries sidérurgiques s'implantent dans le nord de Berlin ou le long de la Spree à l'est ainsi qu'en aval de Charlottenburg. Berlin passe de 197 000 à 400 000 habitants.

– *1834 :* le Zollverein (union douanière des États allemands) voit le jour sous l'impulsion de la Prusse.

– *1838 :* première ligne de chemin de fer Berlin-Potsdam.

– *1844 :* la première exposition industrielle des États du Zollverein connaît un gros succès.

– *1844-1847 :* une sévère récession économique touche l'Europe entière. Un quart de la population de Berlin vit dans la misère. La municipalité entreprend de grands travaux d'utilité publique, comme le creusement du *Landwehrkanal,* pour subvenir aux besoins des chômeurs.

– *1848 :* la révolution berlinoise constitue un tournant dans l'histoire du royaume puisqu'il s'agit du premier mouvement ouvrier. Elle engendre le processus d'unification des États allemands. Le général Wrangel prend possession de Berlin le 10 novembre 1848 et instaure l'état de siège.

– *1848-1870 :* la Prusse rattrape son retard économique sur la France. Près de deux tiers des Berlinois travaillent dans l'industrie.

– *1862 :* Otto von Bismarck est nommé chancelier. L'unité allemande passionne l'opinion publique. Un plan d'urbanisation, portant le nom d'Hobrecht, organise l'expansion de la capitale : les *Mietskasernen* commencent à être construites.

– *1866 :* Bismarck décide d'en découdre avec l'Autriche et l'écrase à Sadowa. La Confédération d'Allemagne du Nord, présidée par la Prusse, voit le jour en 1867.

– *1870-1871 :* influencé par son état major, Napoléon III se lance avec légèreté dans un conflit avec la Prusse et paie le prix fort à Sedan, où son armée est anéantie. C'est la chute de l'Empire français, tandis que l'Empire allemand est proclamé le 18 janvier 1871 dans la galerie des Glaces du château de Versailles. La France perd l'Alsace et la Moselle, qui deviennent Terres d'Empire.

– *1871 :* Berlin compte 870 000 habitants.

– *1890 :* Bismarck se retire en raison de ses profonds désaccords avec l'empereur Guillaume II. L'Allemagne se lance dans les conquêtes coloniales et se heurte aux zones d'influence française (Maroc) et aux intérêts britanniques.

– *1912 :* Berlin compte 2 millions d'habitants.

– *1914-1918 :* la mobilisation générale déclenche l'enthousiasme, mais retombe très vite lorsque le conflit commence à s'enliser. La population subit les conséquences du blocus maritime orchestré par la Royal Navy.

– *1918 :* après l'échec de l'offensive générale de Ludendorff au printemps, l'espoir d'une victoire sur les alliés s'estompe. L'entrée en guerre des États-Unis renverse le cours de la guerre. En novembre 1918, les marins de la Baltique se mutinent à Kiel et sonnent le glas de l'Empire. L'armistice est signé le 11 novembre, 2 jours après l'abdication de Guillaume II, qui s'exile aux Pays-Bas.

– *9 novembre 1918 :* Karl Liebknecht proclame, depuis le balcon du Stadtschloss, la République socialiste libre d'Allemagne.

– *Janvier 1919 :* l'Assemblée nationale, nouvellement élue, siège à l'écart des troubles sévissant à Berlin. Le gouvernement est dirigé par le social-démocrate Friedrich Ebert. Les spartakistes fondent le parti communiste KPD et tentent de prendre le pouvoir. Le gouvernement favorise la création de corps francs sous les ordres de Gustav Noske, qui écrase les révolutionnaires dans le sang. Les leaders du mouvement spartakiste, Karl Liebknecht et Rosa Luxemburg, sont assassinés à proximité du Tiergarten.

– *1920 :* putsch des corps francs menés par Kapp. Grève générale des ouvriers berlinois qui paralysent toutes les fonctions vitales de la capitale. Échec du coup d'État. La loi sur la création du « Grand Berlin » entre en vigueur.

– *1923 :* la Ruhr est occupée par les troupes françaises et belges. L'inflation sévit dès juillet. Le plan Dawes et les capitaux américains permettent à l'économie allemande de se stabiliser. Le prix à payer est la restructuration et les licenciements massifs, qui provoquent un chômage endémique.

– *1925 :* l'économie allemande est relancée. Berlin devient une ville de loisirs et de distractions avec l'apparition de nouvelles technologies comme la radio, le cinéma ou le phonogramme.

– *1929 :* entrée du parti nazi à l'assemblée municipale avec 5,8 % des suffrages. Le krach de Wall Street touche l'Allemagne. L'effondrement de l'économie est imputé aux sociaux-démocrates par les démagogues de tout bord.

– *1930-1932 :* la crise s'accentue et les extrémistes en profitent pour recruter les chômeurs au sein de leurs organisations paramilitaires. Les batailles de rue sont quotidiennes. Aux élections législatives de 1930, le parti nazi (NSDAP) progresse encore, avec 107 députés. Ce succès est salué par le pillage du grand magasin *Wertheim,* appartenant à un juif.

– *1932 :* après de nouvelles élections, Hindenburg dissout le gouvernement social-démocrate et nomme le chancelier Franz von Papen, qui proclame l'état d'exception à Berlin.

– *30 janvier 1933 :* Hitler est désigné chancelier par Hindenburg.

– *27 février 1933 :* les nazis incendient le Reichstag et accusent les communistes. Les partis de gauche sont interdits, Hitler obtient les pleins pouvoirs de l'Assemblée. Aussitôt l'appareil dictatorial se met en place : création de la Gestapo. Les « gardiens de bloc » deviennent les relais du système de délation mis en place par Himmler et Heydrich. L'ancienne école militaire de Tempelhof, *Columbiahaus,* devient un centre de torture pour opposants au régime. Le premier camp de concentration, *Sachsenhausen,* est aménagé à 30 km au nord de Berlin.

– *1934 :* nuit des Longs Couteaux. Hitler fait liquider son compagnon, Ernst Röhm, chef de file des SA.

– *1935 :* lois antisémites de Nuremberg.

– *1936 :* Berlin accueille les Jeux olympiques. Le régime nazi est en quête de respectabilité.

– *9 novembre 1938 :* nuit de Cristal, pogrom généralisé dans le pays tout entier.

– *1940 :* défaite de la France. Le wagon de Rethondes est exposé au Lustgarten. La RAF lance son premier raid en représailles au début du Blitz.

– *1941-1942 :* les bombardements alliés se multiplient. La population civile se terre dans les abris antiaériens ou dans les caves des immeubles. Premières difficultés d'approvisionnement.

– *20 janvier 1942 :* conférence de Wannsee. Décision de la Solution finale pour exterminer les juifs.

– *1943 :* devant une foule en délire, Goebbels proclame la guerre totale au *Sportpalast,* pour redonner espoir à une population civile cloîtrée dans les abris.

– *1944 :* échec de l'attentat visant Hitler. Klaus von Stauffenberg et les autres conjurés sont immédiatement arrêtés et exécutés.

– *Février 1945 :* la Wehrmacht tient le front sur l'Oder. Les troupes soviétiques ne sont plus qu'à une soixantaine de kilomètres de la capitale. Berlin est transformé en un vaste camp retranché.

– *20 avril 1945 :* assaut final des armées de Joukov et Koniev. La ville est pilonnée, puis investie quartier par quartier. Le *Volksturm* et les dernières unités SS se livrent à des combats acharnés et désespérés.

– *30 avril 1945 :* le drapeau rouge est hissé sur le Reichstag. Hitler s'est suicidé. La Wehrmacht capitule sans condition le 7 mai 1945. L'Armée rouge a perdu près de 100 000 hommes et Berlin, capitale fantôme, déplore 50 000 victimes. Soixante-quinze millions de mètres cubes de gravats sont déblayés et rassemblés en neuf collines artificielles.

– *1945 :* la conférence de Potsdam entérine le plan d'occupation de l'Allemagne et de Berlin en quatre secteurs. Un Conseil de contrôle interallié a la charge de gouverner l'Allemagne occupée ainsi que l'ancienne capitale du Reich.

– *1946 :* création du Parti socialiste unifié d'Allemagne (SED). Procès des crimes de guerre nazis à Nuremberg.

– *1947 :* Ernst Reuter est élu bourgmestre, mais n'est pas reconnu par les Soviétiques. Les administrations municipales se scindent entre les secteurs d'occupation occidentaux et celui contrôlé par les Soviétiques.

– *1948 :* la réforme monétaire adoptée dans les secteurs occidentaux de l'Allemagne introduit le Deutsche Mark et lie l'économie ouest-allemande au système économique occidental.

– *4 juin 1948-12 mai 1949 :* blocus de Berlin par les Soviétiques. Pont aérien occidental. Formation de la RFA et de la RDA.

– *16-17 juin 1953 :* soulèvement ouvrier à Berlin-Est, réprimé par l'intervention des chars soviétiques. Le miracle économique ouest-allemand attire près de 3 millions d'Allemands de l'Est jusqu'à la construction du Mur.

– *13 août 1961 :* Walter Ulbricht ordonne la fermeture des points de passage vers l'Ouest et décide de construire un mur pour stopper l'hémorragie.

– *1965-1968 :* contestation étudiante à Berlin-Ouest. La RDA profite des troubles pour infiltrer les groupes pacifistes et gauchistes et héberger les terroristes de la fraction Armée rouge.

– *1970-1981 :* avec la détente, Berlin cesse d'être un point de friction entre les deux blocs. Le chancelier Willy Brandt orchestre l'*Ostpolitik* visant à obtenir la reconnaissance mutuelle des deux Allemagnes.

– *1981-1989 :* Berlin-Ouest connaît un changement de majorité au Sénat ; la CDU met fin à un règne de 35 ans du SPD. La liste des alternatifs fait son entrée au Parlement.

– *1987 :* Berlin célèbre de part et d'autre du Mur son 750e anniversaire. L'héritage culturel prussien est réhabilité et mis en valeur.

– *1989 :* 65 000 Allemands de l'Est profitent de l'ouverture de la frontière entre la Hongrie et l'Autriche pour trouver refuge au sein des ambassades de la RFA. Premières grandes manifestations organisées par les mouvements d'opposition à Leipzig et dans les villes de RDA. Berlin-Est est quadrillé par la police populaire. Pour le 40e anniversaire de la RDA, Erich Honecker invite Gorbatchev à assister aux festivités. Ce dernier le met en garde : « Celui qui réagit trop tard est puni par la vie. »

– *4 novembre 1989 :* 1 million de personnes défilent à Berlin-Est. Le 7 novembre, le gouvernement de la RDA démissionne. Deux jours plus tard, un porte-parole du gouvernement de Berlin-Est annonce l'ouverture des postes de frontière. La foule se presse aux abords du Mur ; les Vopos désemparés finissent par laisser passer les Berlinois de l'Est. Dans l'allégresse générale, les Berlinois des deux côtés se retrouvent et célèbrent la chute du Mur au pied de la porte de Brandebourg.

– *1990 :* destruction complète du Mur. L'union monétaire entre en vigueur le 1er juillet et le traité d'unification fixe les conditions d'adhésion des cinq *Länder* à la RFA. Le 3 octobre, l'Allemagne est officiellement réunifiée. La première assemblée de l'Allemagne unie se réunit au Reichstag.

– *1991 :* Berlin est désignée comme nouvelle capitale de l'Allemagne unie.

– 1992-1993 : la difficile reconversion de l'économie est-allemande provoque un profond malaise qui se traduit par la percée des partis de l'extrême droite et de la remontée du PDS, héritier du SED.

– 1994 : les troupes d'occupation quittent Berlin. Début des travaux du quartier gouvernemental, de la Potsdamer Platz et Leipziger Platz.

– 1998 : défaite de la CDU aux élections législatives. Gerhard Schröder succède à Helmut Kohl, le chancelier de la réunification.

– 1999-2001 : déménagement du gouvernement à Berlin. Inauguration du Reichstag, de la nouvelle chancellerie fédérale et du nouveau complexe de la Potsdamer Platz. La CDU perd les élections renouvelant le Sénat. La grande coalition menée par Eberhard Diepgen prend fin et conduit à la formation d'une nouvelle coalition « Rouge-Rouge » entre le SPD et le PDS de Gregor Gysi.

– 2002 : Klaus Wowereit, la tête de liste du SPD, devient le nouveau maire de Berlin.

– 2003 : la municipalité est virtuellement en faillite.

– 2005 : après les élections de septembre, Angela Merkel, de la CDU, devient la première chancelière allemande.

– Juillet 2006 : finale historique de la Coupe du monde au stade olympique. Des centaines de milliers de touristes découvrent avec ravissement une capitale allemande accueillante pour tous.

– Novembre 2006 : Klaus Wowereit est confirmé dans ses fonctions de maire pour 5 ans à la tête d'une coalition de gauche reconduite.

– 21 juillet 2008 : discours de Barack Obama, nouveau « Berliner », devant 220 000 personnes à Berlin.

– Septembre-octobre 2008 : crise financière internationale ; Merkel et Sarkozy ne sont pas sur la même longueur d'onde quant aux mesures à prendre.

– Novembre 2009 : Berlin commémore les 20 ans de la chute du Mur. Nombreuses expositions sur le déroulement des événements et les transformations de la ville en deux décennies, et aussi le 9 novembre, chute symbolique d'un mur de dominos autour de la porte de Brandebourg, sous les yeux des grands de ce monde, à commencer par Lech Walesa et Mikhaïl Gorbatchev, initiateurs de la fin de l'affrontement Est-Ouest.

MÉDIAS

Programmes en français sur TV5MONDE

TV5MONDE est reçu dans le pays par câble, satellite et sur Internet. Retrouvez sur votre télévision : films, fictions, divertissements, documentaires – qui témoignent de la diversité de la production audiovisuelle en langue française – et des informations internationales.

De nombreux services pratiques pour les voyageurs sont proposés sur le site ● *tv5monde.com* ● et sa déclinaison mobile ● *m.tv5monde.com* ●

Pensez à demander à votre hôtel sur quel canal vous pouvez recevoir TV5MONDE et n'hésitez pas à faire vos remarques sur ● *tv5monde.com/contact* ●

FRANCE 24

Chaîne d'information en continu, FRANCE 24 apporte 24h/24 et 7j./7 un regard nouveau sur l'actualité internationale.

Diffusée en trois langues (français, anglais, arabe) dans plus de 160 pays, FRANCE 24 est également disponible sur Internet et votre mobile sur ● *france24. com* ●, pour vous accompagner tout au long de vos voyages.

Presse allemande

Lire le journal est une activité très populaire en Allemagne. Pour la densité des journaux par habitant, l'Allemagne occupe le 7e rang en Europe. 78 % des citoyens allemands lisent quotidiennement le journal, en moyenne durant 30 mn.

La presse écrite allemande est l'une des plus puissantes d'Europe ; plus de 30 millions de quotidiens sortent des imprimeries allemandes chaque jour ! Plus des deux tiers des journaux sont vendus par abonnement. Ce sont les quotidiens locaux et régionaux qui dominent le paysage journalistique allemand et ont une influence réelle sur les faiseurs d'opinions politiques et économiques.

Bild est le quotidien allemand qui réalise le plus grand tirage ; populaire et populiste (proche des tabloïds anglais), il est tiré à plus de 5 millions d'exemplaires. Pas un sujet de la presse à scandale ne lui échappe, et, vu la place qu'y tiennent les photos, il se lit en 10 mn. Les grands quotidiens supraréguraux, comme le *Frankfurter Allgemeine Zeitung* et *Die Welt,* ainsi que des journaux lus bien au-delà de leur propre zone publicitaire, tels que le *Süddeutsche Zeitung,* le *Frankfurter Rundschau* et le *Handelsblatt,* ont un tirage moins élevé mais exercent une grande influence sur l'opinion. D'autres médias importants sont les magazines d'information *Der Spiegel* et *Focus,* ainsi que l'hebdo *Die Zeit.* L'offre est complétée par les journaux du dimanche comme *Bild am Sonntag, Welt am Sonntag, Sonntag Aktuell* et *Frankfurter Allgemeine Sonntagszeitung.*

Le marché allemand des revues est lui aussi largement diversifié : près de 10 000 titres sont proposés. On trouve surtout des programmes de radio et de télévision à grand tirage, des illustrés d'actualité comme *Stern* et *Bunte,* ainsi que des magazines féminins. Un tiers du marché des périodiques est couvert par des publications des organisations et fédérations. L'*ADAC-Motorwelt,* organe de l'Automobile Club d'Allemagne, est, avec environ 13 millions d'exemplaires, la revue à plus fort tirage.

Dans les gares et dans certains kiosques des villes importantes, vous trouverez les quotidiens nationaux français (*Le Monde, Libération, Le Figaro,* etc.).

Télévision et radio

Il existe en Allemagne deux formes différentes d'organisation et de financement. Les chaînes privées vivent presque essentiellement des recettes publicitaires. Elles se sont spécialisées dans des programmes thématiques. Les chaînes de droit public, en revanche, sont financées par le biais des redevances et de la publicité. L'audience a droit à un approvisionnement de base en information, éducation et divertissement. Des émissions culturelles de haut niveau, représentant si possible tous les courants culturels, doivent figurer dans ces programmes.

Les chaînes privées

Les établissements de droit public ont senti souffler le vent de la concurrence à partir de 1984 lorsque *SAT 1,* de Mayence, est devenu le premier émetteur de télévision financé par le secteur privé d'Allemagne. D'autres chaînes privées sont venues s'y joindre (*RTL +),* de même que les chaînes cryptées (télévision à péage). Les émissions des chaînes privées sont diffusées par câble et par satellite. Elles sont gérées par des consortiums proches des groupes de médias. Contrairement aux établissements de droit public, elles assurent surtout leur financement par les recettes publicitaires.

Il est possible de capter *Radio France internationale* ainsi qu'*Europe 1* sur 182 kHz (GO 1648) et *France Inter* sur 164 kHz (GO 1829). On reçoit *TV5* (chaîne francophone) et, bien sûr... *Arte* !

Les chaînes de droit public

Il existe en Allemagne neuf chaînes de radiodiffusion de droit public, qui sont subdivisées au niveau des *Länder (ARD).* Ensemble, elles constituent la « première chaîne de télévision allemande », mais diffusent également leurs propres programmes. Une autre chaîne de droit public est la « deuxième chaîne de télévision allemande » *(ZDF),* qui ne produit pas de radiodiffusion. Des programmes à l'échelle fédérale, avec pour points forts l'information et la culture, sont diffusés par l'émetteur géré conjointement par l'ARD et la ZDF.

Depuis 1997, l'ARD et la ZDF gèrent aussi ensemble la chaîne d'événements et de documentaires *Phoenix* et le programme *Der Kinderkanal* (chaîne pour les enfants), les deux seules chaînes de droit public thématiques d'Allemagne. L'ARD et la ZDF participent également à la chaîne culturelle franco-allemande Arte.

Dans les programmes télévisés de l'ARD et de la ZDF, les informations d'actualité, les reportages politiques, les documentaires, ainsi que les téléfilms, les films et les émissions de divertissement occupent une large place.

Les troisièmes programmes de la télévision sont diffusés par les établissements de l'ARD au niveau régional ainsi que par satellite et par câble. Ces programmes ont une importance particulière pour la formation et l'éducation.

Les dépenses des chaînes de droit public sont couvertes par les redevances payées par les auditeurs et les spectateurs. L'ARD et la ZDF sont aussi dépendantes des recettes publicitaires, mais les temps de diffusion publicitaire sont cependant fortement restreints par rapport à ceux des chaînes privées.

MUR DE BERLIN

En 1961, la situation devient dramatique pour l'Allemagne de l'Est et la crédibilité du régime. Des centaines de gens se réfugient à Berlin-Ouest chaque jour (30 000 pour le seul mois de juin 1961). On estime que plus de 2 500 000 personnes sont passées à l'Ouest de 1949 à 1961. Ainsi, on a pu dire à l'époque qu'« ils votaient avec leurs pieds ». Le 13 août 1961 au matin, Berlin-Ouest est totalement encerclé par la police et les miliciens. D'abord des barbelés, puis les premiers éléments du Mur en dur dans les jours qui suivent. Il fera 43 km de long sur la ligne de démarcation qui coupe la ville et 112 km entre Berlin-Ouest et l'Allemagne de l'Est. Mur de 3,60 m de haut, ponctué de 302 miradors, plus 15 000 *Vopos* (policiers) affectés à sa surveillance. Certains immeubles donnant sur la « frontière » sont totalement murés, les demeures individuelles progressivement démolies pour laisser place à un véritable *no man's land* qui va permettre une meilleure surveillance et, de fait, servir de champ de tir. En 28 ans, 5 075 personnes réussissent cependant à fuir à l'Ouest et 178 périssent lors de tentatives (pour info, il y eut 1 008 victimes sur l'ensemble des frontières de la DDR avec l'Ouest). L'imagination des candidats à la liberté a été infinie, et les moyens les plus incroyables ont été utilisés.

Certaines tentatives de fuite se transforment cependant en drames épouvantables, comme celle du jeune Peter Fechter, le 17 août 1962, blessé par balle, et que les *Vopos* ont laissé se vider de tout son sang au pied du Mur, avant de mourir (voir les autres cas au paragraphe « Mauermuseum », dans « Le quartier de Kreuzberg »). La première faille dans le Mur se produit en 1987 : des milliers de jeunes Allemands de l'Est venus écouter un concert de rock se déroulant de l'autre côté du Mur hurlent : « *Le Mur doit tomber !* » Finalement, il tombe le 9 novembre 1989. Les scènes de joie et de fraternisation, et l'image de Rostropovitch jouant du violoncelle sur le Mur restent dans toutes les mémoires.

Dans les 6 mois qui suivent, le Mur disparaît presque totalement, sous les pics des démolisseurs et des marchands de souvenirs. Un morceau de 300 m est pourtant sauvé par le pasteur Fisher, qui se bat pour faire classer Monument historique le pan de Mur longeant son presbytère, sur **Bernauer Strasse** (S-bahn : Nordbahnhof). À l'emplacement « historique » de la porte de Brandebourg, plus rien ! Quelques rares vestiges significatifs subsistent encore : le plus long pan, de 1,3 km (sur la berge de la Spree, côté Friedrichshain ; S-bahn : Ostbahnhof), a été peint par des artistes venus de 21 pays – mais est hélas déjà tagué. Mais pour combien de temps ? Un énorme projet immobilier lorgne sur cette surface stratégique située au centre de Berlin. Un stade et un centre commercial sont déjà sortis de terre, interrompant l'ancien tracé du Mur entre les ponts d'Oberbaumbrücke et de Schilling-

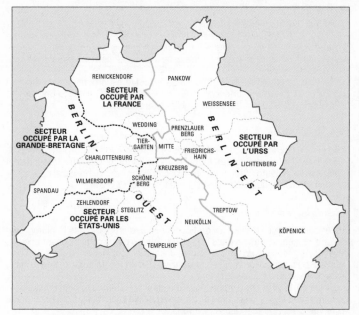

LE MUR DE BERLIN PENDANT LA GUERRE FROIDE

brücke à la lisière entre les quartiers de Friedrichshain et de Kreuzberg. Un autre morceau du mur est à voir sur **Niederkirchner Strasse,** longeant le *mémorial de la Topographie des Terrors* (U-bahn : Kochstrasse).

En dehors de tracés sur le sol, il reste d'autres signes indirects du Mur, malgré sa disparition, que les amateurs de poésie urbaine s'amuseront à traquer : les vastes espaces herbeux séparant certains quartiers Ouest et Est (anciens *no man's land* et chemins de ronde), les puissants lampadaires qui éclairaient le Mur et qui révèlent encore des traces de peinture rouge et blanche. De-ci, de-là, des bouts de barrière également rouge et blanche émergent de certains terrains vagues (elle marquait la limite que ne devaient pas dépasser les habitants de l'Est, juste avant le Mur).

PATRIMOINE CULTUREL

Architecture

Architecture médiévale

La Seconde Guerre mondiale et l'industrialisation des années 1930 ont effacé les quartiers du Berlin médiéval.

Le quadrillage régulier des communes de Berlin et Cölln, au sein duquel les églises s'inscrivent de biais, est caractéristique du plan de construction des villes de colonies allemandes situées entre l'Elbe et l'Oder. Les églises Saint-Nicolas et Notre-Dame *(Marienkirche)* affichent un gothique austère de brique aux volumes massifs. L'extension de Berlin vers 1300 la dote d'un nouveau marché *(Neuer Markt),* de sa première rue pavée, ainsi qu'une muraille d'enceinte commune aux deux villes. Les maisons construites alors sont d'inspiration flamande.

La Renaissance

Le château des Hohenzollern est édifié lors du règne de Frédéric II « Dent de Fer » sur l'île de Cölln. L'Électeur Joachim II le fait agrandir sur le modèle des résidences de Saxe dans le style Renaissance. Le pavillon de chasse de Grünewald est l'autre édifice construit sous Joachim II, mais le seul de l'époque Renaissance qui subsiste encore à Berlin.

En 1559, la construction de la citadelle de Spandau est ordonnée par l'Électeur Joachim II qui fait appel aux services de l'architecte italien Francesco Chiaramelle de Gandina, alors au service de la république de Venise.

L'époque baroque

Au lendemain de la guerre de Trente Ans, le Grand Électeur lance un plan de reconstruction de Berlin et du Brandebourg. De nouvelles fortifications à l'italienne sont édifiées alors. Aujourd'hui encore, on reconnaît le tracé des remparts dans la configuration irrégulière du *Spittelmarkt* et de la *Hausvogteiplatz*.

Frédéric III, le mécène

Frédéric III désigne le directeur de l'Académie des arts, Andreas Schlüter, pour édifier le château de la ville dans le style baroque ; il participe à la construction du *Zeughaus* (Arsenal) avec les architectes Johann Arnold Nering et Jean de Bodt. C'est aussi lui qui réalise la statue équestre du Grand Électeur qui se trouve sur la place du château de *Charlottenburg*.

Disgracié en 1706, il est remplacé par Eosander von Goethe, d'origine suédoise, qui entreprend l'agrandissement du petit château de Litzenburg. Ce dernier prend le nom de *Charlottenburg* à partir de 1695.

Le château de *Köpenick* est aussi un bel exemple d'architecture baroque construit sous la conduite de l'architecte Rütger von Langenfeld, en lieu et place d'un pavillon de chasse commandé par Joachim II.

L'urbanisation sous Frédéric-Guillaume Ier

Le Roi-Sergent, Frédéric-Guillaume Ier, interrompt les projets urbanistiques pour préserver les finances du royaume. On notera cependant la construction du mur d'octroi, du pavillon de chasse de l'Étoile *(Jagdschloss Stern)* aux abords de Potsdam, ainsi que le bâtiment de la Cour suprême de Berlin, qui abrite aujourd'hui le Musée municipal *(Berlin Museum)*.

Aux villes médiévales de Berlin et Cölln succède le plan en damier des villes princières de *Dorotheenstadt* et de *Friedrichstadt*.

Ce dernier accueille les huguenots chassés par Louis XIV. Il est délimité à l'intersection du mur d'octroi et des principaux axes par trois places dénommées par leur forme géométrique : le *Quarré* (actuelle *Pariser Platz*), l'*Oktogon* (actuelle *Leipziger Platz*) et le *Rondell* (actuelle *Mehringplatz*).

La transition sous Frédéric-Guillaume II

Le roi insuffle un nouvel élan à l'architecture prussienne en favorisant à la fois des constructions d'apparat et des bâtiments d'utilité publique. Le *Forum Fredericianum*, centre de la culture et des arts, est l'illustration d'un baroque achevé qui annonce l'émergence du rococo. L'Opéra *(Deutsche Staatsoper)* est le seul édifice correspondant aux plans initiaux. Les autres sont abandonnés ou construits ultérieurement dans un style distinct pour des raisons financières. Ainsi, l'Ancienne Bibliothèque *(Alte Bibliothek)* est érigée à l'emplacement prévu pour l'Académie des arts. Sa forme incurvée reprend un projet pour la *Hofburg* de Vienne et lui vaut le surnom de « Commode ».

Le courant néoclassique

La fin du règne de Frédéric-Guillaume II marque le retour à l'antique. Le développement urbanistique suit la logique classique avec la construction du *Gendarmenmarkt* (place de l'Académie), le plus bel ensemble néoclassique de Berlin, en raison de la symétrie et de la majesté des édifices qui la composent. Pour édifier une nouvelle cathédrale, l'architecte Karl von Gontard procède à un remaniement des deux églises (*Französischer Dom* et *Deutscher Dom*) en les dotant d'une coupole grandiose (1780-1785) inspirée par la *piazza del Popolo* de Rome.

Outre l'architecture, le néoclassicisme s'exprime abondamment dans la sculpture. Johann Gotfried Schadow coiffe d'un quadrige la porte de Brandebourg, bâtie par Langhans.

Karl Friedrich Schinkel

La Prusse, victorieuse de Napoléon, réaffirme son identité dans le style néoclassique. Frédéric-Guillaume III fait appel aux services de l'architecte Schinkel pour concrétiser ses projets ambitieux. Doté d'une prodigieuse force de travail, Schinkel bâtit en un quart de siècle d'innombrables édifices qui façonneront durablement l'image de Berlin : palais, châteaux, églises, théâtres, musées, ponts et écoles dans le quartier d'*Unter den Linden,* les faubourgs et à Potsdam. D'obédience néoclassique, Schinkel n'hésite pas à explorer ou à marier de nouveaux styles : gothique anglais ou style industriel. Il exerce une influence durable sur les arts décoratifs et l'architecture intérieure. Les matériaux utilisés sont rarement nobles et se prêtent à une fabrication industrielle.

Schinkel lègue à la Prusse un patrimoine architectural d'une grande variété ainsi qu'une œuvre théorique importante (dessins, esquisses, essais, projets non réalisés) qui se perpétue avec ses élèves.

Vers 1841, le paysagiste Peter Joseph Lenné conçoit un projet d'aménagement du quartier de *Luisenstadt* à *Kreuzberg* : un nouveau canal y est percé, la *Michaelskirche* est édifiée, tandis que l'*Oranienplatz* est aménagée. À partir de 1871, le néogrec et le néogothique se succèdent pour laisser la place à un style Beaux-Arts, privilégiant la pompe au fonctionnel.

L'éclectisme architectural

Au cours de l'industrialisation, l'exil rural draine de nouvelles populations aux abords de la ville dans les faubourgs en cours d'aménagement *(Friedrich Wilhelm Stadt).* Cet afflux massif provoque une spéculation immobilière et la construction de logements insalubres et surpeuplés.

Après l'ouverture de la ligne de chemin de fer Berlin-Potsdam en 1838, les gares de Potsdam et de Hambourg sont construites à la limite du mur d'octroi.

Le Berlin des Mietskasernen

En 1862, le plan d'aménagement de Berlin prévoit une restructuration à l'image de Paris, à l'exemple du baron Haussmann. Le modèle adopté s'inspire des préceptes qui ont guidé l'aménagement du quartier de *Luisenstadt* : places dessinées autour d'un square ou d'une église, ceinture de boulevards, quadrillage des rues. Par ailleurs, les premiers parcs populaires ont pour but d'aérer ces nouveaux quartiers. À partir de 1880, le style Renaissance italienne prédomine pour s'effacer à partir de 1890 au profit du néogothique et du pittoresque. Ces années sont propices à l'apparition de façades cossues aux ornements de stuc. Derrière cette pompe se cachent bien souvent les logements pauvres de ces casernes locatives, habitat du prolétariat. Les *Mietskasernen* hébergent parfois jusqu'à 1 000 personnes.

L'architecture wilhelmienne

Le *Kaiser* Guillaume II est un souverain extravagant et orgueilleux. De fait, les édifices construits sous son règne brillent par leur style pompeux. Parmi les plus marquants de cette période, notons la nouvelle cathédrale *(Berliner Dom)*, l'église commémorative de Guillaume Ier *(Gedächtniskirche)* et le *Reichstag.*

Le dernier grand projet de l'Empire, le musée de Pergame *(Pergamon Museum)* de Ludwig Hoffmann, n'est achevé qu'au lendemain de la Première Guerre mondiale.

La période moderne

La première césure de Berlin s'affirme au début du XXe s, avec la constitution de deux centres-villes distincts : d'une part, le vieux centre autour des *Linden* et de la *Friedrichstrasse* ; d'autre part, le pôle du *Ku'Damm (Kurfürstendamm),* qui s'affiche avec ses cafés à la mode fréquentés par les artistes.

Le *Jugendstil* ouvre une nouvelle ère et prône une étroite collaboration entre créateurs et ingénieurs, où le fonctionnalisme l'emporte sur l'apparat. Par la suite, les programmes sociaux des années 1920 coïncident avec la mouvance expressionniste.

Le renouveau de l'urbanisme

Au lendemain de la Première Guerre mondiale, Berlin s'étend à l'ouest en direction de Spandau. Le groupement intercommunal du Grand Berlin se concrétise en 1920, avec l'intégration des communes de *Köpenick, Charlottenburg, Spandau, Neukölln, Lichtenberg, Wilmersdorf* et *Schöneberg.* Berlin compte désormais 3,8 millions d'habitants, répartis sur les 20 districts couvrant 880 km^2.

Alfred Messel et Peter Behrens développent une architecture fonctionnelle et moderne qui annonce le *Bauhaus.* Les salles de machines de la société *AEG* en sont le témoignage le plus révélateur. Les efforts se concentrent alors sur des réalisations de dimension sociale.

La dénonciation des *Mietskasernen* se concrétise par des réalisations qui serviront de modèle sous la république de Weimar. Bruno Taut et Heinrich Tessenow construisent la première cité-jardin à *Grünau-Flakenberg* en 1913.

L'architecture expressionniste s'exprime le plus souvent à Berlin par des édifices en brique, inspirés de l'art du Proche-Orient, en utilisant des zigzags, des lignes brisées, de longues courbes, dans des bâtiments aussi variés que les usines, théâtres et églises.

Au lendemain de la crise économique et de la grande inflation, Berlin adopte une architecture inspirée des États-Unis. On voit apparaître les premières tours d'Europe, à l'image de celles de la société *Borsig.*

Le premier tronçon d'autoroute est tracé dans la forêt de Grünewald en 1921 ; il s'agit de l'*Avus,* qui sert initialement aux courses automobiles et de piste d'essai pour les records de vitesse.

La Nouvelle Objectivité

Par ailleurs, dans le courant des années 1920, une autre tendance architecturale voit le jour : la Nouvelle Objectivité *(Neue Sachlichkeit).* Les architectes font passer le détail au second plan et préfèrent l'abstraction des formes planes et nettes.

L'essor de l'automobile oblige les urbanistes à épouser les mouvements circulaires du trafic dans la configuration des édifices.

Le Bauhaus

Fondé en 1919 à Weimar, le *Bauhaus* est contraint de s'établir à Dessau, à l'écart des heurts de la république de Weimar. Le *Bauhaus* vise à intégrer l'ensemble des disciplines conduisant à la construction du bâtiment. De cette étroite collaboration entre les ingénieurs, les architectes et les artisans naît le design moderne. Il s'agit de créer des objets destinés à être manufacturés à grande échelle tout en alliant une fonction double : esthétique et fonctionnalisme.

Les peintres Wassily Kandinsky, Paul Klee et le plasticien Laszlo Moholy-Nagy y enseignent, ainsi que les architectes Mies van der Rohe et Walter Gropius, qui en prend la direction. Sous leur impulsion, l'architecture berlinoise s'oriente vers un modèle clair et abstrait.

Ne pouvant supporter cette institution innovante, les conservateurs font pression sur les dirigeants de l'école, qui doit s'installer en 1932 avec ses élèves à Steglitz, dans une usine désaffectée. Cependant, l'expérience berlinoise est de courte durée avec l'arrivée des nazis au pouvoir en 1933. L'établissement est définitivement fermé, et les membres de l'équipe dispersés. La plupart vont aux États-Unis, où ils peuvent y mettre en œuvre leur savoir-faire. Il faut attendre la chute du IIIe Reich pour voir une application des préceptes du *Bauhaus* sur les bords de la Spree. Belle revanche, les archives du *Bauhaus* sont réunies à Berlin depuis 1979.

Germania, ou le délire architectural du Führer

Hitler n'aime pas Berlin, mais il projette de lui donner une physionomie à la mesure de ses ambitions politiques. La vitrine du régime passe d'abord par une démolition systématique des bâtiments qui peuvent entraver les projets de son comparse, l'architecte Albert Speer. Seule la guerre retarde la construction de cette nouvelle capitale destinée à briller 1 000 ans, baptisée *Germania*, et dont l'inauguration est prévue pour 1950.

Les seules réalisations de cette époque qui sont encore visibles sont les installations olympiques pour les Jeux d'été de 1936, l'aéroport de Tempelhof, le complexe administratif de la *Fehrbelliner Platz*, l'ancien ministère de l'Air et les casernes de l'ancien quartier Napoléon (occupé après 1945 par les forces françaises stationnées en Allemagne).

> **UN TEMPLE DE L'AÉRONAUTIQUE**
>
> *Créé en 1923, Tempelhof est le plus vieil aéroport commercial au monde, relié par un métro dès 1927. Son organisation avec des niveaux distincts pour les départs, les arrivées et le fret a servi de modèle à de nombreux aéroports. Avec 284 000 m² et 1 230 m de long, c'est le 3e plus grand bâtiment au monde après le Pentagone et le palais de Bucarest. Il a servi de décor à de nombreux films, et ses pistes ont accueilli un avion toutes les 90 secondes lors du blocus de 1948. Il totalisait encore 6 millions de passagers dans les années 1970. Sa fermeture définitive a eu lieu le 30 octobre 2008. Différents projets de reconversion sont actuellement à l'étude pour les bâtiments et les pistes.*

La reconstruction

Le tribut payé par Berlin lors des bombardements est particulièrement lourd : près de 43 % des immeubles sont détruits.

La majeure partie des hommes valides se trouve dans les camps de prisonniers alliés après mai 1945. Berlin doit son salut aux femmes, appelées *Trümmerfrauen* (« les femmes des ruines »), qui entreprennent les premiers déblaiements et les premières constructions.

Hans Scharoun, chef des Services de l'urbanisme dès 1946, conçoit les premiers plans directeurs de reconstruction de Berlin, tous secteurs confondus. Très vite, les choix revêtent un caractère idéologique avec la confrontation de deux blocs antagonistes. À l'Ouest, on construit la vitrine du capitalisme autour du *Kurfürstendamm* et du *Bahnhof Zoo*, avec, pour figure de proue, l'*Europa-Center*.

Même si la partie Est hérite de la majeure partie des monuments historiques, le régime de Pankow souhaite faire table rase de l'héritage prussien. Berlin-Est devient une capitale selon le modèle socialiste : le château de Berlin, en partie détruit, est dynamité et la *Bauakademie* de Schinkel fait place au bâtiment médiocre du ministère des Affaires étrangères de la RDA. L'architecte en chef de Berlin-Est conçoit l'avenue de prestige du régime, la *Stalinallee*.

L'économie planifiée souffre de nombreux dysfonctionnements en matière d'approvisionnement : les matériaux traditionnels de construction se font rares et les *Baukombinate* produisent des panneaux préfabriqués à l'échelle industrielle : les *Plattenbaus* envahissent le paysage urbain. Des cités-dortoirs pour ouvriers surgissent un peu partout comme à *Marzahn*.

Subsiste malgré tout un fil directeur commun entre les deux secteurs de la ville : on privilégie l'habitat neuf, mais les lieux d'habitation et de travail sont séparés. De grands ensembles sont construits à la périphérie : *Gropiusstadt* et le *Märkisches Viertel*. Ce n'est qu'à partir des années 1960 que l'on entreprend de revaloriser le patrimoine architectural dans le secteur Ouest : *Mietskasernen* et les immeubles de la fin du XIXe s ont réhabilités.

Cette prise de conscience est beaucoup plus tardive à l'Est, en raison des options idéologiques des responsables politiques de la RDA.

Les Expositions universelles d'architecture de 1957 et 1987

À l'occasion de l'*Interbau* de 1957, un quartier modèle est construit en bordure du *Tiergarten*. L'*Hansaviertel* est l'exemple d'un habitat urbain éparpillé dans un milieu naturel. À ce projet ambitieux, reprenant le concept de ville paysagère, participent les plus grands noms de l'architecture contemporaine : Niemeyer, Le Corbusier, Alvar Aalto et Walter Gropius. Les Américains offrent à la ville de Berlin la Halle des congrès, la *Schwangere Auster,* comme la dénomment les Berlinois. Toujours dans le cadre de l'*Interbau,* Le Corbusier construit une nouvelle unité d'habitation (1956-1959) aux abords du Stade olympique.

Trente ans plus tard, en 1987, a lieu l'*IBA,* décidée par le sénat de Berlin-Ouest pour remédier aux erreurs de la reconstruction, menée parfois dans la précipitation. Elle coïncide d'ailleurs avec le 750e anniversaire de Berlin. Le groupe d'architectes désigné applique un programme de réhabilitation et de construction en vue d'améliorer les conditions de vie dans des quartiers spécifiques, *Kreuzberg* en particulier.

Berlin-Est connaît alors un phénomène similaire. Les dirigeants souhaitent rivaliser avec Berlin-Ouest et décident d'un vaste plan de rénovation du patrimoine historique. Le *Gendarmenmarkt* est rénové et le quartier médiéval de Saint-Nicolas *(Nikolaiviertel)* est en partie reconstruit *ex nihilo*.

Le renouveau des infrastructures culturelles

Avec la division de la ville, Berlin-Ouest se trouve amputé de la majeure partie du noyau culturel et artistique de l'ancienne capitale du Reich.

Le centre commercial de l'*Europa Center* confère à Berlin-Ouest de nouveaux points de repère. Les ruines de l'église du Souvenir (la « Dent Creuse ») complétées par un campanile moderne *(Gedächtniskirche)* deviennent le symbole de la partie occidentale de la ville.

À l'initiative des Alliés, de nouvelles facultés sont inaugurées dans le secteur occidental en raison de la mainmise soviétique sur l'université de Humboldt.

Les subventions fédérales financent la création d'un nouveau complexe culturel *(Kulturforum)* au sud du *Tiergarten*. Sous la conduite de Scharoun, la Philharmonie et la Bibliothèque nationale voient le jour.

La réunification du nouveau Berlin : réalisations et perspectives

Avec la réunification de l'Allemagne en 1991, Berlin devient la nouvelle capitale de la République fédérale. Les instances gouvernementales sont alors appelées à quitter Bonn pour rejoindre Berlin. Dès lors commencent les travaux d'aménagement, mais aussi les lourdes opérations d'assainissement des quartiers Est de la ville, notamment les districts de *Prenzlauerberg* et de *Mitte*.

Outre la rénovation des cités-dortoirs de Berlin-Est, de nouveaux logements (150 000 par décennie) doivent être construits dans le cadre de villes nouvelles à la périphérie : la cité sur l'eau Oberhavel *(Wasserstadt Oberhavel)* à Spandau et à Buch Karow.

Une fois le Mur disparu, il appartient aux architectes de combler cette fracture béante entre les deux secteurs de la ville. C'est à ce titre que la *Pariser Platz*, la *Leipziger Platz* et surtout la *Potsdamer Platz* retrouvent leur fonction d'autrefois. Cet immense espace vide situé en plein centre (c'était avant la guerre un des centres les plus importants de Berlin) a fait la joie des architectes – dont les célèbres Richard Rogers, Rafael Moneo, Renzo Piano, Arata Isozaki – qui ont pu se lancer dans les projets les plus fous.

C'est l'Italien Renzo Piano qui remporte le concours pour l'aménagement de la *Potsdamer Platz*. La configuration de la place telle qu'elle a été imaginée permet de relier le *Kulturforum* avec le nouveau centre névralgique de bureaux et de galerie commerciale *(Arkaden)* et le quartier historique. Daimler-Benz y a élu domicile et assure la gestion immobilière du nouveau complexe. D'autres entreprises comme Sony y ont également installé leur siège social. Le Bavarois de Chicago, Helmut Jahn a conçu le *Sony Center*, Giorgio Grassi réalise les bâtiments d'*ABB*. Renzo Piano a bâti, lui, la *Debis-Haus* au bord du Landwehrkanal.

Les quartiers gouvernementaux se trouvent pour l'essentiel dans le *Spreebogen*, à proximité du Reichstag. Huit cents architectes du monde entier participent à ce projet titanesque qui englobe la construction de la nouvelle chancellerie, les nouveaux ministères ainsi que le réaménagement de l'hémicycle du *Reichstag*. Celui-ci est coiffé d'une coupole de verre, œuvre de l'Anglais Norman Foster. Dans le quartier des ambassades *(Botschaftsviertel)* près du *Tiergarten*, le complexe rassemblant cinq ambassades des pays scandinaves se distingue par une architecture audacieuse où l'intensité de la lumière solaire influe directement sur l'ouverture de ses volets.

Le statut de capitale retrouvé, Berlin se doit d'améliorer les axes de communication et ses transports urbains. Les trains à grande vitesse ICE desservent la nouvelle gare de *Lehrte Hauptbahnhof*. Les aéroports de Tempelhof (2008) puis de Tegel fermeront progressivement, de manière à canaliser en 2011 le trafic aérien sur un seul aéroport, celui de Berlin-Brandebourg, à Schönefeld. Une nouvelle ligne de métro, la U 55, a été enfin mise en circulation en août 2009, après 14 ans de travaux et une facture de 260 millions d'euros. C'est la portion de ligne de métro la plus chère de l'histoire allemande ! Trois stations seulement, mais quel prestige que de traverser la Chancellerie ! D'ailleurs, les Berlinois, qui ont le sens du sobriquet, l'ont surnommé « le moignon », ou encore « le métro de la Chancelière », car Angela Merkel habite un appartement derrière la porte de Brandebourg, terminus de la ligne. Ce tronçon devrait être raccordé à la station Alexanderplatz dans le futur. Pour l'heure, cela permet aux touristes de se rendre de la Hauptbahnhof à la célèbre porte en passant par le Bundestag, la Chambre des députés.

Un vrai « style berlinois »

Le visage de Berlin est tourné vers le futur tout en veillant au respect des parties anciennes. Les façades de verre ou peintes de couleurs vives se généralisent, les fenêtres percées sont carrées et recouvertes de matériaux nobles, et alignées dans la pure tradition prussienne. On peut citer, au sein des *Friedrichstadtpassagen*, les *Galeries Lafayette*, dessinées par le Français Jean Nouvel, ainsi que, sur *Unter den Linden*, l'hôtel *Adlon* reconstruit sur l'emplacement du palace le plus célèbre du Berlin d'avant-guerre et qui a fêté ses 100 ans en 2007.

Les bâtiments officiels, ainsi que les édifices privés, doivent se tenir à un standard qui stipule en particulier une hauteur maximale de 22 m à ne pas dépasser. Seule entorse au format, les projets de l'*Alexanderplatz* et de la *Leipziger Platz* qui autorisent la construction de gratte-ciel.

Les musées du futur

Le *Stadtforum,* lieu de débat public du sénat de Berlin, a connu des discussions animées : aménagement de la *Schlossplatz,* destruction ou conservation du *Palast der Republik* de l'ex-RDA, construction d'un mémorial aux victimes de l'Holocauste...

À ces débats ont été associés des intervenants locaux (associations de quartiers, collectifs, groupes alternatifs, organes de presse) aux avis bien souvent contradictoires mais ayant toujours pour but de trouver un urbanisme qui satisfasse le plus grand nombre.

La *Gemäldesammlung,* inaugurée en 1998, abrite les galeries de peintures de *Dahlem* et du *Bode Museum,* et constitue par la même occasion l'achèvement du *Kulturforum,* imaginé par Hans Scharoun 40 ans plus tôt.

Le *Musée juif* de Berlin a élu domicile à Kreuzberg après qu'on lui a attribué une légitimité, mais surtout un statut. L'architecte américain Liebeskind y a dessiné un bâtiment, en béton brut, en forme d'étoile de David brisée, symbolisant le traumatisme laissé par l'Holocauste.

Cinéma

Inspirés d'abord par le fantastique d'Hoffmann, les cinéastes allemands vont vite adopter l'*expressionnisme.* Le *Cabinet du docteur Caligari* (1919), avec l'acteur fou Conradt Veidt, lance le genre, entre grand guignol et *delirium tremens.* Friedrich Murnau tourne en 1922 son *Nosferatu,* sous-titré sobrement *Une symphonie de l'horreur.*

Avec le redressement économique apparaît la *Nouvelle Objectivité* dont G. W. Pabst est l'auteur le plus illustre : *La Rue sans joie* (1925), où une inconnue du nom de Greta Garbo crie misère ; *Lulu* (1929), où Louise Brooks est divinisée par la critique ; et *L'Opéra de quat'sous* (1928), en collaboration avec Brecht. De son côté, Ernst Lubitsch, avant de filer à Hollywood, donnera dans le grand spectacle avec *Madame du Barry* (1919) et *Anne Boleyn* (1920).

L'apparition du parlant marque la fin de l'âge d'or, à quelques exceptions près, dont *L'Ange bleu* (1930) de Joseph von Sternberg, avec la révélation de Marlène Dietrich, ou le très bolchevique *Ventres glacés* (1932) de Slatan Dudow. Seul Fritz Lang surfera génialement sur divers styles, depuis *Les Trois Lumières* (1921) jusqu'au *Testament du docteur Mabuse* (1932).

Après que le sosie de Charles Chaplin aura achevé en sous-sol son macabre tour de piste, l'Allemagne se passera pendant 20 ans de faire du cinéma... Seuls émergent dans ce désert *Les Assassins sont parmi nous* (1946) de Wolfgang Staudte et *Un homme perdu* (1951) de l'ancien acteur fétiche de Lang, Peter Lorre.

L'exemple de la Nouvelle Vague française réchauffera les jeunes imaginations vers 1963-1964. Dans le sillage de Volker Schlöndorff (avec *Les Désarrois de l'élève Törless,* 1965) et Peter Fleischmann (*Scènes de chasse en Bavière,* 1969), une nouvelle génération se hisse vite à un niveau mondial en cultivant un style décadent et un humour nihiliste. L'inépuisable Rainer Werner Fassbinder en est l'âme punkoïde, tandis que Werner Herzog, avec *Aguirre* (1972), cultive un certain mysticisme et que Wim Wenders, à partir de *L'Ami américain* (1977), stylise sa fascination pour les *road movies...* partagée par nous ! Signalons, en 2003, le fabuleux succès de *Good Bye Lenin,* film culte de l'*Ostalgie* (voir plus loin « La nostalgie des ex-camarades » dans la rubrique « Patrimoine culturel »), et *Rosenstrasse* de Margarethe von Trotta, l'histoire d'une révolte de femmes sous le régime nazi, qui fut primé à la Mostra de Venise.

Réalisé en 2006 à Berlin, *La Vie des autres,* écrit et réalisé par Florian Henckel von Donnersmarck, a reçu de nombreuses récompenses, dont l'oscar du meilleur film étranger, et a connu un succès énorme.

Littérature

Après 1918, c'est l'apothéose de Berlin et de ses cabarets, la « Babylone » de Brecht et des expressionnistes, qu'Alfred Döblin immortalisera juste avant fermeture dans son grand roman : *Berlin Alexanderplatz* (1929). Tandis qu'Erich Maria Remarque et Ernst von Salomon tirent plutôt froidement les conclusions de l'effondrement de l'Empire, Ernst Jünger et Thomas Mann portent un regard sibyllin de grands bourgeois désabusés sur un avenir encore plus sombre. Au théâtre, Brecht s'engage politiquement très à gauche, avec *Tambours dans la nuit* (1922) puis *L'Opéra de quat'sous* (1928). La poésie se fait macabre avec Gottfried Benn, médecin à la morgue, ou « concrète » (et dadaïste) avec le loufoque Kurt Schwitters.
En 1933, pour beaucoup, c'est l'exil, parfois même le suicide, ou encore « l'exil intérieur » dont Ernst Jünger sera le symbole. La génération suivante produit ce que l'on appellera « la littérature des ruines » !
Malgré les tentatives de faire table rase avec le Groupe 47, les écrivains allemands de l'après-guerre, en dehors des figures que sont Heinrich Böll ou Günter Grass, voire Peter Handke, restent coincés, par la droite et par la gauche, dans une liberté restreinte et surveillée.
En 1999, le prix Nobel de littérature est attribué à Günter Grass.

Musées

Berlin, une des grandes capitales des musées en Europe ? Sans problème. Avec, dit-on, près de 180 musées, la ville n'aurait rien à envier à Paris et Londres... En tout cas, pour 19 €, avec le *SchauLust-Museen Berlin* (voir la rubrique « Budget » dans « Berlin utile »), le *pass* de 3 jours, on accède à plus de 70 musées (couvrant, on pense, quasiment tous les goûts et fantasmes de nos lecteurs !).
Les plus importants sont répartis en quatre zones : *Charlottenburg, Mitte* (l'île aux Musées), *Tiergarten* (*Kultur Forum*, l'art pictural et décoratif européen) et *Dahlem* (collections primitives et extra-européennes).
Généralement, les musées sont fermés les lundi et jours fériés, mais il existe suffisamment d'exceptions pour que vous puissiez visiter quotidiennement votre musée. Ainsi, sont ouverts le lundi : le *Bauhaus-Archiv*, le *Musée botanique*, le *Brücke-Museum*, la *Nouvelle Synagogue*, le *Deutsche Guggenheim*, l'*aile Pei du musée d'Histoire*, le *Musée érotique*, le *musée Heirich-Zille*, le *musée du Mur*, le *Musée juif*, le *musée Käthe-Kollwitz*, le *musée Schwules, Story of Berlin*, etc. Musées d'État généralement ouverts de 10h à 18h.
Le nombre de musées s'explique aussi du fait de la division de la ville. Chaque partie possédait son musée spécifique, tout avait été dédoublé. Un processus de regroupement des collections a donc été entamé et n'est pas encore achevé. Ainsi, plusieurs gros musées sont-ils en partie ou complètement fermés, et ce pour de nombreuses années, les travaux de restauration étant très importants. Regroupements et déménagements de collections intervenant régulièrement, se renseigner auprès de l'office du tourisme ou téléphoner au ☎ 030-20-90-55-55.

Musique, spectacles

Berlin est aussi un endroit privilégié pour écouter de la musique classique ou aller à l'opéra. Les représentations y sont beaucoup plus nombreuses qu'en France et les prix largement inférieurs. Ne partez pas de Berlin sans être allé au moins une fois au Philharmonie (mondialement connu), à la Konzerthaus ou à l'Opéra.
On peut acheter ses billets à l'avance directement sur place ou alors auprès de la hotline de réservation *Papagena Kartenservice* (☎ 47-99-74-00). Mieux encore, se rendre directement aux caisses le jour même, 1h avant le spectacle, à l'*Abendkasse*, où les places sont à moitié prix. De loin la meilleure solution en semaine, où

il y a toujours de la place. Le week-end, essayez de prévoir un peu plus longtemps à l'avance. Saison d'octobre à juin.

Toutes ces salles permettent la vente et la réservation de vente *online*.

♪ **Philharmonie** *(plan général D3) :* Herbert-von-Karajan Strasse 1, Tiergarten. ☎ 254-88-132. Résas : ☎ 254-88-999 (9h-18h ; compter 2 € de frais de résa). ● berliner-philharmoniker.de ● S-Bahn et U-bahn : Potsdamer Platz. Bus n°s 148 et 200. Vente sur place aux caisses (lun-ven 15h-18h, w-e 11h-14h). Possibilité de visite guidée d'env 1h, vers 13h et pour 3 €, les jours où il n'y a pas de répétition (☎ 254-88-156 ; visites en français). Dirigé de 1955 à 1989 par le très célèbre Herbert von Karajan, jusqu'en 2002 par Claudio Abado et depuis par sir Simon Rattle, jeune prodige britannique, l'orchestre offre des représentations d'une qualité exceptionnelle, avec un large répertoire d'œuvres classiques, romantiques, modernes et contemporaines. Le nouveau chef d'orchestre a exprimé son désir d'ouverture de la Philharmonie au public le plus large possible, âges et origines sociales confondus, par un travail d'éducation à la musique et à la danse remarquable : le succès du spectacle *Rhythm is it !*, aujourd'hui disponible en DVD, a fait le reste du travail. La salle a la particularité d'être circulaire, le public entourant l'orchestre.

♪ **Staatsoper** *(zoom 2, F3, 360) :* Unter den Linden 7, Berlin-Mitte. ☎ 203-545-55. ● staatsoper-berlin.de ● S-bahn : Friedrichstrasse ; U-bahn : Hausvogteiplatz ; ou bus n°s 100 et 200. Billets : lun-sam 10h-20h, dim 14h-20h. Dirigé par Barenboïm, c'est le plus prestigieux des trois opéras de Berlin. Représentations de très grande qualité.

♪ **Deutsche Oper** *(zoom 1, B3) :* Bismarckstr 35, Berlin-Charlottenburg.

☎ 343-84-01. Résas : ☎ 343-84-343. ● deutscheoperberlin.de ● S-bahn : Charlottenburg ; U-bahn : Deutsche Oper ; bus n°s 101 et 109. Billets : lun-sam 11h jusqu'à 1h avt le début des représentations (19h les j. de relâche), dim 10h-14h. Présente l'avantage d'accorder une réduc de 50 % aux écoliers et de 25 % aux étudiants, mais pour en bénéficier, il faut réserver 1 sem à l'avance. L'ancien opéra de Berlin-Ouest. Bâtiment moderne et sans charme, mais les représentations sont aussi bonnes qu'au Staatsoper.

♪ **Komische Oper** *(zoom 2, E3) :* Behrenstr 55-57, Berlin-Mitte. ☎ 202-600 (résas à Unter den Linden 41, sur place lun-sam 11h-19h, dim 13h-16h). ● komische-oper-berlin.de ● S-bahn : Unter den Linden ; U-bahn : Französischestr ; bus n°s 100 et 200. Dans la tradition de l'Opéra-Comique français, avec de superbes mises en scène d'Harry Kupfer (entre autres). Tous les opéras et opérettes sont joués en langue allemande.

♪ **Konzerthaus Berlin** *(zoom 2, E3) :* Schauspielhaus am Gendarmenmarkt, Gendarmenmarkt 2, Berlin-Mitte. ☎ 20-30-92-101. ● konzerthaus.de ● U-bahn : Stadtmitte ou Französischestrasse. Billets : lun-sam 10h-19h, dim 10h-16h, ou résas par Internet. Ce temple de la musique fut conçu par l'architecte Schinkel, grand maître du classicisme, au début du XIXe s. Splendide salle rectangulaire aux moulures, dorures et lustres étincelants. Visite guidée de 1h30 environ 2 fois par mois. Demander les dates à l'accueil.

Théâtre, danse et cabarets

L'âge d'or des années 1920

Cœur de cette Europe inondée de mille courants artistiques, littéraires, linguistiques, Berlin rayonne dans les années 1920 : l'intello parle alors couramment l'allemand, le français et le russe. Le cinéma bouillonne, les lauréats du prix Nobel sont allemands (Einstein, Otto Hahn, etc.), peintres, metteurs en scène, architectes ou artistes de cinéma se rencontrent au *Romanisches*, légendaire café de la Breidtscheidplatz... Tous les mouvements d'avant-garde de la Belle Époque sont happés par Berlin, car « qui tenait Berlin possédait le monde ». Une atmosphère merveilleusement rendue dans *L'Ange bleu*. Entre 1919 et 1932, on ne compte pas moins de 240 cabarets-théâtres.

De quoi avoir envie aujourd'hui de renouer avec ce passé de plaisirs nocturnes... Cela dit, pour profiter au maximum de ces spectacles il faut bien maîtriser la langue, faute de quoi toute la répartie tombe à plat. Parmi les meilleurs cabarets actuels, on citera :

♪ **Chamäleon Varieté** *(zoom 2, F2)* : *Rosenthaler Strasse 40-41, Berlin-Mitte, dans les Hackesche Höfe.* ☎ 40-00-59-30. • *chamaeleonberlin.de* • *S-bahn : Hackescher Markt. Lun-ven 10h30-20h, sam 10h30-22h, dim 12h-19h. Entrée : 31-39 € selon spectacle (un peu plus cher les ven et sam) ; réduc.* Entre Paradis et Enfer, histoire de retrouver cette ambiance Années folles. Au fond de la cour d'un magnifique immeuble Art déco.

♪ **Wintergarten** *(plan général D4)* : *Potsdamerstrasse 96, Berlin-Tiergarten.* • *wintergarten-variete.de* • *U-bahn : Kurfürstenstrasse. Résas sur Internet. Compter 19-59 €.* Là encore, dans le *jardin d'hiver*, le charme des années 1920, avec des acrobates et des clowns, et, bien sûr, des spectacles de cabaret avec « chansons ».

∞ **Berliner Ensemble** *(zoom 2, E2, 381)* : *Bertolt-Brecht Platz 1, Berlin-Mitte.* ☎ 284-08-155. • *berliner-ensemble.de* • *S-Bahn et U-bahn : Friedrichstrasse. Caisse ouv en sem 8h-18h, le w-e 11h-18h.* On fête ici le génie du maître des lieux aux côtés d'autres célébrités telles que Thomas Bernhard ou Georges Tabori. Une bonne adresse, incontournable et culte.

∞ **Deutsches Theater** *(zoom 2, E2)* : *Schumannstrasse 13a, Berlin-Mitte.* ☎ 28-44-12-21. • *deutschestheater.de* • *S-Bahn et U-bahn : Friedrichstrasse. Billets : lun-ven 11h-18h30.* Le plus ancien théâtre de la ville, gardien des traditions. Le metteur en scène Michael Thalheimer en a pris la direction, après avoir présenté son *Faust 1.*

∞ **Hebbel am Ufer 1-3** *(plan général E4)* : *Stresemannstrasse 29, Berlin-Kreuzberg.* ☎ 25-90-04-27. • *hebbel-am-ufer.de* • *U-bahn : Hallesches Tor ; S-bahn : Anhalter Bahnhof. Billets (Hau 2) : tlj 12h-19h et 1h avt les représentations.* Regroupées sous l'appellation assez racoleuse de HAU (les initiales du nom), ce qui signifie « frappe un coup de poing », 3 salles où l'on trouve du théâtre et de la danse de qualité. Les règles sont redéfinies, nombreuses collaborations étrangères et festivals internationaux, important travail social avec des sans-logis ou des enfants de quartiers défavorisés... Les mises en scène demandent une participation active du public.

Les 3 adresses : **HAU 1** (ex-*Hebbel-Theater*), **HAU 2** (ex-*Theater am Halleschen Ufer, Hallesches Ufer 32*) et **HAU 3** (ex-*Theater am Tempelhofer Ufer 10*).

∞ **Schaubühne am Lehniner Platz** *(zoom 1, B4)* : *Kurfürstendamm 153, Berlin-Charlottenburg.* ☎ 89-00-23. • *schaubuehne.de* • *U-bahn : Adenauer Platz.* Connu mondialement grâce à Peter Stein, aujourd'hui dirigé par Thomas Ostermeier, on trouve là également et régulièrement Luk Perceval et la chorégraphe Sasha Waltz... Un programme à suivre et à ne rater sous aucun prétexte.

∞ **Volksbühne am Rosa-Luxemburg Platz** *(zoom 2, F2)* : *Am Rosa-Luxemburg Platz, Berlin-Mitte.* ☎ 240-65-777. • *volksbuehne-berlin.de* • *U-bahn : Rosa-Luxemburg-Platz.* Une remarquable institution qui propose un théâtre toujours novateur (on parlait d'« avant-garde » à l'époque d'Erwin Piscator), mais aussi des concerts, lectures et performances de toutes sortes. Les mises en scène de Frank Castorf et Christoph Schlingensief sont souvent provocantes et les décors toujours époustouflants.

∞ **Volksbühne am Prater** *(plan général F1)* : *Kastanienallee 7-9, Berlin-Prenzlauerberg.* ☎ 247-67-72. *Tram M10 ; U-bahn : Eberswalder Strasse.* Ici, le metteur en scène René Pollesch est seul maître à bord : son antithéâtre est volontaire et contestataire.

La Szene berlinoise

Issue en grande partie de « l'esprit de 68 », la scène berlinoise *(die Szene)* est devenue un des hauts lieux de la contre-culture européenne. Mouvement multiforme divisé en tendances (Verts, féministes, thérapistes, collectifs d'artistes ou entrepreneurs fous d'autogestion, côté organisation ; squatteurs, punks, anars, côté radicalisation), le courant alternatif berlinois devient une entité lorsqu'il est question de s'opposer au conformisme bourgeois et à l'autosatisfaction du capitalisme allemand.

Quel ne fut pas l'étonnement de l'*establishment* lorsque la liste alternative obtint neuf sièges de députés au parlement de Berlin-Ouest, devenant ainsi le troisième parti de la ville ! Véritable « État dans l'État », le mouvement a publié son quotidien, *Die Tageszeitung (TAZ* pour les intimes, avec la *patte de chat* pour emblème), a créé sa banque (*Netzwerk,* alimentée par dons et cotisations !), ses cafés-restaurants, et a obtenu le suffrage de quelque 150 000 « citoyens », qu'ils soient artisans indépendants, avocats, écolos, artistes en herbe, universitaires gauchistes, papas et mamans punks, simples *müsli* (nom donné aux babas) ou membres quelconques d'une minorité sexuelle ou religieuse...

Cette institutionnalisation de la marginalité a eu des effets pervers étonnants : pas une organisation qui ne touche des subventions officielles. Résultat : renouvellement pauvre des thèmes porteurs et mise en sommeil de la radicalité. Les nouvelles tendances se retrouvent plutôt dans les mouvements individualistes autour du développement personnel, des nouvelles religions, de la santé alternative et de l'écologie douce. Vivant principalement dans les quartiers de *Kreuzberg, Schöneberg, Friedrichshain* et *Prenzlauerberg,* ces intéressants spécimens de la faune berlinoise se rencontrent dans leurs lieux de prédilection.

Il faut savoir avant tout qu'il existe toujours une grande différence entre l'Est et l'Ouest de Berlin en ce qui concerne les sorties. L'Ouest est très « classique », avec le genre d'endroits qu'on peut retrouver un peu partout dans le monde. L'Est nous a paru vraiment unique et donc beaucoup plus intéressant : synthèse d'ex-communisme, d'alternatif et de modernisme ouest-allemand, il bouillonne en permanence et brille par son originalité, son foisonnement d'idées nouvelles et délirantes. Venez voir à l'Est ce que vous n'avez jamais vu ailleurs.

– Nombreux **concerts de rock** chaque semaine dans les clubs à la mode *(Kulturbrauerei, Loft, Pfefferberg, Neue Welt...)* et grosses stars en tournée chaque mois. Pour les dates et les horaires, se reporter aux pages musique de *Zitty* ou de *Tip*.

La nostalgie des ex-camarades

Avec le temps, dans l'Est, les attraits de la société occidentale ont perdu de leur éclat et le culte du bon vieux temps – où tout était pris en charge par l'État – a fait son apparition, sous le joli nom d'*Ostalgie*. On recherche les bistrots au look d'autrefois, les sodas de l'enfance, le café Gold, les savons Florena, les pâtes à tartiner

BERLIN SELON DAVID BOWIE

« *C'est à Berlin que j'ai ressenti pour la première fois depuis des années une telle joie de vivre et une telle impression d'apaisement et de soulagement. Cette ville est tellement grande qu'il est facile de s'y perdre, mais aussi de s'y retrouver.* » En 1976, 6 mois avant la sortie de son album monument Low, David Bowie prend tellement de cocaïne qu'il est persuadé que des esprits maléfiques lui volent son urine. Il la planque au frigo. Son partenaire de débauche, Iggy Pop, sort tout juste d'un hôpital psychiatrique. Leur exil à Berlin les sauvera et leur permettra d'inventer un nouveau futur pour le rock.

Nudossi, le chocolat Schlager qui colle toujours au palais, et ce subtil mélange de cornichons et tomates des temps difficiles, définitivement remplacé par un zeste d'orange...

Les célèbres *Ostalgie-Parties* sont un exemple typique de l'*Ostalgie,* pendant lesquelles se montrent des sosies d'Erich Honecker, des airs de musique de la RDA *(RDA-Musiktitel)* sont joués et des produits alimentaires typiques *(DDR-typisch)* consommés, comme le « Club Cola ». Le fin du fin est de se rendre à ces fêtes à bord d'une Trabi dans des vêtements exhibant les anciens insignes de la RDA. Retour à l'enfance, pour beaucoup, tout simplement... mais aussi souvenir du temps béni où les crèches et les soins de santé étaient gratuits, où l'emploi à vie (même à ne presque rien faire) était quasi garanti et où la solidarité dans les HLM sordides n'était pas un vain mot... même sous l'œil vigilant des indics de la *Stasi* et ceci d'autant plus que le passage brutal au capitalisme a fait beaucoup de dégâts.

La sortie du film *Good Bye Lenin* (6 millions de spectateurs) puis celle de *La Vie des autres* (pourtant critique pour le régime) ajouté au succès de la société *Ossiversand,* qui vend par correspondance des produits de l'Est (recréés) comme les cornichons sucrés de la Spreewald et l'infect mousseux *made in RDA,* ont contribué à conforter cette tendance. Pour plonger dans cet univers, rendez-vous au musée de la DDR dans Mitte.

PERSONNAGES

– **Joseph Beuys** *(1921-1986) :* sa tragique jeunesse surdétermine toute sa vie d'artiste. À 22 ans, pilote de bombardier en piqué, il est blessé sur le front russe, gravement brûlé, recueilli et soigné à l'ancienne par une tribu de Tatars de Crimée. Enrobé totalement de graisse, bandé comme une momie, il survit miraculeusement et en gardera le souvenir toute sa vie dans sa pratique d'artiste. Ainsi, les tissus, le sang, la graisse, les os, le plastique, puis les animaux morts (il adorait les lièvres occis) devinrent des éléments de ses créations, à la limite de la provocation. Sa devise : « Les processus se poursuivent, réactions chimiques, processus de fermentation, transformation des couleurs, décomposition, dessèchement, tout se transforme... » Plusieurs salles permanentes sont consacrées à son œuvre au *Hamburger Bahnhof,* le musée d'Art moderne de Berlin.

– **Bertolt Brecht** *(1898-1956) :* né à Augsbourg, mobilisé en 1918, il décrira son expérience dans *La Légende du soldat mort.* Ce dramaturge, mais aussi poète et romancier, est d'abord élève de Max Reinhardt et collaborateur de Piscator. Très tôt acquis aux thèses marxistes, c'est avec l'adaptation du *Beggar's Opera* de John Gay, intitulée *L'Opéra de quat'sous,* qu'il devient très populaire. Dénonciateur coriace du nazisme et théoricien du théâtre « didactique » prolétarien, il ne lui reste plus qu'à faire ses valises en 1933. De retour des États-Unis à la fin de la guerre, il choisit l'Allemagne de l'Est, où il fonde en 1948 le Berliner Ensemble. Personne n'est parfait : on lui décerna le prix Staline en 1953.

– **Marlène Dietrich** *(1902-1992) :* de son vrai nom Maria Magdalena von Losch, elle explose en 1930 avec le rôle de Lola dans *L'Ange bleu* de Josef von Sternberg (qui l'avait créé de toutes pièces !). Le succès lui ouvre les portes d'Hollywood, où l'on cherchait une créature diabolique et sexy à opposer à l'iceberg Garbo. Marlène devait ensuite tourner avec les plus grands (*La Belle ensorceleuse,* de René Clair ; *Témoin à charge,* de Billy Wilder ; *La Soif du mal,* d'Orson Welles, etc.). En 1978, elle fait encore du charme à David Bowie dans *Just a gigolo* de David Hemmings.

– **Otto Dix** *(1891-1969) :* avec lui, les horreurs de la guerre ne sont plus un vague mot. Sa peinture en est comme obsédée. Mais aussi par le sexe, la violence, la déchéance, etc. Bref, un type assez génial pour que Hitler dise de lui : « Il est dommage qu'on ne puisse pas enfermer ces gens-là ! » Dadaïste à ses débuts, Dix s'installe à Berlin et rallie la Nouvelle Objectivité. Sorte de Fassbinder en peinture, il finira tout de même sa vie comblé d'honneurs, lui qui pendant longtemps fut le prototype de « l'artiste dégénéré ».

– *Georg Wilhelm Friedrich Hegel* (1770-1831) : ami d'Hölderlin, disciple de Schelling (entourage qui va le stimuler à sortir de sa petite vie ennuyeuse de précepteur et à mettre en place son propre système de pensée) et prof modèle tout au long de sa carrière, il triomphe à 48 ans grâce à son best-seller, une encyclopédie des scien-

ces philosophiques ! Grâce à cette dernière, mais également à sa célèbre *Phénoménologie de l'esprit*, on accourt de tout le pays pour assister à ses cours. Et Goethe fait des pieds et des mains pour le rencontrer. Appelé dans la prestigieuse université de Berlin, l'ancien petit fonctionnaire de province (il fut même rédacteur d'une gazette) achève la création de la méthode dialectique et de la philosophie de l'histoire. Mais s'il a inventé la dynamite, il manquait le détonateur : celui-ci s'appellera Karl Marx. On se demande encore comment l'enseignement de la philo en France, jusqu'en 1945, a pu s'arrêter à Kant...

– *Karl Liebknecht (1871-1919)* : homme politique allemand, leader, avec Rosa Luxemburg, de l'aile gauche du parti social-démocrate allemand. S'est opposé de toutes ses forces à l'entrée en guerre de l'Allemagne en 1914, en combattant le courant ultra-chauvin qui dominait alors son parti. Fonde la ligue Spartakus en 1916 et se retrouve à la tête de l'agitation sociale et politique en 1918 après la défaite allemande. Fondateur du parti communiste (KPD) et leader (toujours avec Rosa) de la révolution spartakiste qui éclate en novembre. Forte à Berlin mais faible en province, celle-ci est écrasée par Noske, Ebert et Scheidemann, chefs du parti social-démocrate alors au pouvoir (en l'absence des partis de droite totalement déconsidérés par la guerre). Noske aura cette parole historique : « S'il faut un boucher sanglant, je serai celui-là ! » Karl Liebknecht et Rosa Luxemburg sont assassinés peu après leur arrestation. Dans l'ombre, un peintre raté apprécia particulièrement que de prétendus socialistes exécutent le sale boulot et lui préparent ainsi le chemin du pouvoir... !

– *Ernst Lubitsch (1892-1947)* : né à Berlin dans une famille juive, il réalise ses premières comédies en Allemagne dès 1914. Mais c'est à Hollywood, à partir de 1923, qu'il obtient la reconnaissance internationale d'un talent qui est plus que jamais consacré aujourd'hui. Ses films reposent sur une mise en scène légère, brillante, caustique (la « Lubitsch's touch »), qui fait une grande part à l'ellipse : Lubitsch est ainsi resté célèbre pour filmer des portes closes, derrière lesquelles le spectateur peut imaginer toutes sortes de scènes. Il est aussi l'unique réalisateur à avoir fait rire Greta Garbo (dans *Ninotchka*) ! Parmi ses 80 films, beaucoup de chefs-d'œuvre, dont *The Shop Around The Corner*, *L'homme que j'ai tué*, *Haute Pègre*, *Le Ciel peut attendre* et le fameux *To Be or Not to Be*, satire du régime nazi. Ernst Lubitsch reste en tout cas le contre-exemple parfait du cliché de l'Allemand lourdaud.

– *Rosa Luxemburg (1870-1919)* : née en Pologne, s'installe en Allemagne en 1898. Première grande figure féminine du militantisme (avant Arlette), « Rosa la Rouge » (que Lénine comparait à un aigle) passa sa vie entre les congrès et les prisons (elle en profitait pour écrire). En 1916, elle crée la ligue Spartakus (avec son fidèle ami Karl Liebknecht), qui devient le parti communiste allemand. Révolutionnaire mais antimilitariste, harangueuse de foule et romantique à la fois, intellectuelle pure mais proche des prolétaires, Rosa marque son époque par sa personnalité hors du commun. Elle meurt lâchement assassinée à Berlin par les forces de l'ordre : son corps est jeté dans les eaux de la Spree.

– **Herbert Marcuse** *(1898-1979) :* né à Berlin, il quitte l'Allemagne pour les États-Unis en 1933, fuyant les persécutions nazies contre les juifs. Philosophe de gauche, membre de l'école de Francfort, il appartient au courant qui souligne que les découvertes de la psychanalyse, interprétées à la lumière du marxisme, servent de fil conducteur à l'analyse du développement économique et social des sociétés industrielles. Il écrit, entre autres, *Raison et révolution, Hegel et la naissance de la théorie sociale,* et surtout *L'Homme unidimensionnel.* On a pu dire de lui qu'il a été l'un des inspirateurs de la grande révolte internationale étudiante de 1968. Par un curieux hasard, il meurt d'une crise cardiaque lors d'un de ses retours en Allemagne en 1979. Incinéré, ses cendres sont rapatriées en Amérique. En 2004, son petit-fils décide de leur retour à Berlin. Il repose aujourd'hui à côté de Bertolt Brecht et de son pote Hegel au *Dorotheenstädtischer Friedhof,* ce qui rend la visite à ce cimetière encore plus émouvante !

– **Helmut Newton** *(1920-2004) :* né à Berlin, d'origine juive, il est contraint de s'exiler en 1938 et part pour l'Australie où il commence à travailler comme photographe. En 1956, il s'installe à Paris, plus tard à Monte-Carlo. Ses photos de nus dans de luxueux décors ou carrément bruts de forme, nimbées d'un érotisme soft, le rendent célèbre. Ses modèles révèlent une plastique quasi parfaite, mais souvent d'une beauté glaciale. Son style parfois provocateur, élégant et sophistiqué tout à la fois, sa maîtrise de la lumière et du noir et blanc suscitent presque une école. C'est en France qu'il connaît l'apogée de sa carrière. Il travaille pour les plus grands magazines, surtout de mode, du monde (*Elle, Playboy, Stern* et toutes les éditions internationales de *Vogue*). Mais c'est dans le *Vogue* français qu'il exprime avec le plus de liberté ses fantasmes et sa vision très personnelle du monde de l'argent et du pouvoir. Au-delà du côté glamour et people, c'est aussi un très grand portraitiste d'écrivains et d'acteurs. Pour la petite histoire, il a manifesté son désir de léguer une grande partie de son œuvre à Paris pour y être présenté de façon permanente. Ce souhait suscita réticences, manœuvres, tergiversations et atermoiements de la part des autorités, au point que, finalement, proposition fut faite à Berlin de la recueillir.

– **Wilhelm Reich** *(1897-1957) :* l'homme qui a fait découvrir aux hippies où était leur sexe est d'abord un élève appliqué de Freud. Découvrant le marxisme, il crée à Berlin dans les années 1930 la « ligue pour une politique sexuelle prolétarienne » *(Sexpol)* ! Réfugié aux États-Unis après son pamphlet d'économie sexuelle *(Psychologie de masse du fascisme),* il développe la théorie de l'origine bioélectrique du cancer liée aux frustrations sexuelles. Personnage fantasque et dérangeant, il est systématiquement calomnié jusqu'à sa mort, survenue mystérieusement en prison...

– **Klaus Wowereit** *(né en 1953) :* l'actuel maire de Berlin est un des rares politiciens allemands à avoir ouvertement annoncé être homosexuel. Il a fait son *coming out* juste avant les élections municipales de 2001, lors d'un meeting du SPD. Il a prononcé une phrase devenue célèbre : *Ich bin schwul, und das ist auch gut so* (« Je suis homo, et c'est aussi bien comme ça ! »). Après ces paroles, il y a eu un court moment de surprise, suivi par des applaudissements et des acclamations.

– Autres personnages qui, sans être formellement nés à Berlin, y ont vécu longtemps (ou y moururent) et imprégnèrent la ville de leur œuvre : **Richard Strauss** fut directeur de l'Opéra de 1898 à 1917, et plusieurs de ses œuvres majeures y ont été créées ; **Félix Mendelssohn,** petit-fils du célèbre philosophe et créateur de l'immortelle *Marche nuptiale,* est mort à Berlin (et enterré à Kreuzberg) ; **Herbert von Karajan,** le célèbre dictateur de pupitre autrichien, resta à la tête de la *Philharmonie de Berlin* pendant 35 ans ; les **frères Grimm,** auteurs des superbes contes pour enfants (*Blanche-Neige et les Sept Nains, Le Petit Chaperon rouge, Hansel et Gretel,* etc.) travaillèrent (notamment sur un dictionnaire de la langue allemande) et

HOMMES, CULTURE ET ENVIRONNEMENT

moururent à Berlin ; **Robert Koch** *(1843-1910)*, prix Nobel de médecine en 1905, découvre le célèbre bacille de la tuberculose qui porte son nom en 1882 et fit toute sa carrière à Berlin...

POPULATION

Les huguenots, de *Buletten* à *Perücke*

Même si vous venez à Berlin pour la première fois, vous pensez bien ne pas être le premier Français ! Les traces laissées par vos prédécesseurs sont partout présentes et parfaitement lisibles, bien que souvent incompréhensibles. Cela s'explique par des faits historiques : les protestants français accueillis par Frédéric-Guillaume à la fin du XVIIe s après la révocation de l'édit de Nantes, et la cour francophone et francophile de Frédéric II au XVIIIe s. Ces Français exercèrent une forte influence, démographique, économique et culturelle par l'apport de produits et de techniques nouvelles, la création de bâtiments et de monuments importants (*Collège français*, *Französischer Dom*, le village de *Friedrichstadt*, aujourd'hui quartier autour de la *Französische Strasse*). Moins spectaculaire est l'assimilation dans le vocabulaire berlinois (et allemand) de nombreux mots français, dans la *gastronomie* ou la *mode* par exemple : on peut commander des *Buletten mit Pommes* (prononcez « boulletten mit pommesses » – boulettes de viande hachée avec des pommes frites ou *Püree*), ou prendre un *Bulljong* ou *Ragoufeng* (bouillon ou ragoût fin), un *Muckefuck* (« moka-faux », un café trop clair), aller chez le *Frisör* (dites « friseur ») pour essayer une nouvelle *Perücke*... Et aussi *Karotte, Delicatessen*...

SAVOIR-VIVRE ET COUTUMES

L'âme allemande

Contrairement à ce que l'on croit souvent, les Allemands ne manquent pas d'humour. En revanche, s'il est une chose dont ils manquent certainement, c'est de détachement face à la vie ; car leur soif d'absolu les empêche de plaisanter sur les événements graves.

« Les Allemands, disait Goethe, compliquent tout... à la fois pour eux-mêmes, mais aussi pour les autres. » Dès qu'un sujet important fait surface dans une conversation, ils adorent en débattre pendant des heures, animés d'une ferveur tourmentée. Les valeurs et les institutions démocratiques sont très récentes dans l'histoire allemande, alors que les Anglais aiment faire remonter leur démocratie à la signature de la Magna Carta au XIIIe s et que les Français se gonflent d'orgueil dès qu'il s'agit de valeurs républicaines. Les Allemands savent que le meilleur moyen de sauvegarder leur démocratie est de la consolider avec des lois qui puissent guider leur comportement. Voilà pourquoi la société allemande peut, à certains moments, paraître guindée, conformiste et très réglementée. Cette autodiscipline leur est essentielle pour brider les pulsions irrationnelles qui hantent leur mémoire collective. Bien qu'il n'y ait pas de différences fondamentales entre les mœurs de nos voisins et les nôtres, il faut savoir que les Allemands sont d'une nature plutôt disciplinée. Certaines des attitudes latines des Français, si elles ne sont pas freinées, peuvent les amuser ou parfois même les heurter. Alors, agissons en personnes civilisées...

– Ne vous ruez pas sur la première Allemande qu'on vous présente en l'embrassant sur les deux joues comme si vous la connaissiez depuis toujours. Calmez vos ardeurs et serrez-lui la main (sans la broyer, de préférence). En Allemagne, on n'embrasse que les personnes que l'on connaît bien (dommage !). Voilà pourquoi le président Sarkozy a rapidement tapé sur les nerfs d'Angela Merkel en la traitant comme une vieille copine que l'on peut embrasser à tout bout de champ dans le cou en lui triturant les avant-bras.

– Traversez la rue lorsque le feu pour piétons est au vert, et ce, même quand il n'y a pas de voiture en vue. On vous expliquera en effet que c'est un très mauvais exemple pour les enfants qui pourraient vous regarder ! Faire le contraire pourrait vous attirer les remarques de mères de famille ou de policiers. Cela pourrait même vous coûter une amende.

– Évitez d'aborder le thème du IIIe Reich avec un inconnu ou une connaissance trop récente. Traumatisés par leur passé, les Allemands (même jeunes) restent très susceptibles sur ce point et pourraient croire à une mise en accusation directe de votre part. Faites preuve de tact et de diplomatie !

– Évitez d'arriver 45 mn en retard à vos rendez-vous : les Allemands sont d'une ponctualité très suisse !

SITES INSCRITS AU PATRIMOINE MONDIAL DE L'UNESCO

Organisation
des Nations Unies
pour l'éducation,
la science et la culture

En coopération avec
le centre du patrimoine mondial de l'UNESCO

Pour figurer sur la liste du Patrimoine mondial, les sites doivent avoir une valeur universelle exceptionnelle et satisfaire à au moins un des 10 critères de sélection. La protection, la gestion, l'authenticité et l'intégrité des biens sont également des considérations importantes.

Le patrimoine est l'héritage du passé dont nous profitons aujourd'hui et que nous transmettons aux générations à venir. Nos patrimoines culturel et naturel sont deux sources irremplaçables de vie et d'inspiration. Ces sites appartiennent à tous les peuples du monde, sans tenir compte du territoire sur lequel ils sont situés. Pour plus d'informations : ● whc.unesco.org ●

Berlin et ses environs comptent trois sites inscrits au Patrimoine mondial de l'Unesco :

– *L'île aux Musées (Museum Inseln),* au bord de la Spree, regroupe des collections archéologiques et artistiques uniques au monde. Le musée de Pergame, le Vieux Musée, la Galerie nationale, le musée Bode et le Nouveau Musée appartiennent à l'héritage culturel du XIXe s, l'époque de la raison et de la prééminence d'une bourgeoisie avide de connaissances. Le musée d'art en tant que phénomène social doit ses origines à l'époque des Lumières, au XVIIIe s. Construits entre 1824 et 1930, ils représentent la réalisation d'un projet visionnaire. Chaque musée ayant été pensé en rapport organique avec les collections qu'il abrite, l'importance des collections, témoins de l'évolution de la civilisation, se double d'une incontestable valeur architecturale.

– *Les châteaux et parcs de Potsdam Sans-Souci :* le domaine de la résidence d'été de Frédéric II de Prusse couvre 500 ha de parc et compte 150 bâtiments. Avec ses 500 ha de parcs, ses 150 constructions édifiées entre 1730 et 1916, l'ensemble des châteaux et parcs de Potsdam constitue une entité artistique exceptionnelle dont le caractère éclectique renforce l'unicité. Cet ensemble est prolongé, dans le district de *Berlin-Zehlendorf,* par les châteaux et les parcs qui s'étendent sur les rives de la Havel et du lac de Glienicke.

– *Les cités du style moderne de Berlin (2008) :* six ensembles de logements construits de 1910 à 1933 et qui témoignent d'une politique innovante en matière d'habitat, spécialement durant la République de Weimar, lorsque la ville était à l'avant-garde sur le plan social, politique et culturel. Ces cités constituent un exemple exceptionnel de l'évolution des logements sociaux destinés à améliorer l'habitat et les conditions de vie des personnes à faibles revenus, grâce à des approches novatrices en matière d'urbanisme, d'architecture et de conception des jardins. Le site offre des exemples de nouveaux types urbains et architecturaux avec des solutions inédites en matière de design, ainsi que des innovations techniques et esthétiques. Bruno Taut, Martin Wagner et Walter Gropius ont été parmi les principaux architectes de ces projets qui ont exercé une influence considérable sur le développement de l'habitat partout dans le monde.

UNITAID

UNITAID a été créé pour lutter contre le VIH/sida, le paludisme et la tuberculose, principales maladies meurtrières dans les pays en développement. Le financement d'UNITAID provient principalement d'une contribution de solidarité sur les billets d'avion. UNITAID intervient en facilitant l'accès aux médicaments et aux diagnostics, en baissant les prix, dans les pays en développement. En France, la taxe est de 1 € (ce qui correspond à deux enfants traités pour le paludisme) en classe économique. En moins de trois ans, UNITAID a perçu près de 900 millions de dollars, dont 70 % proviennent de la taxe sur les billets d'avion. Les financements d'UNITAID ont permis à près de 200 000 enfants atteints du VIH/sida de bénéficier d'un traitement et de délivrer plus de 11 millions de traitements. Moins de 5 % des fonds sont utilisés pour le fonctionnement du programme, 95 % sont utilisés directement pour les médicaments et les tests. Pour en savoir plus : ● *unitaid.eu* ●

INFORMATIONS ET ADRESSES UTILES

Pour se repérer, voir le plan général détachable en fin de guide, ainsi que le plan d'ensemble et les plans des quartiers en bichromie dans le texte.

Arrivée aux aéroports

Deux aéroports sont en fonction à Berlin en 2009, mais un seul numéro de téléphone pour les renseignements : ☎ *0180-500-01-86.* • *berlin-airport.de* • Après la fermeture de Tempelhof (en 2008) et ensuite celle de Tegel, le trafic aérien se reportera progressivement sur un seul aéroport, celui de Berlin-Brandebourg (BBI), à Schönefeld. Fin des travaux prévue en 2011-2012.

✈ *Aéroport de Tegel* (TXL ; plan d'ensemble B2) : *ancien aéroport militaire, il est situé à 8 km au nord-ouest de Berlin. Arrivée des vols d'*Air France *(☎ 0180-583-08-30) et d'*Air Berlin *(☎ 0180-573-78-00).*

🛈 *Point infos : dans le hall principal. Tlj 5h-22h30. Accueil sympa, mais peu de brochures.*
■ *BVG Service : 7h15-20h. Vente de billets de bus, de plans et renseignements pour trouver son hôtel. Bureau des objets trouvés.*
✉ *Poste : terminal A, 1ᵉʳ étage. Lun-* sam 9h-19h.
■ *Argent : à la* Berliner Bank, *en face du Point infos, tlj 8h-17h. Distributeurs de billets aux portes nᵒˢ 4, 10, 11 et 15.*
■ *Consigne à bagages et objets trouvés : tlj 5h30-22h30. Compter 3 €/j. et par bagage.*

➢ *Pour rejoindre le centre-ville :* les taxis sont assez chers (compter env 17 €) et le métro éloigné. Le bus *TXL* est idéal pour se rendre dans le centre-est de la ville (Unter den Linden, Alexanderplatz) : trajet rapide (30 mn), fonctionne 5h30-23h30. Bus nᵒˢ 109, 128 (30 mn) et X9 (20 mn) jusqu'à la station Zoologischer Garten : c'est le centre-ouest et un point névralgique du réseau de transport urbain. Distributeurs automatiques de tickets dès la sortie de l'aéroport. On peut aussi acheter son billet auprès du chauffeur ; préparer l'appoint. Prix du billet : 2,10 €.

✈ *Aéroport de Schönefeld* (SXF ; plan d'ensemble C3) : *ancien aéroport de Berlin-Est, à 18 km au sud-est, il devrait devenir rapidement l'aéroport principal. En restructuration pour devenir en 2011 le* **BBI** *(Berlin Brandenburg International), l'aéroport ultramoderne au cœur de l'Europe. C'est encore pour l'instant l'aéroport de la plupart des compagnies* low-cost. *En 2007, une tour torsadée d'observation à l'architecture futuriste a été mise en service pour permettre l'observation du méga-chantier.*

🛈 *Point infos : dans le hall principal. Tlj 7h-22h.*
■ *Consigne à bagages et objets trouvés : tlj 8h-22h.*

➢ *Pour rejoindre le centre-ville :* rejoindre Berlin en taxi n'est pas une bonne idée car c'est l'aéroport le plus éloigné de la ville. En revanche, si vous avez loué une voiture, sachez qu'une nouvelle autoroute permet, depuis mai 2008, de rejoindre le centre en 20 mn environ. Navette gratuite jusqu'à la gare S-Bahn, distante de 400 m environ (passage protégé pour ceux qui préfèrent se dégourdir les jambes après l'avion !). Prendre le S9 en direction d'Alexanderplatz, Zoologischer Garten (le train Airport Express est plus rapide pour le même tarif, mais dessert l'aéroport seulement 2 fois par heure), ou le S45 vers Schöneberg. Ticket ABC : 2,80 €. Bus n°s 162, 163, 171, 734, 735, X7, N7 et N60.

Adresses et infos utiles

Offices de tourisme

◻ *Bureau central de renseignements et d'infos Berlin Tourismus Marketing :* regroupe 3 offices du tourisme et un centre d'appel téléphonique, ☎ 250-025, où l'on peut vous renseigner en français, lun-ven 9h-20h, w-e 10h-18h. ● visitberlin.de ● berlin-tourist-information.de ●
◻ *Office de tourisme – Berlin Info-store* (plan général D2) : au rez-de-chaussée de la gare principale (Hauptbahnhof) ; entrée par Europa Platz. Ouv 8h-22h. Réservation d'hébergements.
◻ *Office de tourisme – Berlin Info-store* (zoom 2, E3, *1*) : BTM, aile sud, sous la porte de Brandebourg, Pariser Platz. ☎ 250-025. S-bahn : Unter den Linden ; bus n°s 100 et 200. Tlj 10h-18h. Horaires étendus avr-oct. Quelques infos générales et doc en français (payante).

◻ *Office de tourisme – Berlin Info-store* (zoom 2, F2, *2*) : Grunerstr 20, au rez-de-chaussée du Alexa Shopping Centre, à côté d'Alexanderplatz. Tlj sf dim 10h-20h. Mêmes services que les précédents.
◻ *Office de tourisme – Berlin Info-store* (zoom 1, C4, *3*) : Neues – Kranzler Eck Kurfürstendamm 21, Passage. Tlj 10h-20h (18h dim et j. fériés). Horaires étendus avr-oct. Possibilité de réservations d'hôtels et de spectacles.
– Possibilité dans ces lieux de louer le *Wall Guide* multimédia avec navigation GPS incorporée pour parcourir le tracé du Mur avec commentaire historique et séquences filmées. ● mauerguide.com ● Prix : de 8 € pour 4h à 10 € pour 24h. Il est utilisable pour un parcours à vélo (prix : 15 €).

Représentations diplomatiques

◼ *Ambassade de France* (zoom 2, E3, *1*) : Pariser Platz 5, 10117. ☎ 590-03-90-00. ● botschaft-frankreich.de ● Réinstallée à son emplacement d'origine dans un bâtiment conçu par Christian de Portzamparc, juste à côté de la porte de Brandebourg (voir plus loin « Unter den Linden ») ; l'entrée du public se fait par le 69 Wilhemstr. L'ambassade regroupe la chancellerie diplomatique, la section consulaire (● consulat.berlin-amba@diplomatie.gouv.fr ●) et l'ensemble des services officiels français et les services culturels. En cas de difficultés financières, le

consulat peut vous indiquer la meilleure solution pour que des proches vous fassent parvenir de l'argent, ou encore vous assister juridiquement en cas de problèmes.
◼ *Ambassade de Belgique* (zoom 2, F3, *2*) : Jäger Str 52-53, 10117. ☎ 206-420. ● diplomatie.be/berlin ●
◼ *Ambassade de Suisse* (plan général D2, *3*) : Otto-von-Bismarck Allee 4a, 10557. ☎ 390-40-00. ● botschaft-schweiz.de ●
◼ *Ambassade du Canada* (zoom 2, E3, *4*) : Leipziger Platz 17, 10117. ☎ 203-12-0. ● kanada.de ●

Postes

✉ *Poste principale* (zoom 2, E2) : Georgenstr 12, Berlin-Mitte. Lun-ven | 6h-22h, w-e 8h-22h. Très central.

Télécommunications

Le numéro des renseignements est le ☎ 118-33. L'annuaire téléphonique sur Internet : ● *telefonbuch.de* ● et ● *gelbeseiten.de* ● pour l'équivalent de nos Pages jaunes. Pour téléphoner à l'étranger, les *Tele Center* proposent des tarifs plus avantageux.

■ *Tele Center* (zoom 1, C3) : Hardenberg Platz 2. Juste en face de la gare de Zoologischer Garten. Tlj 10h-23h (22h dim).

■ *Tele Café :* Adalbertstr 91 ou Kottbusserdamm 25-26, à Kreuzberg. Tlj 9h-minuit.

Internet

La liste des cybercafés et restaurants (liste valable aussi pour toute l'Allemagne) est consultable sur ● *cafespots.de* ●

@ *Internet Sidewalk* (zoom 2, E3, 8) : dans la galerie marchande de l'immeuble Arkaden, *près de la tour* Kollhoff et du Sony Center. Les ordinateurs se trouvent sur la 2e passerelle au début de la galerie. Système de billets valable 3 jours (2 €) dans les points Internet *Sidewalk*.

@ *Bollywood* (zoom 2, E2, 9) : Chausseestr 5. 6 postes Internet nichés au fond d'une épicerie indienne, derrière les packs d'eau ! Original et pratique, on peut se connecter jour et nuit.

@ *Hotspots wifi (Wlan) :* pour les routards nomades qui ne quittent jamais leur ordinateur portable, le fin du fin est la véritable connexion Internet libre, sans fil... et sans forfait ! Installez-vous avec votre ordinateur au **Strandbad-Mitte** (Kleine Hamburger Str 16 ; zoom 2, F2, **233** ; voir aussi « Où boire un verre ? ») et l'on déposera discrètement sur votre table les informations nécessaires à la connexion. Si vous êtes à Kreuzberg, cela se passe au **Café MIR** (Lübbener Str 1 ; plan Friedrichshain G3 ; ● cafemir.com ● ; ouv 10h-1h – sam 2h). Surfer librement – et en plus sans consommer – , c'est possible aussi sous l'immense coupole de verre du **Forum Sony Center** (zoom 2, E3), à la Potsdamer Platz...

Argent, change

En Allemagne, et même à Berlin, l'argent liquide règne encore en maître, même si les cartes de paiement sont de plus en plus acceptées. Celles-ci servent surtout pour des locations ou réservations (voitures, train, hôtel). Garder de l'argent liquide avec soi est nécessaire (pas plus d'une centaine d'euros) et permet d'éviter les (mauvaises) surprises, même au restaurant !

■ *Bureaux de change :* pour ceux qui en ont encore besoin, dans les gares de Hauptbahnhof *(plan général D2)*, Zoologischer Garten *(zoom 1, C3)*, Alexanderplatz *(zoom 2, F2)*, Friedrichstr *(zoom 2, E3)*, ainsi qu'à Ostbahnhof *(plan Friedrichshain G3)*. Sinon, pratiquement tous les distributeurs automatiques de billets (DAB) acceptent les cartes *Visa* et *MasterCard*.
■ *American Express* (zoom 2, E3) : Friedrichstr 172. ☎ 201-74-00. *Également Bayreuther Str 37.* ☎ 214-98-30.

■ Adresses utiles	⚲ Où dormir ?	⚹ À voir
✈ Aéroports	**10** Campingpark Sans-Souci/ Gaisberg	**338** Olympia Stadion

INFORMATIONS ET ADRESSES UTILES

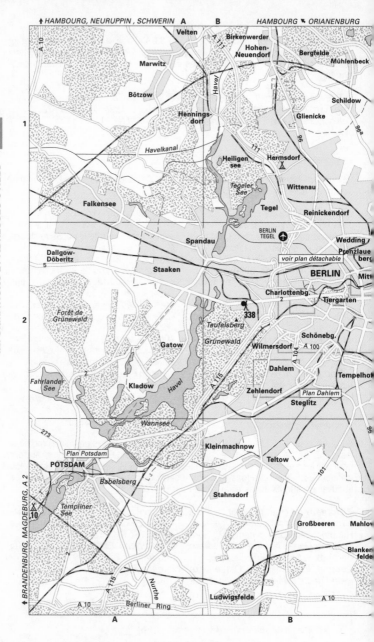

Velten

Birkenwerder

Hohen-
Neuendorf

Bergfelde

Mühlenbeck

Marwitz

Bötzow

Schildow

Hennings-
dorf

Glienicke

1

Havelkanal

Heiligen
see

Hermsdorf

Tegeler
See

Wittenau

Falkensee

Tegel

Reinickendorf

BERLIN
TEGEL

Spandau

Wedding

Dallgow-
Döberitz

Prenzlaue
berg

voir plan détachable

Staaken

BERLIN

Mitt

Charlottenbg.

Tiergarten

Forêt de
Grünewald

2

338

Teufelsberg

Grünewald

Schönebg.

Gatow

Wilmersdorf

A 100

Fahrlander
See

Dahlem

Tempelhof

Kladow

Havel

Zehlendorf

Plan Dahlem

Wannsee

Steglitz

273

Kleinmachnow

Plan Potsdam

Teltow

POTSDAM

Babelsberg

Stahnsdorf

Templiner
See

Großbeeren

Mahlo

Blanken
felde

Ludwigsfelde

A 10

A 10   Berliner Ring

A

B

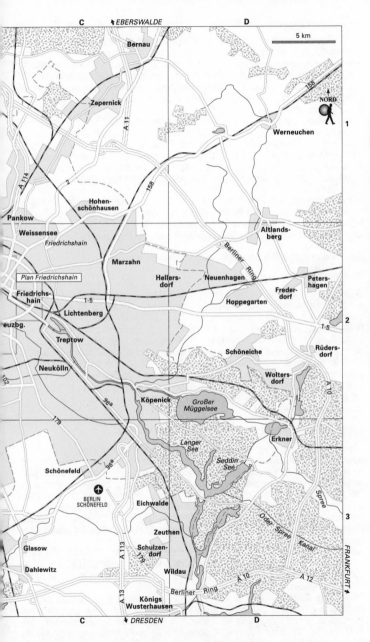

BERLIN – PLAN D'ENSEMBLE

Infos spectacles, loisirs, sorties...

– Les bimensuels *Zitty* ou *Tip* (en vente en alternance, de 2,50 à 2,70 € ; vérifiez que les dates correspondent bien à la durée de votre séjour !), le must pour se rencarder sur place sur les programmes en tous genres : ciné, galeries et vernissages, théâtres, concerts, DJs à l'affiche *in town*, ainsi que des petites annonces pour ceux qui veulent se loger plus durablement (sous la rubrique *auf Zeit biete*, dans les colocations pour des durées qui peuvent ne pas excéder 1 mois). ● *berlinonline. de* ● et ● *zitty.de* ●

– *Berlin Poche :* premier magazine culturel en français (1 €). Toute l'actualité culturelle de la capitale et les bons plans. Disponible dans 400 lieux à travers la ville.

– Voir aussi *Berlin Kalendar,* l'équivalent de *Pariscope.*

– Se procurer le magazine gratuit *030,* dans les cafés, pour les infos essentielles sur la vie nocturne aussi bien pour les homos que pour les hétéros.

– Les revues gratuites *Siegessäule* et *Sergej* fournissent toutes les infos sur la vie gay à Berlin.

– Pour les amateurs d'*underground* et de *parties* à la limite du licite, ce que Berlin fait de mieux, foncez sur les *flyers* à disposition dans les cafés, boîtes, boutiques branchées et cinés ; ils signalent les soirées *off* qui ne figurent pas ailleurs. Eh oui, ici il faut bien chercher la fête de dernière minute, la mériter, quoi !

Réservations (théâtre, concerts, manifestations sportives...)

Voici quelques points de vente :

■ Directement aux *Berlin Infostore* ; voir au début de cette rubrique « Adresses et infos utiles ».

■ *Hekticket :* Karl-Liebknecht Str 12 (zoom 2, F2). ☎ 230-99-30. ● hekticket. de ● À côté d'Alexanderplatz, lun-sam 11h-19h. Également Hardenbergstr 29a, à Zoologischer Garten (zoom 1, C3), lun-sam 10h-20h, dim 14h-18h. 2 endroits pour acheter des billets de théâtre avec jusqu'à 50 % de réduction.

■ *KOKA 36* (plan général F4) : Oranienstr 29, Kreuzberg. ☎ 611-01-313. Lun-ven 9h-19h, sam 10h-16h.

■ Possibilité de réserver de Paris pour des spectacles au théâtre de la Renaissance et à l'Opéra-Comique de Berlin : 19, rue des Mathurins, 75009. ☎ 01-42-65-39-21. Ils sont très aimables et disposent des programmes longtemps à l'avance.

Réductions pour musées et transports

– *Welcome Card :* ● bvg.de ● De 16,50 € (pour 48h) à 29,50 € (pour 5 j.). Valable pour 1 adulte avec jusqu'à 3 enfants (max 14 ans). Idéale pour les familles. Permet de voyager gratuitement dans tous les transports en commun de la zone AB (une version ABC incluant Potsdam existe : 18,50 € pour 48h et 34,50 € pour 5 jours). Offre jusqu'à 50 % de réduction dans de nombreux musées (mais pas tous), théâtres, visites, attractions... à Berlin, Potsdam et Babelsberg. En vente à l'office de tourisme, dans les bureaux de vente des titres de transport et dans certains hôtels. Peu intéressante en revanche pour les étudiants qui bénéficient de réductions dans les musées.

– *SchauLust Museen Berlin :* pour 19 € (valable 3 j.), elle permet l'accès libre dans les 70 musées dont les musées nationaux de la ville ; tarif réduit à 9,50 € pour les scolaires et les étudiants. Carte intéressante pour ceux qui ont l'intention de visiter plusieurs musées.

– *Welcome Card Culture :* un combiné des 2 précédentes qui donne droit aux transports gratuits, à des réduc sur 130 attractions et l'entrée gratuite dans 70 musées : 34,50 € pour 48h, 40 € pour 72h, 47,50 € pour 5 j., et extension vers Potsdam (36,50 € pour 48h et 43 € pour 72h). En vente exclusivement dans les Berlin Infostore (voir adresses plus haut).

– *La Longue Nuit des musées :* ● lange-nacht-der-museen.de ● Pour ceux qui sont de passage à Berlin le dernier week-end de janvier ou le dernier week-end d'août, la grande majorité des musées et centres d'art ouvrent leurs portes jusque très tard dans la nuit du samedi, pour 15 € (tarif réduit : 10 €), avec service de bus-navettes gratuit entre les différentes manifestations, sur plusieurs itinéraires. Une sorte de journée portes ouvertes à l'échelle d'une ville, avec concerts, lectures et buffets. C'est aussi la possibilité de découvrir des collections d'art d'entreprises privées. Réserver à l'avance.

Librairies et autres lieux culturels

■ *Librairie Dussmann* (zoom 2, E3) : Friedrichstr 90, Berlin-Mitte. ☎ 20-25-11-11. S-bahn et U-bahn : Friedrichstr. Tlj sf dim 10h-minuit. C'est la plus grande librairie de la ville, mais on y trouve aussi des disques et des films : une sorte de *Megastore* avec une petite salle d'exposition au sous-sol ainsi qu'un petit café. Les nombreux fauteuils disposés un peu partout permettent de commencer agréablement sa lecture... ou de se reposer un instant !

■ *Librairie Zadig* (zoom 2, E2) : Linienstr 141. ☎ 28-09-99-05. • zadig buchhandlung.de • U-bahn : Oranienburger Tor. Tlj sf dim 11h-19h (17h sam). « Librairie française à vocation

européenne », c'est un lieu agréable de rencontres et d'échanges, où l'on peut se renseigner sur le Berlin littéraire et les thématiques franco-allemandes.

■ *La Maison de France* (zoom 1, B4, 6) : Kurfürstendamm 211. ☎ 885-90-20. • kultur-frankreich.de • U-bahn : Uhlandstr. Elle héberge l'institut fran-çais de Berlin et une médiathèque (fer-mée lundi), où l'on peut consulter la presse francophone ; pratique pour les fauchés qui veulent lire les journaux confortablement installés sur le Ku'damm. La vue y est meilleure que dans nombre de cafés et le service est gratuit. L'institut français propose aussi différentes manifestations culturelles : spectacles, concerts, conférences...

– *Radios Fm :* les plus écoutées sont certainement *Radio Eins* (95.8) et *Fritz* (102.6) : du rock 80's aux électro-pop et techno actuelles, concerts en direct, interviews, reportages et surtout peu de publicité bruyante ! Musiques du monde et program-mes en différentes langues sur *Radio Multikulti* (106.8), sans oublier *Klassik-Radio* (101.3) et *Jazzradio* (101.9). *Radio France internationale* est également pré-sente, sur 106.0 : en bonus berlinois, plusieurs décrochages quotidiens en allemand... pour les infos françaises !

Urgences, divers

■ *Urgences médicales :* ☎ 310-031.
■ *Soins dentaires urgents :* ☎ 89-0043-33.
■ *Consignes :* dans les gares principa-les de Hauptbahnhof, de Lichtenberg, Friedrichstr, Ostbahnhof, et à la gare de S-bahn Alexanderplatz. À la gare de Zoologischer Garten, consigne automa-tique pour 24h (1,50 €) et consigne à bagages avec un dépôt autorisé jusqu'à 4 sem (2 €/j. et par bagage).
■ *Laveries automatiques :* elles sont partout facilement reconnaissables. Quelques adresses en vrac :
– *Waschcenter* (zoom 1, A3), Wilmers-dorferstr 159 (7h-minuit).
– *Fraulein Reinlich* (plan général G1), Kollwitzstr 93, Prenzlauerberg (lun-sam

9h-22h).
– *Waschcafé* (plan Friedrichshain, G3), Revaler Str 15 (7h-23h30).
– *Eco-Express* (plan général G6), Herr-mannstr 74, Neukölln (6h-23h).
– *Waschcenter Kreuzberg* (plan géné-ral E4), Bergmannstr 109 (6h-23h).
■ *Supermarché ouvert 24h/24 :* Berli-ner Str 24-25. Quartier de Wilmersdorf.
■ *Objets trouvés :* Zentrales Fun-dbüro (plan général E5), Platz der Luft-brücke 6, Tempelhof. ☎ 90-277-31-01. U-bahn : Platz der Luftbrücke. Lun-mar 8h-15h, jeu 13h-17h, ven 8h-12h.
■ *Objets perdus sur le réseau de transports en commun :* BVG Fun-dbüro (zoom 2, E3), Potsdamer Str 180/182, Schöneberg. ☎ 19-449. U-bahn :

Kleistpark. Lun-jeu 9h-18h, ven 9h-14h. ☐ *Objets perdus dans le train et le S-bahn :* Fundbüro Deutsche Bahn *(zoom 2, F2), Hackescher Markt, Mitte.* ☎ *018-05-99-05-99 (central téléphonique).*

Comment se repérer ?

Pour plus de commodité, nous avons abrégé le mot « strasse » (rue) en « str ».

Étendue sur 892 km^2 (neuf fois Paris intra-muros, dont 30 % de lacs et de forêts, ça fait du bien !), Berlin est divisée en 12 arrondissements *(Bezirken)* possédant chacun leur propre caractère.

– Le centre historique, arrondissement du *Mitte,* qui se trouve sur l'ancien territoire de Berlin-Est, est aujourd'hui le cœur battant de Berlin, avec son *île des Musées,* sa très longue rue commerçante *Friedrichstr,* sa tour de télévision, ses bars et restos animés du quartier du *Scheunenviertel,* et la très symbolique avenue *Unter den Linden* au bout de laquelle se trouve la porte de Brandebourg.

– Plus à l'est, le quartier de *Prenzlauerberg,* symbole de l'époque communiste, est devenu l'un des épicentres de la vie nocturne berlinoise et de la création artistique. La *Kollwitzplatz* et le *Wasserturm* (château d'eau) seront un passage obligé de vos virées.

– Le grand parc du *Tiergarten,* qui a donné son nom au quartier, reste pour tous les Berlinois le poumon de la ville, traversé par l'avenue du 17-Juin, avec en point de mire la colonne de la Victoire, *Siegessäule.* Ce quartier est devenu aussi le symbole du renouveau de Berlin avec la nouvelle *Potsdamer Platz,* le *Reichstag* et la *Lehrter Hauptbahnhof.*

– Quant au quartier de *Kreuzberg,* baigné par le *Landwehrkanal,* il est le lieu par excellence du *Multi-kulti.* Une promenade dans l'*Oranienstr* et autour du canal s'impose.

– À l'ouest du Tiergarten, on rejoint le *Kurfürstendamm,* ou *Ku'damm* pour les intimes, en quelque sorte les Champs-Élysées locaux, vitrine de l'Ouest à l'époque du Mur. Le Ku'damm constitue un autre point de repère dans le quartier bourgeois de *Charlottenburg.* Ce quartier tire son nom du château des Hohenzollern, situé à son extrême ouest.

– À Berlin, le système de numérotation des immeubles est particulier : il n'existe pas toujours un côté pair et un côté impair, mais souvent un classement continu en boucle. Exemple : le trottoir de gauche va du n° 1 au n° 50 et (en face du 50) les numéros du trottoir de droite repartent en sens inverse, du 51 au 100... Normalement, les plaques des rues situées aux carrefours indiquent les numéros pour chaque tronçon de rue.

– *Orientation :* le plan le plus complet et le plus vendu est le *Falk.* Le plan *Hallwag* est aussi tout à fait satisfaisant. Attention, plusieurs rues portent le même nom ; c'est pourquoi il faut toujours se faire préciser le quartier où se situe la rue. Ayez un plan récent, car la vague des changements de nom n'est pas encore achevée.

Comment se déplacer ?

Nous vous recommandons l'achat d'une carte journalière *Tageskarte* (6,10 €), qui vous donne une totale liberté sur les transports en commun du réseau berlinois *(BVG).* Le billet normal est à 2,10 € et il dure seulement 2h.

D'autres formules sont possibles, du billet de métro trajet court (jusqu'à trois stations) à 1,60 € sans changement de ligne, le billet valable 2h *(Einzelfahrausweis,* 2,10 €) à condition de ne pas revenir vers son point de départ, des cartes pour 2 jours (16,50 €), 3 jours (22 €), 5 jours (29,50 €) et la carte hebdomadaire *(7-Tageskarte,* zone AB, 26,20 €) plus intéressante que la 5 jours. Pour tous ces titres de transport, se renseigner dans un des kiosques du *BVG* (☎ 19-449).

Notez qu'à la différence de Paris, entre autres, les guichets sont rares dans le métro. Achetez donc vos tickets à l'avance ou assurez-vous d'avoir de la monnaie pour les distributeurs, sur les quais (certains prennent toutefois des billets de 5 ou 10 €). Ne fraudez pas, il vous en coûterait 40 € d'amende et les contrôleurs, habillés en civil, ne sont pas repérables.

➤ *En S-bahn et U-bahn :* le RER et le métro berlinois (S et U-bahn) se combinent très bien pour circuler rapidement dans la ville et en périphérie. Ils fonctionnent de 4h à 1h en semaine. Le week-end, il y a trois S-bahn par heure la nuit. Il n'y a pas de portillon pour accéder aux quais, mais il faut composter avant de monter dans une rame. La ligne de U-bahn U12 et la ligne de S-bahn S7 fonctionnent comme la journée toute la nuit les vendredi et samedi. Seule la U4 ne circule pas la nuit. La ligne de U-bahn U9 fonctionne également toute la nuit le week-end, non plus sous terre, mais est remplacée par un bus. Le transport de bicyclette est autorisé toute la journée mais il est payant (env 1,50 € par trajet en zone AB). Attention : la carte de transports ne doit être validée qu'une seule fois.

➤ En 2006, après 10 ans de travaux, a eu lieu l'inauguration de la *Lehrter Hauptbahnhof*, au nord du Reichstag, la plus grande gare ferroviaire d'Europe, un des symboles de la réunification allemande et un des plus grands chantiers qu'ait connu l'Allemagne. Elle remplace la vieille gare du zoo, devenue trop petite pour le trafic actuel. Conçue comme le carrefour des voies européennes entre l'axe est-ouest Moscou-Paris et nord-sud Copenhague-Rome, elle voit passer près de 1 300 trains et 250 000 passagers par jour ! (Voir le descriptif dans le chapitre sur le quartier de Tiergarten.)

➤ *En bus :* un moyen de transport intéressant. À partir de 20h, il est obligatoire de présenter son ticket au conducteur. Les bus de nuit (fréquents et très nombreux) circulent au tarif normal, mais ont souvent des trajets spéciaux (plan disponible dans les stations de U-bahn). Leurs numéros de ligne sont précédés d'un N (*Nachtbus*). Attention, ceux précédés d'un X (*Expressbus*) ne s'arrêtent que très rarement. Le **bus n° 100,** qui relie le zoo à Alexanderplatz, présente l'avantage de desservir de nombreux monuments berlinois : *Gedächtniskirche, Siegessäule, Schloß Bellevue, Reichstag, Deutsche Staatsoper, Berliner Dom...* Pour le prix d'un ticket de bus, c'est tout Berlin qui défile devant vos yeux ! À noter que le bus n° 200 suit un trajet assez analogue.

➤ *En tramway :* seulement à l'Est. Nombreux départs de Hackeschermarkt et Alexanderplatz. Demander le plan du réseau au kiosque du *BVG*.

➤ *À vélo :* les pistes cyclables étant très bien aménagées à Berlin, surtout à l'Ouest, il est intéressant de louer un vélo pour visiter la ville, quartier par quartier. Ou aussi pour découvrir la belle campagne avoisinante. Compter environ 12 € par jour.

➤ *En vélo-taxi : Velotaxi Berlin GmbH.* Rens : ☎ 0800-83-56-82. Avr-oct. Compter 2,50 € le 1er km, puis 1 €/km. De courageux jeunes gens promènent les touristes dans des « vélos-taxis », vélos équipés d'une petite remorque à deux places.

➤ *En taxi :* à peu près le même tarif qu'à Paris pour les longs trajets, mais il existe une formule très intéressante pour les parcours jusqu'à 2 km : un forfait à 2,50 €, quelle que soit l'heure, jusqu'à 4 personnes. Annoncez au chauffeur « *Kurzstrecke* ». Pratique pour rentrer des soirées bien arrosées, mais attention, au-delà de 2 km, le compteur accélère rapidement !
– *Pour réserver 24h/24 un taxi :* Funk Taxi, ☎ 26-10-26 ; ou Spree Funk, ☎ 44-33-22.

➤ *En voiture :* tous les Berlinois se plaignent de la circulation dans leur ville, mais aucune comparaison avec Paris ! La largeur des axes principaux garantit la fluidité du trafic. Le problème majeur demeure le stationnement en centre-ville.

➤ *En bateau :* le réseau fluvial sur la Spree et la Havel est très développé ; plus d'une trentaine de stations entre Brandenburg à l'Ouest et Bad Saarow à l'Est. Tout est possible, des trajets simples aux excursions à la journée. Brochures disponibles aux offices de tourisme de la ville. Vous pouvez contacter la compagnie *Stern und Kreis Schiffahrt (Puschkinallee 15 ;* ☎ 536-36-00 ; ● sternundkreis.de ●), ou bien la compagnie *Reederei Riedel* (☎ 693-46-46 ;

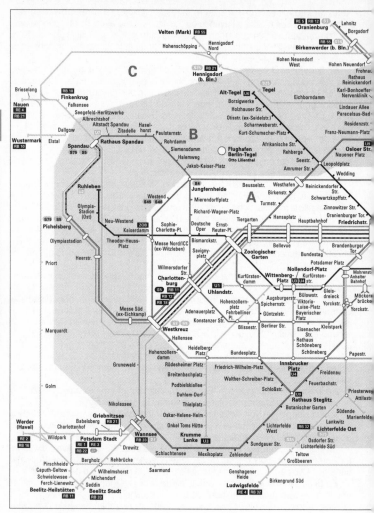

• *reederei-riedel.de* •), qui propose quotidiennement des balades variées sur les canaux à travers le Berlin historique. Audiophone en français pour 3 €. Départs à partir des Hansabrücke, Kottbusserbrücke, Corneliusbrücke, Potsdamerbrücke ou Märkisches Ufer.

Transports

■ *Service de renseignements de la Deutsche Bundesbahn (pour les* | horaires de trains) : ☎ 0180-5-99-66-33. • *db.de* • On peut également

INFORMATIONS ET ADRESSES UTILES

LE MÉTRO DE BERLIN

consulter avt le départ le site • dbfrance.fr • Tlj, 24h/24. Sinon, directement dans l'une des gares : Hauptbahnhof (plan général D2), Zoologischer Garten (zoom 1, C3), Friedrichstr (zoom 2, E2), Alexanderplatz (zoom 2, F2) et Ostbahnhof (plan Friedrichshain).

🚌 **Gare routière principale** (Zentrale Omnibus-Bahnhof Berlin ; hors plan général par A3) : Masurenallee 4-6, Charlottenburg. Bureau de rens : ☎ 302-53-61. Résas : ☎ 301-03-80. S-bahn : Witzleben. Près de la Funk-turm (tour de la Radio). Tlj 9h-18h.

■ **Confirmation des vols pour Tegel :** Air France, ☎ 41-01-27-15 ; Lufthansa, ☎ 018-03-80-38-03 ; Swiss, ☎ 41-01-26-15.

Location de vélos

■ **Fat Tire Bike Tour** *(zoom 2, F2) : Panorama Str 1a, au pied de la Fernsehturm.* ☎ *240-47-991.* ● *fattirebiketours berlin.com* ● *Tlj 9h30-20h (18h hors saison). 12 € la journée puis tarif dégressif. Réduc avec Welcome Card. Très bons vélos mi-ville, mi-VTT ; optez pour la gamme orange. Cette dynamique équipe de jeunes Américano-Européens organise également des parcours thématiques (IIIe Reich, guerre Froide...), avec un véritable plus : chacun a reçu une formation poussée en histoire en art (l'un d'entre eux a même reçu un prix de l'ambassade d'Israël pour ses travaux sur la Shoah !).*

■ **Berlin by Bike-Fahrradstation :** *résas au* ☎ *01805-10-80-00.* ● *fahrrad station.de* ● *Plusieurs points de loc : Dorotheenstr 30, à la gare Friedrichstr (zoom 2, E2) ; Bergmann Str 9, à Kreuzberg (plan général E5) ; Auguststr 29a ; Goethestr 46 ; Kollwitzstr 77 et Leipziger Str 56. Lun-ven 10h-19h30 (19h en hiver), sam jusqu'à 18h (16h en hiver). Possibilité de tour de ville guidé : avr-oct, w-e 10h-14h incluant les meilleurs spots de la capitale. Loc de vélos à partir de 5 €. Compter 15 € la visite guidée et la loc du vélo. Réduc avec Welcome Card.*

■ **Prenzlberger Orange Bikes** *(plan général F-G1) : Kollwitzstr 35 (le bureau-container orange).* ☎ *44-35-68-52. U-bahn : Senefelder Platz. Tlj 14h-18h. Loc : 6 € ; caution de 20 €. Jeune association dirigée par des adolescents qui prouvent à travers ce service de location de vélos leur sens de l'initiative et des responsabilités. Projet-pilote à soutenir... en pédalant !*

■ **Berlin on Bike :** *Kulturbrauerei, Knaackstr 97, 10435.* ☎ *44-04-8300.* ● *berlinonbike.de* ● *Départs tlj à 11h. Compter 18 € avec loc du vélo, 13 € si vous venez avec le vôtre. Réduc avec Welcome Card. Promenades guidées de 15 km et d'environ 4h autour des thèmes historiques et culturels (le Mur, la Prusse, Berlin-Est, le nazisme, etc.).*

■ La **Deutsche Bahn** *(DB) a lancé dans les grandes villes allemandes un système de location de vélos à partir des gares.* ● *callabike.de* ● *est disponible en anglais mais avec traduction mot à mot assez indigeste. Voir le site en allemand si vous comprenez la langue.*

Conseils utiles en vrac

– Hormis pour l'hôtellerie, Berlin reste l'une des capitales les moins chères d'Europe. Mais pour éviter les mauvaises surprises, sachez que tout est plus cher à Charlottenburg et Wilmersdorf. À l'Ouest, le quartier le plus abordable reste encore Kreuzberg. Malgré une tendance à l'uniformisation entre les quartiers Est et Ouest de la ville, ceux de l'Est demeurent moins onéreux.
– Et réjouissez-vous en restant prudent : Berlin est l'une des capitales européennes les plus sûres. La petite criminalité y est encore assez faible.
– Attention aux couloirs de pistes cyclables ! Ils ne se trouvent pas toujours sur la chaussée mais également sur les trottoirs.
– Vigilance aussi pour les automobilistes car les vélos sont prioritaires !
– Le club de cyclisme allemand *ADFC* a édité un petit guide de l'ensemble du réseau cyclable de la ville.

■ **ADFC :** *Brunnenstr 28.* ☎ *448-47-24.* ● *adfc-berlin.de* ● *Lun-ven 12h-20h, sam 10h-16h. Le guide est également disponible en librairie et dans les magasins de cycles.*

BERLIN, QUARTIER PAR QUARTIER

CHARLOTTENBURG-WILMERSDORF
(plan général A-B2-3-4-5 et zoom 1)

Pour les adresses de Charlottenburg, voir le zoom 1
au dos du plan général de la ville en fin de guide.

Traversé par la célèbre avenue du *Kurfürstendamm*, ou *Ku'damm*, qui s'étend sur 3,5 km. Ce quartier fut le centre de la vie mondaine et artistique des années 1920 – les « Champs-Élysées berlinois » – comme en témoignent les boîtes de jazz encore bien vivantes. Détruit en grande partie au cours de la Seconde Guerre mondiale, le Ku'damm est aujourd'hui une artère bruyante et commerçante qui attire la plupart des visiteurs. Si le quartier a perdu son statut privilégié de « vitrine de l'Ouest » du temps de la guerre Froide, une visite s'impose malgré tout si l'on aime faire du shopping : nombreuses boutiques de mode, de design et d'antiquaires. La plupart des rues sont bordées d'arbres qui ombragent les terrasses des cafés et des restaurants, de la *Fasanenplatz* à la *Savignyplatz*. Derrière la gare de *Zoologischer Garten* se trouve le quartier étudiant avec, notamment, l'université technique (TU) et l'université des Beaux-Arts (UdK).

Où dormir ?

Bon marché

🏠 **A&O Hostel and Hostel am Zoo** (zoom 1, C3, **36**) : Joachimstalerstr 1 et 3, 10623 Charlottenburg. ☎ 889-13-50. ● aohostels.com ● Situé en plein quartier animé du Ku'damm, dans un immeuble moderne au-dessus d'une galerie marchande qui abrite des sex-shops et le musée de l'Érotisme. Accès par un escalier mécanique. U-bahn et S-bahn : Zoologischer Garten. Nuitée en dortoir 10-15 €/pers (mais les prix peuvent augmenter en fonction de la demande). Grande AJ privée très fréquentée, avec les avantages et les inconvénients de ce genre d'établissement. Toutes les facilités : laverie, casiers, billards, Internet.

🏠 **Jugendgästehaus Central** (plan général B4, **21**) : Nikolsburger Str 2-4, 10717 Wilmersdorf. ☎ 873-01-88. ● berlin@jugendgaestehaus-central.de ● jugendgaestehaus-central.de ● U-bahn : Hohenzollernplatz ou Güntzelstr ; bus n⁰ˢ 249 et N9. Prévoir de 19,50 €, si vous partagez la chambre, à 24,25 €. Pour une simple, ajouter 5,50 €. Chambres de 1 à 6 lits. Petit déj compris. Loc de draps offerte à partir de 3 nuits, sinon compter 2,50 €/j. Carte des AJ pas nécessaire. Seules les cloches de l'église voisine brisent la quiétude de l'établissement. Les fenêtres ouvrent sur une impasse épargnée par le vrombissement des voitures. Chambres sommaires mais propres. Douche et w-c à l'étage, sauf pour les chambres de 6 lits. Possibilité de demi-pension et de pension complète. Gestion familiale et accueil courtois. Loue également des vélos.

🛏 **Jugendgästehaus am Zoo** (zoom 1, B3, **22**) **:** Hardenbergstr 9a, 10623 Wilmersdorf. ☎ 312-94-10. ● info@jgh-zoo.de ● jgh-zoo.de ● U-bahn : Ernst-Reuter-Platz ; S-bahn : Zoologischer Garten. Dortoir de 4 et 8 lits (pour les moins de 27 ans) 18 €/nuitée, drap en plus (4 €) ; double 46 € avec douche et w-c à l'étage. Supplément de 3 € pour les plus de 27 ans. Petit déj slt pour les groupes (20 €). Réduc de 10 % sur le prix de la chambre à partir de 3 nuits (sf groupes) sur présentation de ce guide. Au 4e étage d'un grand immeuble bourgeois très bien situé. AJ indépendante (pas besoin de carte) avec des chambres simples, doubles, et des dortoirs propres et calmes. Sanitaires sur le palier. Ensemble impeccable et pas trop grand.

Prix moyens

🛏 **Pension Peters** (zoom 1, B3, **33**) **:** Kantstr 146, 10623 Charlottenburg. ☎ 312-22-78. ● info@pension-peters-berlin.de ● pension-peters-berlin.de ● S-bahn : Savignyplatz. Double 79 €, petit déj inclus. Parking payant à proximité (10 €). Wifi. Très bien située, à deux pas des nombreux cafés et restos de Savignyplatz. Sans doute le meilleur accueil du quartier ! Une déco à l'image de son hospitalité : chaleureuse et dynamique. Des chambres claires, pour certaines très vastes, aux salles de bains impeccables.

🛏 **Motel One** (zoom 1, C3, **25**) **:** Kantstr 7-11a, 10623 Charlottenburg. ☎ 31-51-73-60. ● berlin-kudamm@motel-one.com ● motel-one.com ● U-bahn et S-bahn : Zoologischer Garten. Double 74 € ; petit déj 7,50 €. Wifi. Design at budget prices est la devise de cette chaîne d'hôtels qui compte déjà 5 autres établissements en ville. Situation idéale, chambres nickel avec technologie et gadgets mis en évidence... que du beau et du fonctionnel, pas de place pour le superflu. Ambiance apaisante et accueil relax semblent être aussi très « tendance ».

🛏 **Hotel-pension Funk** (zoom 1, B4, **26**) **:** Fasanenstr 69, 10719 Charlottenburg. ☎ 882-71-93. ● berlin@hotelpensionfunk.de ● hotel-pensionfunk.de ● U-bahn : Uhlandstr. Doubles 52-115 €, petit déj-buffet inclus ; simples sans douche à partir de 34 €. Immeuble ancien face au Käthe Kollwitz Museum, datant de 1895, de style Art Nouveau, avec vitraux et plafonds ouvragés. Accès par de beaux escaliers, intérieur de style Jugendstil intact avec des meubles d'époque et de tradition berlinoise, de petits lavabos accrochés aux murs, des tapis aux sols. Ambiance Berlin des années 1920 dans les grandes chambres claires et hautes de plafond. Asta Nielsen, star du cinéma muet, résida dans cet appartement où Chaplin lui rendait visite. Réservez pour une chambre de caractère et demandez-en une avec son mobilier Jugendstil et vue sur la rue ombragée.

🛏 **Hotel-pension Kima** (zoom 1, B4, **27**) **:** Wielandstr 27, 10707 Charlottenburg. ☎ 883-41-85. ● info@hotel-kima.de ● hotel-kima.de ● U-bahn : Savignyplatz. Simples à partir de 35 € sans douche et de 45 € avec douche et w-c ; doubles 55-85 € ; petit déj compris. 13 chambres au 4e étage. Très bel immeuble, ancien ascenseur en bois très chic, grandes chambres claires, accueil jovial, petit déj servi dans une belle salle, super réception sous verrière. Situé dans une perpendiculaire calme et ombragée du Ku'damm. Une adresse coup de cœur qui concurrence nettement les AJ.

🛏 **Hotel-pension Elegia** (zoom 1, B4, **29**) **:** Niebuhrstr 74, 10629 Charlottenburg. ☎ 49-80-72-20. ● post@hotel-pension-elegia.de ● hotel-pension-elegia.de ● U-bahn : Savignyplatz. Doubles 49-59 €, avec sdb partagée ou dans la chambre ; petit déj 6,50 €. Immeuble de caractère, bien situé, avec des chambres que l'on a rajeuni en égayant la déco ; une toile bariolée par ci, un abat-jour flashy par là, un tissu de rideau rigolo pour la touche finale. Ça sent le propre, le linge de lit est frais, même si le mobilier n'est pas de toute première catégorie. Prix tout à fait raisonnables pour le confort.

🏠 *Hotel-pension Modena* (zoom 1, B4, 27) : Wielandstr 26, 10707 Charlottenburg. ☎ 885-70-10. • info@hotel-modena.de • hotel-modena.de • U-bahn : Savignyplatz. Doubles 85-95 € ; triples 100-125 €, avec bains ou douche ; petit déj 10 €. Une adresse qui touche au Ku'damm. Grand immeuble bourgeois, rassurant et calme, dans un secteur résidentiel et cossu, abritant cette belle pension familiale aux chambres coquettes, confortables et bien tenues. Les simples ont la douche et les w-c à l'étage, les doubles ont douche et w-c à l'intérieur de la chambre. Bon accueil.

🏠 *Hotel Aida* (zoom 1, B4, 31) : Knesebeckstr 29, 10623 Charlottenburg. ☎ 881-21-29. • info@hotelaida.de • hotelaida.de • U-bahn : Uhlandstr. Doubles 69-79 €, petit déj inclus. Près de la brasserie *Sachs*, l'un des restaurants les plus courus de Charlottenburg. Situé dans un bel immeuble bourgeois (haut perron chic, moquette rouge, vieux poêle en faïence). Chambres spacieuses, claires et confortables avec salle de bains et w-c, TV et Internet. Un style classique et fonctionnel avec quelques clins d'œil kitsch dans la déco qui le rendent attachant.

🏠 *Art Hotel Charlottenburger Hof* (zoom 1, A3, 35) : Stuttgarter Platz 14, 10627 Charlottenburg. ☎ 32-90-70. • charlottenburger.hof@t-online.de • charlottenburgerhof.de • S-bahn : Charlottenburg ; U-bahn : Wilmersdorfer Str ; bus n° 109. Réception au 1er étage. Doubles 55-120 € selon confort ; petit déj-buffet 8 €. Parking payant. Ordinateur et accès Internet gratuit dans les chambres. Coffre-fort. Hôtel à taille humaine (45 chambres) à la décoration soignée et colorée, toujours avec une pointe d'humour. Un peu Mondrian par-ci, Kandinsky par-là, graphique japonisant ou arc-en-ciel ; à croire qu'un grand enfant s'est amusé à mélanger les genres pour faire un pied de nez à l'uniformité !

🏠 *Pension Güntzel* (plan général C4-5, 38) : Güntzelstr 62, 10717 Wilmersdorf.

☎ 857-90-20. • direktion@pension.guentzel.de • pension-guentzel.de • U-bahn : Güntzelstr. Installée dans le même immeuble que la pension München, à l'étage au-dessous. Doubles 55-69 € selon saison, avec lavabo ou douche, w-c à l'extérieur ; 64-79 € pour celles équipées de w-c ; petit déj inclus. Garage payant. Réduc si l'on reste plus de 6 nuits. Sur présentation de ce guide, vous paierez le prix de basse saison tte l'année (sf en période de salon). Chambres correctes, austères, mais bien tenues et somme toute confortables. Accueil plein de gentillesse du propriétaire, qui parle le français.

🏠 *Hotel-pension München* (plan général C4-5, 38) : Güntzelstr 62, 10717 Wilmersdorf. ☎ 857-91-20. • kontakt@klicksite.de • hotel-pension-muenchen-in-berlin.de • U-bahn : Güntzelstr. Situé au 3e étage. Doubles 78-98 €, petit déj inclus. Loue également un appart décoré avec beaucoup de goût, pour 2 ou 4 pers, comprenant chambre, sdb et cuisine (compter 88-108 €). Garage payant (6 €). Wifi. Dans le quartier résidentiel de Bayrisches Viertel. Une adresse coup de cœur, à prix sages, près de Charlottenburg. Heureuse inspiration de la décoratrice des lieux, Renate, une artiste authentique : chaque chambre a fait l'objet d'un soin particulier et les parties communes abritent une exposition permanente de ses œuvres. Les chambres nos 11 et 16 disposent d'un balcon.

🏠 *Hotel-pension Elite* (zoom 1, C4, 37) : Rankestr 9, 10789 Charlottenburg. ☎ 881-53-08. • eliteberlin@gmx.de • elite-berlin.de • U-bahn : Kurfürstendamm. Réception à partir de 18h. Sans résa, vous risquez de trouver porte close. Doubles 44-105 € selon confort. Garage payant (8 €). Une adresse très centrale, mais dans un coin calme. Au 4e étage d'un immeuble bourgeois un peu sombre. Pension très bien tenue par une jeune patronne venue de l'Est. Calme et familiale, chambres avec ou sans salle de bains.

CHARLOTTENBURG-WILMERSDORF

Plus chic

🏠 *Hotel Bogota* (zoom 1, B4, 34) : Schlüterstr 45, 10707 Charlottenburg. ☎ 881-50-01. • info@hotel-bogota. | de • hotel-bogota.de • U-bahn : Uhlandstr ; S-bahn : Savignyplatz. Doubles 69-120 € selon confort, petit déj inclus. *Parking payant*. Hôtel de charme avec un design très épuré et vraiment chic. En bordure du Ku'damm, le *Bogota* est un symbole du tumultueux passé de Berlin. Alors que, dans les années 1930, Oskar Skaller, riche collectionneur d'art, accueillait dans ses salons artistes et hommes politiques, aux 4e et 5e étages se trouvait l'atelier de la célèbre photographe de mode YVA (avec son jeune assistant, Helmut Newton). À partir de 1942, le 2e étage (aujourd'hui salle commune) devient le bureau de la Culture du Reich, dirigé par Hans Hinckel. Ce sont les années noires de l'immeuble. Une des toutes premières expositions d'art de l'après-guerre est organisée dans ses locaux en juillet 1945. Le *Bogota*, devenu hôtel à partir de 1964, renoue avec son histoire en organisant fréquemment des expositions, offrant un cadre inhabituel aux résidents.

â *Ku'damm 101 Hotel* (plan général A4, **42**) : *Kurfürstendamm 101, 10711 Charlottenburg.* ☎ *52-00-55-0.* ● *info@kudamm101.com* ● *kudamm1 01.com* ● *S-bahn : Charlottenburg ; U-bahn : Adenauer Platz. À l'angle avec Joachim-Friedrich Str. Doubles 119-250 € selon catégorie (douche ou baignoire) et pour un volume généreux ; petit déj 15 €. Si l'on réserve sur Internet, possibilité de tarifs très intéressants.* Hôtel design et techno chic, au style minimaliste mais pas trop froid. Chaises style Jacobsen, meubles TV dessinés par 2 jeunes designers allemands, *lounge* avec 3 lits moelleux, bois, néons en forme de colonnes et amphores lumineuses, petits sièges et animaux bizarres à la Casimir. Chambres très confortables, de 20 à 40 m^2, aux couleurs choisies selon le goût de Le Corbusier : brun, gris ou pourpre.

â *Propeller Island City Lodge* (zoom 1, A4, **43**) : *Albrecht-Achilles Str 58, 10709 Wilmersdorf.* ☎ *891-90-16.* ● *propeller-island.com* ● *S-bahn : Charlottenburg ; U-bahn : Adenauer Platz. Attention,* check-in *8h-12h ; sinon, il faut fixer un rdv. Doubles 79-190 € selon déco, avec ou sans douche et w-c ; petit déj 7 €.* Un des hôtels les plus originaux et excentriques de Berlin. Et lorsqu'on parle d'imagination, le mot est faible... Ici, les 30 chambres sont différentes, marquées par le talent du proprio, le musicien Lars Stroschen. Un cachot attend les apprentis bagnards, une pyramide précolombienne fait office de lit, une pièce inversée avec des meubles fixés au plafond désorientera les adeptes de l'attraction terrestre. De quoi dynamiser les rêves, « bercés » par une composition sonore made in *Propeller* ! On est loin des chaînes hôtelières sans caractère...

â *Hotel-pension Savoy* (zoom 1, C4, **41**) : *Meinekestr 4, 10719 Charlottenburg.* ☎ *884-71-610.* ● *info@hotel-pension-savoy.de* ● *hotel-pension-savoy. de* ● *U-bahn : Kurfürstendamm. Doubles 109-129 € selon confort et jour de la sem, petit déj inclus. CB refusées.* Bien situé, au cœur du Ku'damm, au 1er étage d'un immeuble de caractère. Grandes chambres avec douche et w-c, téléphone et TV. Décoration recherchée mais un peu kitsch, qui rappelle un peu les pays de l'ex-URSS. Meilleur rapport qualité-prix pour les chambres familiales jusqu'à 5 personnes.

Où manger ?

Bon marché

|●| *Soup Kultur* (zoom 1, C4, **103**) : *Kurfürstendamm 224.* ☎ *426-83-19. Entrée au début de la Meinekestr. U-bahn : Kurfürstendamm. Autres filiales : Rosa-Luxemburg Str 7 et Vineta Str 50. Tlj sf dim 12h-18h. Compter 3-5 €.* Rien de mieux qu'une soupe, surtout quand elle est faite maison. Froide ou chaude en fonction de la saison, à déguster sur le pouce, mais souvent debout, dans cet *Imbiss* nouvelle génération à la déco tonique. Large choix : soupes aux carottes, mexicaine, ou encore indonésienne.

|●| *Resto U de la TU* (Technische Universität ; zoom 1, B3, **101**) : *Hardenberger Str 34. U-bahn : Ernst-Reuter Platz. Au niveau de la Steinplatz. Lun-ven 11h-*

14h45. C'est le bâtiment à gauche de la *Hochschule der Künste* (école des Arts). **|●| Cafétéria de la TU** *(zoom 1, B3, 102)* : Ernst-Reuter Platz 7. ☎ 939-77-80. Au 20ᵉ étage, dans l'immeuble de la TU. U-bahn : Ernst-Reuter Platz. Lun-ven 7h30-16h. Petits sandwichs 1 €, plats chauds simples env 3 €. Moins de choix qu'au resto U, mais on y va pour le magnifique point de vue sur le Tiergarten, la Siegessäule et la tour de la Télévision.

Prix moyens

|●| Bleibtreu *(zoom 1, B4, 106)* : Bleibtreustr 45. ☎ 881-47-56. S-bahn : Savignyplatz. Tlj 9h30-1h (2h ven-sam). Petit déj-buffet le w-e 6 € (9h30-15h30), idéal si on loge dans le coin. Plats 5-10 €. Un classique sans façon, pas cher et chaleureux. Bistrot à la devanture toute rouge et au décor sixties : miroirs, banquettes en moleskine et cabine téléphonique british. Propose quelques plats pour grosse fringale à budget serré, comme des pâtes, omelettes pour fauchés au ventre creux. On peut y consulter le programme des manifestations en ville, ainsi que toute la presse. Service escargot. Juste à côté, vous avez le plan pizza *Imbiss* le moins cher du quartier. Bancs au-dehors.

|●| Sachs *(zoom 1, B4, 31)* : Knesebeckstr 29. ☎ 889-108-25. ● sachs-berlin@gmx.de ● S-bahn : Savignyplatz ; U-bahn : Uhlandstr. À la même adresse que l'hôtel Aida. Tlj 9h-1h du mat. Plats du jour, salades et plats de pâtes à partir de 6 € ; menu midi 9,50-10,50 €. Resto à la clientèle très *Promis* (comprenez *Prominente*, pour désigner les personnalités du monde du sport et du spectacle). Décor simple mais élégant, avec une grande salle et sa terrasse : *Sachs* offre une belle carte et un service impec'. Prix raisonnables pour une cuisine inventive : le croque-*Sachs* au beurre de cacahuètes vous réveillera les papilles. Des plats plus complets calmeront les appétits moyens : tartare de saumon à l'huile parfumée à l'aneth et crème fraîche sur toast Pumpernickel (pain spécial noir et « humide »). Une bonne adresse, vivante et créative.

|●| Zwölf Apostel *(zoom 1, B3, 104)* : Bleibtreustr 49. ☎ 312-14-33. ● berlin@12-apostel.de ● S-bahn : Savignyplatz. Dans le Savignypassage, le long du S-bahn. Il existe une autre adresse : Georgenstr 2 (Berlin-Mitte, zoom 2). Résa vivement conseillée. De 5 € (prix du plat du jour à midi) à 15 € ; pizza à moitié prix entre 12h et 16h. Une institution à Charlottenburg. Très fréquenté par les Berlinois, qui affectionnent tout particulièrement ce genre de bistrot italo-germanique, de style baroque, prolongé par un jardin d'hiver. Un peu cher tout de même.

|●| El Borriquito *(zoom 1, B3, 109)* : Wielandstr 6. ☎ 312-99-29. U-bahn : Wilmersdorfer Str ; S-bahn : Savignyplatz. Tlj 19h-5h du mat ! Résa conseillée si vous ne voulez pas manger au comptoir. Paella, plats à base de porc, bœuf, mouton ou poisson 9-14 €. Murs décorés d'objets hétéroclites (guitares, assiettes, pichets, gousses d'ail, maïs...), décor et cuisine hispaniques. Excellentes spécialités de poisson et joli choix de vins ibériques.

|●| Nu *(zoom 1, B3-4, 112)* : Schlüter Str 55. ☎ 88-70-98-11. S-bahn : Savignyplatz. Tlj 12h (14h sam)-minuit. Menu 14 € ; plats 8-16 €. Nu is new, nouveau dans le Berlin charlottenbourgeois où l'on se montre. Grande salle aux murs de néons colorés et terrasse agrémentée d'un parasol balinais. Bien sûr, la gastronomie paie ici un petit tribut à la branchitude. Cuisine panasiatique, *bo bun*, salades, *pho bo*, *wan tan* ou *tom kah gai* en 2 tailles, wok végétarien. Grande terrasse au soleil de midi l'été.

|●| Good Friends *(zoom 1, B3, 114)* : Kantstr 30. ☎ 313-26-59. S-bahn : Savignyplatz. À l'angle de la Schlüter Str. Tlj 12h-2h. Plats végétariens, de viande ou de poisson 7-17 € ; formule midi env 7 €. Décor sans chichis, ambiance néon blafard, mais un bon resto chinois. Chinatown à Charlottenburg, vrai de vrai, ambiance comme là-bas, avec tellement de Chinois qu'on s'y croirait. Les plats ne sont pas tous bon marché, mais ils sont assurément

CHARLOTTENBURG-WILMERSDORF

succulents et copieux. Service rapide.

|●| *Brauhaus Lemke und Schloss* (plan général A2, **116**) : Luisenplatz 1. ☎ 30-87-89-79. *U-bahn :* Richard-Wagner Platz ou Sophie-Charlotte Platz, puis marcher 10 mn. À côté du château de Charlottenburg. Tlj 9h-1h (2h le w-e). Plats 3-7 €. Belle situation, face au château, ce qui attire pas mal de touristes (bien regarder l'addition, le service est inclus mais rien ne vous empêche de laisser un pourboire). Cuisine irréprochable, cuves en cuivre et tuyaux qui s'entremêlent pour distiller une excellente bière maison. Plats du jour, *Schnitzel* et ribambelles de saucisses à prix très raisonnables, copieux et goûteux. Choix de desserts restreint. Pause agréable entre 2 visites. Grande terrasse.

|●| *Diener* (zoom 1, B3-4, **105**) : Grolmannstr 47. ☎ 881-53-29. *S-bahn :* Savignyplatz. Tlj 18h-3h. Tant qu'il y aura des *Kneipe*. Incroyable adresse, qui trouble dès qu'on a passé la porte. Rien n'a changé ici depuis que le cinéaste américain Billy Wilder décernait à *Diener* sa palme d'or du meilleur restaurant berlinois. Ce n'est malheureusement plus le cas. Lieu empreint de nostalgie, qui conviendra aux cinéphiles.

Plus chic

|●| *Florian* (zoom 1, B3, **120**) : Grolmanstr 52. ☎ 313-91-84. ● info@rflo.de ● *S-bahn :* Savignyplatz. Tlj 18h-3h. Repas complet 15-30 €. L'un des restos les plus courus du quartier de Savignyplatz, où vient se montrer une clientèle aisée. Un croisement entre le néobistrot parisien et le resto milanais branché. Prix sages pour peu que l'on ne s'éloigne pas des produits de la Baltique. Carte pas très longue, mais cuisine de qualité. Bon choix de vins. Terrasse.

|●| *Baba Angora* (zoom 1, B4, **110**) : Schülterstr 29. ☎ 323-70-96. ● info@babaangora.de ● *S-bahn :* Savignyplatz. Repas complet 15-20 €. Intérieur en pierre brute rehaussé par des tapisseries rouges et des bas-reliefs... pas très turque comme déco. Revenons donc à l'essentiel : délicieux *mezze* froids et chauds, puis les classiques *köfte* (bâtonnets de viande hachée), de l'agneau en sauce et des plats végétariens. Service efficace et discret.

|●| *Marjelichen* (zoom 1, B4, **113**) : Mommsenstr 9. ☎ 883-26-76. *S-bahn :* Savignyplatz. Tlj 17h-23h30. Plats 10-20 €. Un restaurant allemand typique, pour ceux qui veulent découvrir la cuisine de la Prusse orientale, de Poméranie et de Silésie. Un très beau bar. Ambiance traditionnelle à l'ancienne, très *gemütlich*. Parfois, le patron se met à chanter ou à réciter des poésies (quand il est inspiré).

|●| *Diekmann* (zoom 1, B-C4, **117**) : Meinekestr 7. ☎ 883-33-21. ● meineke@j-diekmann.de ● *U-bahn :* Kurfürstendamm ou Uhlandstr. Tlj 12h (18h dim)-23h30. Formule midi 11 € ; plats env 17 €. Le soir, les prix des menus montent en flèche : compter env 40 €. Avec son atmosphère d'épicerie coloniale, ce bistrot chic propose une carte déclinée au gré du marché et des saisons. Les plats à la présentation recherchée prennent leur source dans un mélange bien orchestré de cuisines allemande et française. Seul regret, les portions sont parfois un peu légères.

|●| *Ottenthal* (zoom 1, B3, **118**) : Kantstr 153. ☎ 313-31-62. ● restaurant@ottenthal.com ● *S-bahn :* Savignyplatz. Tlj 18h-1h. Plats 15-20 € ; menu 25,50 €. Sans doute la meilleure ambassade de la gastronomie autrichienne à Berlin. Cadre épuré en rouge et blanc, couleurs du drapeau. *Knödel* (quenelles) et *Wiener Schnitzel* (escalope de veau panée) servis au rythme de la vieille horloge centenaire, tout droit rapportée d'Ottenthal, village situé à 60 km de Vienne. Large carte de vins, proposant également des vins du proprio, vigneron à part entière dans son village d'origine. Service et accueil courtois.

|●| *Dressler* (zoom 1, B4, **119**) : Kurfürstendamm 207-208. ☎ 883-35-30. *U-bahn :* Kurfürstendamm ou Uhlandstr. Juste à côté du Theater am Kurfürstendamm. Ouv dès 8h ; cuisine chaude 11h-minuit. Plat env 20 € ; menus

11,50-14 €. Brasserie à l'allure presque parisienne, avec ses colonnades sang-de-bœuf et son style Art déco. Plats savoureux avec, comme spécialités, le filet de sandre *(Zanderfilet)*, le foie de veau *(Kalbsleber)* et les côtelettes d'agneau *(Lammkotelett)*. Grand choix de fruits de mer ; essayez les huîtres de Sylt. Bon choix de desserts.

|●| **Samowar** *(plan général A2, 121) : Luisenplatz 3.* ☎ *341-41-54.* ● *webmaster@restaurant-samowar.de* ● *U-bahn : Richard-Wagner Platz ou Sophie-Charlotte Platz, puis marcher 10 mn. Tlj dès 11h30. Carte 12,50 € ; buffet à volonté à midi à partir de 8,50 €. Café offert sur présentation de ce guide.* Ne pas s'arrêter à l'aspect extérieur de ce restaurant russe. Cuisine solide, spécialités de gibier. Excellent bœuf Strogonoff, avec pommes de terre frites en filaments. Certains soirs, des musiciens entonnent à votre table des ballades aux accents nostalgiques. On se croirait dans *Docteur Jivago !* Terrasse.

|●| **Kempinski Eck** *(zoom 1, B4, 111) : Kurfürstendamm 27.* ☎ *20-45-45-45. U-bahn : Uhlandstr.* Un des grands hôtels de Berlin fait resto, au coin du Ku'damm et de la Fasanen Str. À midi, plats du jour 9-15 €. La cuisine vaut le coup pour des prix raisonnables. La déco n'a rien d'exceptionnel, mais la carte offre une galerie des saveurs berlinoises d'antan, revisitées par le chef, comme ce poulet à la bière « Berlin style », ou encore un traditionnel jarret de porc sur une choucroute. L'après-midi, des gâteaux parmi les meilleurs du quartier, avec une merveille de *Käsesahnetorte.*

Où boire un verre ? Où sortir ?

Cafés littéraires, cafés d'artistes

|●| 🍸 **Café Im Literaturhaus** *(zoom 1, B4, 211) : Fasanenstr 23.* ☎ *882-54-14.* ● *literaturhaus@berlin.de* ● *U-bahn : Uhlandstr. À côté du musée Käthe Kollwitz et de la belle galerie à l'entrée gratuite Villa Grisebach. Tlj 9h30-1h. Plats 6-12 €. CB refusées.* Pas besoin d'aimer la littérature pour apprécier le charme de ce café-resto charlottenbourgeois. Grande villa entourée d'un jardin fleuri de roses l'été, très agréable pour s'isoler du bruyant Ku'damm. Cosy dans le jardin d'hiver. Salles hautes de plafond, grandes fenêtres donnant sur le jardin. Petit plus : librairie au sous-sol avec lectures et présentation d'auteurs toute l'année (courte pause en été). Sandwichs, plats du jour, carte variée et petite cave.

|●| 🍸 **Die Dicke Wirtin** *(zoom 1, B3, 217) : Carmen Str 9.* ☎ *312-49-52. S-bahn : Savignyplatz. Tlj de 12h jusqu'à tard dans la nuit.* Joyeux café gayment *deutsch* avec un bon choix de bières, vins et apéritifs en plus d'une petite carte de plats de viande, harengs et saucisses. La bonne cuisine de maman quoi !

|●| 🍸 **Julep's New York** *(zoom 1, B4, 213) : Giesebrechtstr 3.* ☎ *881-88-23.* ● *info@juleps-berlin.de* ● *Tlj 17h-1h (2h pour le resto).* Ses murs en brique rouge témoignent de l'inspiration new-yorkaise de ce bar-resto-*nightclub.* Toujours bondé : nombreux jeunes venus pour son ambiance américaine. Quelques plats (salades, *quesadillas,* poulet teriyaki).

🍸 **Hefner** *(zoom 1, B3, 214) : Savignyplatz, à l'angle avec Kantstr 146.* ☎ *31-01-75-20.* ● *mail@hefner-berlin.de* ● *S-bahn : Savignyplatz. Ouv 15h-3h en sem, bien plus tard le w-e.* Suivant la tendance des cafés *lounge* à la déco épurée et à la lumière tamisée, le *Hefner* ne coupe pas à la règle. Surtout fréquenté le week-end par les jeunes branchés du coin. Bonne musique, parfois soirée avec DJ, demander le programme.

🍸 **Bar du Paris Bar** *(zoom 1, B3, 215) : Kantstr 152.* ☎ *31-01-50-94. S-bahn : Savignyplatz ; U-bahn et S-bahn : Zoologischer Garten. Tlj sf lun, dès 19h ; resto ouv 12h-2h.* Le mythique resto *Paris Bar,* au style très parisien et fréquenté par moult cinéastes, artistes et hommes d'affaires, peut s'avérer une halte sympathique le temps d'un verre. Resto à prix élevés.

Bars à cocktails

🍸 *Gainsbourg* (zoom 1, B3, **212**) : Savignyplatz 5. ☎ 313-74-64. ● frido@gainsbourg.de ● S-bahn : Savignyplatz. Au début de la Knesebeckstr. Attention, la terrasse du bar d'à côté le cache un peu. Tlj dès 17h. Cocktail env 10 €. Bar américain proposant une gamme de cocktails. Ambiance décontractée, qui devient surchauffée quand la nuit tombe. C'est un secret de polichinelle de vous révéler que ce bar est dédié à notre cher Gainsbarre national.

🍸 *Schwarzes Café* (zoom 1, B3, **218**) : Kantstr 148. ☎ 313-80-38. S-bahn : Savignyplatz. Ouv 24h/24 sf mar entre 3h et 11h. Nombreux cocktails env 5 € et possibilité de se restaurer. Le bar jeune et étudiant par excellence. *The* lieu incontournable, bondé à toute heure. À l'étage, longue salle parsemée de petites tables rondes. Ambiance musicale sous la lumière vacillante des bougies. N'oubliez pas d'aller visiter les toilettes, elles valent le coup d'œil.

🍸 *Galerie Bremer* (zoom 1, B4, **284**) : Fasanenstr 37. ☎ 881-49-08. ● galerie-bremer.de ● Tlj sf dim, à partir de 20h. Cocktails à partir de 9 €. CB refusées. C'est un bar style chic nocturne, à l'arrière d'une galerie d'art. C'est là son charme. Le bar en forme de bateau est l'œuvre de Hans Scharoun, architecte et designer bien connu. Ambiance de club très paisible, où rien n'a changé depuis 1955, l'époque où Billy Wilder et Romy Schneider y venaient commander leur *drink*. Ce n'est pas un troquet routard, mais c'est une adresse incontournable pour ceux qui ont la nostalgie des fifties.

Où écouter de la musique ?

🍸 🎵 *Quasimodo* (zoom 1, B-C3, **219**) : Kantstr 12a. ☎ 312-80-86. ● info@quasimodo.de ● quasimodo.de ● S-bahn et U-bahn : Zoologischer Garten. À l'angle de la Fasanenstr. Concerts à 22h. Arriver assez tôt pour avoir une table. Cette institution du jazz berlinois fait à la fois café, cinéma et club. Bonne ambiance, boissons bon marché et musique live presque chaque soir. Pas sectaire : on n'y joue pas seulement du jazz, mais aussi du blues, de la folk ou de la soul.

À voir

🏛 *Berggruensammlung* (collection Berggruen ; plan général A2, **326**) : Schloss Str 1. ☎ 32-69-58-15. ● sbm.museum.de ● U-bahn : U2 Sophie-Charlotte Platz ou U7 Richard-Wagner Platz ; bus nos 109, 145, 210. Tlj sf lun 10h-18h. Entrée : 8 € ; réduc.
Heinz Berggruen quitte l'Allemagne nazie en 1936 pour se réfugier aux USA. Il devient l'assistant du conservateur du musée de San Francisco. Après la guerre, il participe à la réalisation d'une revue destinée à réhabiliter l'*Art dégénéré* auprès des Allemands. Dépêché à l'Unesco à Paris, il ouvre une galerie place Dauphine et acquiert une renommée internationale. N'oubliant pas sa ville natale, il confie à la ville de Berlin, pour 10 ans, une collection d'art moderne qu'il avait déjà prêtée à Londres.
Remarquablement mise en valeur dans un pavillon très lumineux, la collection « Picasso et son temps », outre des tableaux du maître, rassemble des œuvres de Klee, Matisse, Van Gogh et Braque. Également plusieurs magnifiques pièces de sculpture africaine. Mais le clou de la collection est certainement les 110 œuvres de Picasso (natures mortes, portraits, gravures, sculptures et dessins). Pour bien saisir le personnage de Berggruen, il faut savoir qu'il n'hésita pas à faire du troc, échangeant plusieurs œuvres de Matisse contre le *Paysage en automne* de Van Gogh. Retenons une étude de 1907 pour *Les Demoiselles d'Avignon*. Considérée comme majeure, cette étude avait été offerte par Picasso à un marchand de couleurs qui lui

avait fourni de la peinture à l'huile pendant la guerre. Au dernier étage, un groupe de sculptures met en scène des personnages filiformes, typiques de l'œuvre de Giacometti.

🖌 **Bröhan Museum** (musée Bröhan ; plan général A3, **327**) : Schloss Str 1a. ☎ 32-69-06-00. ● broehan-museum.de ● S-bahn : S4, S45, S46 Westend ; U-bahn : U2 Sophie-Charlotte Platz ou U7 Richard-Wagner Platz ; bus nᵒˢ 109, 145, 210. Juste à côté de Berggruensammlung. Tlj sf lun 10h-18h. Entrée : 6 € ; plus cher lors d'expos particulières ; gratuit moins de 18 ans et pour ts le 1ᵉʳ mer du mois. Ce musée des Arts décoratifs présente une collection privée, constituée par Karl Bröhan. On y trouve des objets artisanaux ou industriels, des meubles, des statues et des peintures réalisés entre 1890 et 1940. La présentation, qui vise à associer les différentes œuvres pour créer une atmosphère d'intérieur d'époque, en fait toute l'originalité. On aurait bien envie de s'asseoir dans un fauteuil Ruhlmann ou de prendre place devant le secrétaire de Louis Majorelle ! On admire les vases de Bohême, les porcelaines danoises, les luminaires et chandeliers en métal. L'école française est bien représentée : verres de Gallé, meubles de Guimard et porcelaines de Sèvres.

🏰🏰🏰 **Schloss Charlottenburg** (château de Charlottenburg ; plan général A2, **332**) : Luisenplatz. ☎ 32-09-11. ● spsg.de ● U-bahn : Richard-Wagner Platz ou Sophie-Charlotte Platz ; puis marcher 10 mn. Le moyen de transport le plus rapide est le bus nᵒ 109 au Kurfürstendamm, arrêt Luisenplatz, ou nᵒ 145 ou 210. Tlj sf lun 10h-18h (17h nov-fin mars). Entrée : Altes Schloss 10 € (réduc 7 €), Neuer Flügel 6 € (réduc 5 €). Vestiaire obligatoire gratuit. Audioguide en français gratuit. Brochure en français. Plusieurs possibilités de Tageskarte familiales à différents prix (voir le site), valables également pour les sites et édifices du parc de Sans-Souci à l'exception du château.. Un bon plan donc, à condition de pouvoir visiter les 2 sites le même jour.

SOPHIE-CHARLOTTE, UNE « REINE ÉCLAIRÉE »

Épouse du roi de Prusse Frédéric Iᵉʳ, Sophie-Charlotte de Hanovre est passionnée de musique, de théâtre et de sciences (le savant Leibniz l'influença). Elle fut la première femme à accéder au trône de Prusse. Dans l'intention de faire de son château de Lützow la « cour des Muses », elle attire les meilleurs artistes et savants de son temps. Curieuse de tout, elle s'intéresse à l'Extrême-Orient, collectionne les porcelaines et les chinoiseries. Francophile, elle s'inspire du style français. Elle s'éteint en 1705, à l'âge de 37 ans seulement. Son tombeau se trouve dans l'église Berliner Dom à Berlin. Frédéric Iᵉʳ, en hommage à son épouse qu'il estimait, rebaptisa son palais de Lützow en Charlottenburg.

C'est un des plus beaux exemples d'architecture baroque à Berlin. Tout a commencé à la fin du XVIIᵉ s à Lützow, qui n'était alors qu'un village entouré de champs et de vergers. En 1695, l'Électeur Frédéric III y fait construire schloss Lietzenburg, un palais d'été pour son épouse Sophie-Charlotte de Hanovre. En 1701, l'Électeur devient roi de Prusse et s'appelle désormais Frédéric Iᵉʳ. Il fait agrandir le château. À la mort de la reine Sophie-Charlotte en 1705, le château change de nom et devint Charlottenburg.

Plusieurs fois agrandie au cours du XVIIIᵉ s, la propriété entourée d'un grand parc s'enorgueillit désormais d'une façade de plus de 500 m grâce à ses deux grandes ailes. Un faubourg résidentiel se développe autour du château et conserve son autonomie jusqu'en 1920. Gravement touché par les bombardements de la Seconde Guerre mondiale, le château a été reconstruit à l'identique après 1945. Résultat : l'ensemble manque un peu de charme, sans doute à cause de cette peinture jaune... bien que la cour et le dôme aient de l'allure.

– **Altes Schloss** : au rez-de-chaussée. Une vingtaine de pièces, dont la plus intéressante est le **cabinet des Porcelaines.** Celui-ci renferme une importante collection de porcelaines de Chine : vases, assiettes, statuettes et objets divers décorent les murs et les niches jusqu'au plafond. Remarquer aussi la jolie chambre aux damas rouges, la chapelle au style sobre et l'insolite *galerie chinoise,* tout en boiserie, qui témoigne du goût du XVIIIe s pour la Chine et les « chinoiseries ». En fin de parcours, on visite les appartements de Sophie-Charlotte.

– *La nouvelle aile (Neue Flügel) :* à droite du château, quand on est dans la cour, connue aussi comme l'aile Knobeldorff (nom de son architecte). Mer-lun 10h-18h avr-oct, 11h-17h nov-mars. Visite non guidée. Cette aile est la partie la plus intéressante. Elle abrite les *appartements de Frédéric II, dit le Grand* (1740-1786) et ceux de son successeur *Frédéric-Guillaume II* (1786-1797). Contraste étonnant entre les deux hommes, qui se retrouve dans la différence des styles de leurs appartements, tous deux éblouissants de luxe. Voir notamment la fameuse *Goldene Galerie* et les tableaux de l'école française, chers à Frédéric le Grand, comme *L'Enseigne de Gersaint* et *L'Embarquement pour Cythère* de Watteau (en fait, une version plus élaborée mais moins poétique que celle qui se trouve au Louvre).

– L'aile gauche abrite la *Grande Orangerie* (expositions temporaires).

🎭 *Le parc du château (Schlossgarten ; plan général A2) :* derrière le château. Tlj 8h-21h (22h en été). Entrée libre. Promenades à vélo autorisées.

Un havre de paix ! Voilà un jardin à la française (1697) qui a subi l'influence de la mode du jardin anglais au XIXe s, avec son fleuve (la Spree), son « étang aux carpes » et son jet d'eau. À droite : le *Neue Pavillon* connu aussi comme le *pavillon Schinkel* (réouverture prévue en 2010 après restauration). Construit par Schinkel en 1824 pour le roi Frédéric-Guillaume III qui s'y installa pour y vivre, préférant la simplicité du pavillon au faste de son palais attenant.

Au fond du parc, on trouve un *mausolée* (fermé en 2010), petit bijou d'antiquité avec ses colonnes doriques, qui abrite les tombeaux de Frédéric-Guillaume III et de sa femme la reine Louise, ainsi que ceux de l'empereur Guillaume Ier et de sa femme Augusta.

Derrière l'étang, un *belvédère (tlj sf lun 10h-18h avr-oct, 12h-16h nov-mars ; entrée : 3 €).* Collection de porcelaines berlinoises. Une pure merveille, souvent oubliée des touristes. Un conseil : grimpez tout de suite au dernier étage. Vous commencerez ainsi la visite par les objets les plus anciens. Vous pouvez toujours essayer de comprendre pourquoi le jardin français, dessiné par Godeau au XVIIIe s, fut transformé par Lenné en jardin anglais lors des excursions de Napoléon...

🎭 *The Story of Berlin (zoom 1, B4, 329) :* Kurfürstendamm 207-208. ☎ 88-72-01-00. ● story-of-berlin.de ● U-bahn : U15 Uhlandstr ou U9 Kurfürstendamm ; S-bahn : Savignyplatz ; bus n°s 109, 110, M29 et M19. Dans le Ku'damm Karree. Tlj 10h-20h (dernière entrée 18h). Entrée : 9,80 € ; réduc. Textes en allemand et en anglais, plan des salles en français sur demande.

Dans une galerie commerçante donnant sur le Ku'damm, une passionnante exposition permettant de revivre toute l'histoire de la capitale allemande. *The Story of Berlin* entraîne les visiteurs dans un voyage dans le temps, depuis la fondation de Berlin en 1237 jusqu'à nos jours. Grâce à une sonorisation 3D, des écrans tactiles, un tunnel à remonter le temps et des pièces vivantes à thème, les visiteurs ont vraiment la sensation de revivre l'histoire de la ville. Vingt-quatre salles réparties sur 7 000 m² retraçant les défilés militaires sur Unter den Linden sous Frédéric II jusqu'à la chute du Mur en 1989.

Les séquences les plus réussies : l'évocation de la révolution industrielle, la proclamation du Reich à Versailles en 1871, les tombes de 1914-1918, le cinéma des Années folles, puis la plongée au sous-sol, vers l'enfer, via un escalier rempli de portraits des victimes du nazisme, l'élimination des opposants, l'incendie du Reichstag, les autodafés, les JO de 1936 et les rêves mégalomaniaques d'Hitler, avec la maquette de *Germania.*

Suivent la destruction de la ville sous les bombes, le pont aérien de 1948 après le blocus de la ville par les Soviétiques, la construction du Mur en 1961 et la séparation de ses habitants sous les deux régimes idéologiques antagonistes, les tragiques tentatives de franchissement du Mur, les années de contestation et la visite de Gorbatchev à Honecker, qui marque le début de la fin pour la DDR.

Voilà une muséographie claire et évocatrice, qui permet de comprendre l'histoire d'une ville marquée au fer rouge par les vicissitudes de l'histoire. Chaque heure a également lieu une visite guidée (en allemand et en anglais) de l'abri antiatomique construit en 1973, en pleine guerre Froide. Une curiosité ! Il pourrait accueillir exactement 3 535 personnes, pas une de plus, et assurerait une survie de 14 jours. La question est : mais que fait-on après ?

> ## JE SUIS UNE GROSSE BOULE FOURRÉE
>
> *Le 26 juin 1963, Kennedy prononce sa célèbre phrase « Ich bin ein Berliner ». Selon une légende reprise par les médias anglophones, il aurait commis une faute grammaticale qui en aurait changé le sens en ne signifiant plus « Je suis un Berlinois » mais bien « Je suis un Berliner » (une pâtisserie fourrée à l'abricot). En réalité, les deux formes sont parfaitement correctes.*

Käthe-Kollwitz Museum *(zoom 1, B4, 330)* : Fasanenstr 24. ☎ 882-52-10. ● kaethe-kollwitz.de ● U-bahn : U9 et U15 Kurfürstendamm ; bus nᵒˢ 109, 119, 129 et 219. Tlj sf mar 11h-18h. Entrée : 6 € ; réduc. Audioguide en français 3 €. *Expos temporaires.* Musée privé présentant les œuvres autobiographiques d'une femme hors du commun. Käthe Kollwitz a vécu pendant plus de 50 ans dans le quartier ouvrier de Prenzlauerberg. Elle y a trouvé les sujets d'inspiration pour son œuvre, des dessins à l'encre de Chine plutôt sombres. Durant toute sa vie, elle dénoncera les conditions sociales misérables du prolétariat. L'affiche *Travail à domicile en Allemagne,* présentant une ouvrière épuisée par le travail, atteste sa position courageuse face à un thème provocant, surtout si l'on considère la place subordonnée de la femme à cette époque. Avec *Brot,* Käthe combat la famine en plaidant la cause de ceux qui en souffrent. Au 1ᵉʳ étage, ses autoportraits dévoilent les détails d'un examen de conscience très poussé. À la mort de Karl Liebknecht, la famille demanda à l'artiste de dessiner le défunt sur son lit de mort. C'est l'émotion des travailleurs qui, selon elle, justifie son travail. « En tant qu'artiste, j'ai le droit de dédier cette œuvre aux ouvriers, sans pour autant partager les idées de Liebknecht. » Visite émouvante.

Kurfürstendamm *(plan général et zoom 1 de A4 à C3)* : le Ku'damm est l'avenue la plus fréquentée de Berlin-Ouest. Ancienne chaussée de rondins que les princes électeurs empruntaient pour aller à la chasse. Bismarck la transforma en artère de luxe souvent comparée aux Champs-Élysées : vendeurs à la sauvette contre magasins de luxe. Rien à voir en particulier (quelques façades fin XIXᵉ s de style Jugendstil), mais il est agréable d'y déambuler pour l'ambiance, car, avec ses nombreux magasins et restaurants, le Ku'damm est toujours animé.

Kaiser-Wilhelm-Gedächtniskirche *(église du Souvenir ; zoom 1, C3, 331)* : Breitscheidplatz. Tlj sf dim 10h-16h. Les Berlinois, toujours moqueurs, l'ont surnommée « la dent creuse », et le clocher qui la flanque, le « bâton de rouge à lèvres ». Construite en mémoire du fondateur de l'Empire allemand, elle fut gravement atteinte pendant les bombardements de 1943. Elle sert depuis 1987 de « hall commémoratif » et de « lieu d'exhortation contre la guerre et d'appel à la réconciliation dans Jésus-Christ » *(sic)*. En tout cas, de bien belles mosaïques ornent encore son plafond. Derrière, la tour *(Glockenturm)* abrite une boutique travaillant au profit du tiers monde. La nouvelle église, surnommée « le poudrier » *(ouv 9h-19h),* à côté, est belle le soir, lorsque ses 20 000 blocs de verre bleu (fabriqués à Chartres) percent le ciel ! Christ suspendu dans le chœur. Des concerts d'orgue pendant la messe y ont lieu en fin d'après-midi.

Erotik Museum *(Musée érotique ; zoom 1, C3, 333)* : Joachimstaler Str 4. ☎ 886-06-66. S-bahn et U-bahn : Zoologischer Garten ; bus nᵒˢ 100, 119 et 129. À l'angle de la Kantstr. Tlj 9h (11h dim)-minuit ; dernière admission : 23h. Accès à partir de 18 ans, bien évidemment. Entrée : 14 € (10 € 9h-12h) ; réduc. Probablement le plus grand musée de ce genre au monde. Il s'étend sur trois étages et rassemble des objets (sculptures, gravures...) de tous les continents et un vrai bazar du sexe. Ouvert pour fêter les 50 ans de la maison Beate Uhse, pionnière allemande du sexe et femme d'affaires redoutable qui a banalisé le sexe en vendant ses panoplies par correspondance.

PILOTE ET VULGARISATRICE DU SEXE

À l'âge de 8 ans, le frère de Beate Uhse lui raconte la légende d'Icare. Fascinée par l'idée de voler, elle se bricole des ailes avec des plumes de poule et se lance du toit de la maison familiale. Brevetée pilote dès ses 18 ans, elle est la première et la seule pilote cascadeuse à la fin des années 1930. Elle fonde après 1945 la première boutique sex-shop du monde. Aujourd'hui, cotée en bourse, sa société est la plus grande entreprise allemande de produits érotiques. Elle a en quelque sorte permis aux Allemands à apprendre à s'envoyer en l'air...

🏛🏛🏛 🏛 **Zoologischer Garten** (jardin zoologique ; plan général et zoom 1, C3, **334**) **:** l'entrée principale est située au n° 8 de la Hardenbergplatz (porte des Lions). ☎ 25-40-10. ● zoo-berlin.de ● U-bahn et S-bahn : Zoologischer Garten. Les visiteurs intéressés slt par l'aquarium entrent par la porte aux statues éléphantesques (Budapester Str 34). Tlj 9h-17h en hiver et jusqu'à 19h mars-sept (18h pour l'aquarium). Compter 12 € pour le zoo ou l'aquarium (réduc 9 €), 18 € pour les 2 ; enfants : 6 € (zoo ou aquarium) et 9 € (zoo et aquarium). Plus de 2,5 millions de visiteurs par an pour ce zoo qui compte parmi les plus grands et les plus intéressants d'Europe. 14 000 animaux, dont quelques espèces rares comme le *bambusbar,* très beau panda géant. Sa vedette incontestée est *Knut,* le bébé ours blanc né en décembre 2006 (le premier depuis 30 ans) et rapidement devenu grand. Une salle faiblement éclairée permet d'observer les animaux vivant la nuit. La partie consacrée aux singes est très complète. Les enfants téméraires peuvent nourrir les petits à certaines heures. Autre tuyau : après 16h, les animaux ont mangé et souvent digèrent dans un coin.

🏛🏛🏛 **Museum für Fotografie** (Fondation Helmut et June Newton ; zoom 1, C3, **328**) **:** Jebbensstr 2. ☎ 266-29-51 et 31-86-48-56. ● smb.museum/smb/sammlungen ● S-bahn et U-bahn : Zoologischer Garten. Tlj sf lun 10h-18h (22h jeu). Entrée : 8 € ; réduc.
C'est par un pied de nez à l'histoire, qui n'était pas pour lui déplaire, qu'Helmut Newton a conclu son existence. Son œuvre est en effet exposée dans sa ville natale, qu'il avait dû fuir en 1938 parce qu'il était juif, et de plus dans une ancienne caserne d'officiers prussiens (puis casino), le dernier bâtiment qu'il vit depuis le train qui l'emmenait. Après avoir connu le champ de bataille dans... le Pacifique, il devint le photographe attitré des *beautiful people* du monde entier, metteur en scène de ses (de nos ?) fantasmes, inventeur des icônes érotiques du XXe s, mannequins dénudés aux corps fascinants, actrices se prêtant au jeu de la séduction trouble, gravures de mode décalées ou dérangeantes. Agaçant en raison d'une certaine complaisance, attachant par son humour et son ironie (n'a-t-il pas photographié Jean-Marie Le Pen avec ses deux dobermans, œuvre de commande de ce dernier, dans la même attitude qu'un chancelier du Reich nommé Adolf Hitler ?), fascinant par sa maîtrise du noir et blanc, il était un des maîtres de son art.
Cette fondation, qui porte son nom et celui de son épouse June (Alice Springs), son modèle, photographe talentueuse elle-même, abrite des expositions à thème issues de la donation du couple (la France, honte à nos édiles, n'a pas su, ou voulu, l'accepter... alors que Newton souhaitait que ce musée soit à Paris !).
Depuis 2004, on peut visiter au rez-de-chaussée une nouvelle section permanente : *Private Property*. La vie de Newton mise en scène de façon brillante, à l'image du personnage. Ses nombreux passeports, médailles, grands prix, cos-

tards, carnets de travail et de rendez-vous, son 4x4 relooké, on entre totalement dans son intimité. Pittoresque reconstitution de son salon. Puis, ses appareils photo, valoches de voyage, toutes les affiches de ses expos, les lettres de condoléances et articles de journaux venant du monde entier à sa mort... Intéressantes vidéos de l'artiste au travail. Au-delà du dandy et du mondain, ses portraits d'écrivains révèlent l'immense portraitiste qu'il était. Le dernier étage de ce bâtiment intelligemment rénové est dédié à des expositions d'artistes contemporains, faisant de ce musée pour la photographie un lieu vivant.
– Agréable cafétéria et librairie particulièrement bien fournie.

> ## LE HANDICAP N'EMPÊCHE PAS LE TALENT
>
> *Helmut Newton, un des photographes les plus chers du monde, restituait pour les pages glacées des magazines l'univers en noir et blanc des soirées de la jet-set qu'il fréquentait. Habillé souvent de blanc, des chaussures à la chemise, il portait aussi des lunettes fumées accentuant les contrastes dans son champ de vision. Une bonne raison à cela : il était daltonien ! « Cela ne m'a pas empêché de voir », se plaisait-il à répéter.*

🏃🏃 *Olympia Stadion (stade olympique ; plan d'ensemble B2, **338** et hors plan général par A3, **338**) : Olympischer Platz 3. ☎ 30-06-33. U-bahn : Olympiastadion. Visite tlj 9h-19h (20h juin-15 sept, 16h nov-20 mars). Entrée : 4 € ; réduc.* En pénétrant par le sud dans ce stade, où semblent rôder les fantômes hitlériens de 1936, on est presque attiré dans le gouffre : l'architecte Werner March, utilisant la dépression du site, a pu masquer de l'extérieur ce gigantesque antre diabolique de 120 000 places... Totalement rénové entre 2000 et 2004, sa capacité d'accueil est aujourd'hui de 80 000 places. Le stade a accueilli la finale de la Coupe du monde de football en 2006 (perdue par la France face à l'Italie), ainsi que le Championnat du monde d'athlétisme en 2009. À l'extérieur, des panneaux explicatifs relatent les grands événements du stade : les Jeux olympiques de 1936 surtout, mais aussi la Coupe du monde 2006.

🏃 *Waldbühne : Am Glockenturm ; à côté du stade olympique. S-bahn : Pichelsberg.* Vaste amphi de plein air, noyé dans la verdure, construit en même temps que le stade. Pas moins de 20 000 places pour des concerts rock, pop ou folkloriques. Ciné de plein air avec public volubile... Billets en vente dans les magasins *Hertie*, *Wertheim* ou *KaDeWe*, comprenant le prix du transport sur le réseau *BVG*.

Achats

⊛ *Confiserie Leysieffer (zoom 1, B4, **400**) : Kurfürstendamm 218.* ☎ *885-74-80.* ● *info@leysieffer.de* ● *Lun-ven 10h-19h, sam 10h-18h, dim 11h-18h.* Si vous voulez emporter quelques sucreries, c'est ici qu'il faut vous rendre, chez ce pâtissier-confiseur qui a pignon sur rue depuis 1909. Petit choix de pâtisseries et de chocolats. Ne fait pas salon de thé.

LES QUARTIERS DE TIERGARTEN ET SCHÖNEBERG *(plan général C-D 2-3-4-5)*

Le quartier de *Tiergarten* doit son nom à son immense parc de 200 ha, le poumon vert de Berlin. La majestueuse *Strasse des 17 Juni* traverse le parc d'ouest en est. À mi-chemin entre la gare *Zoologischer Garten* et la porte de Brandebourg se dresse la *Siegessäule* (colonne de la Victoire) où se retrouvent les anges de Wim Wenders dans son film *Les Ailes du désir.* Que vous preniez le bus n° 100 en direction du *Reichstag* ou le bus n° 200 vers la *Potsdamer Platz,* votre promenade prendra l'apparence d'un cours d'histoire où l'on s'approche au plus près du sujet.

D'un côté, l'appareil politique et son cortège de bâtiments officiels reprend sa place ; de l'autre, le célèbre *no man's land,* délimité par le Mur durant 40 ans, est devenu une place aux allures futuristes avec commerces, restaurants et cinémas pour tous les goûts et toutes les bourses.

Plus loin, au sud, c'est à *Schöneberg* que le cours d'histoire peut reprendre : « *Ich bin ein Berliner* », a déclaré J. F. Kennedy en 1963 sur le perron de la mairie qui était alors le Q.G. politique de Berlin-Ouest.

Aujourd'hui, le quartier n'a gardé que les bons côtés de l'époque de la scission de la ville, le cosmopolitisme (faute de place ailleurs), et les nombreux magasins de vin, de livres et les boutiques de mode ont fleuri partout autour de la *Winterfeldtplatz* ou du *Heinrich-von-Kleist Park,* en même temps que la rénovation des immeubles anciens du quartier...

Où dormir dans le quartier de Tiergarten ?

Bon marché

🏠 *Jugendherberge Berlin International* (plan général D3-4, **44**) : Kluckstr 3. ☎ 747-68-79-10. ● jh-berlin@jugendherberge.de ● jh-berlin-international.de ● *U-bahn* : Kurfürsten Str ; bus M29. Réception 24h/24. En dortoir 4-12 lits, nuitée 15-21,50 €/pers pour les moins de 27 ans, 18-24,50 € pour les autres ; doubles 29,50-32,50 €/pers. Résas 10 j. avt par tél conseillée ou plus de 1 mois à l'avance au bureau central de résas (adresse ci-dessus). Repas le soir jusqu'à 19h30 slt. L'AJ la plus proche du centre, et certainement la plus pratique. Bien située, près d'un canal, entre la *Neue Nationalgalerie* et le *Bauhaus Archiv.* Chambres (non mixtes) de 4 ou 5 lits, douche et w-c à l'étage. Ambiance plutôt animée le soir en été, des groupes préparant sérieusement leur soirée !

De prix moyens à plus chic

🏠 *Hotel-pension Nürnberger Eck* (plan général C4, **45**) : Nürnberger Str 24a, 10789. ☎ 235-17-80. ● nuernberger-eck@t-online.de ● nuernberger-eck.de ● *U-bahn* : Augsburger Str ou Wittenbergplatz. À 2 mn de l'Europa Center. Au 1er étage. Attention, après 22h, il n'y a pas toujours quelqu'un à la réception ! Doubles 70-92 € selon standing, avec sdb ou non, petit déj inclus. Une relique. Les bombes ont épargné le vaste appartement aujourd'hui reconverti en pension. Les moulures et le mobilier désuet confèrent aux chambres spacieuses une délicieuse atmosphère berlinoise d'avant-guerre, pour les nostalgiques de l'ambiance *Cabaret.* Propreté irréprochable. Une résidence de charme rétro au cœur de la capitale. Excellent accueil et petit déj quasi à la carte.

🏠 *Pension Fischer* (plan général C4, **45**) : Nürnbergerstr 24a, 10789. ☎ 21-91-55-66. ● info@hotel-pension-fischer.de ● hotel-pension-fischer.de ● *U-bahn* : Augsburger Str ou Wittenbergplatz. Au 2e étage. Fermé à Noël. Doubles avec douche et w-c sur le palier 60-90 €, avec douche et w-c 80-125 €, petit déj inclus. Parking payant. Idéal pour se loger à prix doux dans le centre de la capitale. Grand immeuble bourgeois, avec stucs à l'entrée. Spacieuses, les chambres aux couleurs fraîches sont toutes différentes, pour certaines aménagées avec un coin salon. Salles de bains entièrement rénovées.

🏠 *Hotel Arco* (plan général C4, **47**) : Geisbergstr 30, 10777 Berlin-

Schöneberg. ☎ 235-14-80. ● *info@ar co-hotel.de* ● *arco-hotel.de* ● *U-bahn :* Wittenbergplatz. *À slt 10 mn du Ku'damm. Double avec petit déj 77 € en sem, 97 € le w-e. Réduc si résa à l'avance par Internet.* Doubles au style sobre et moderne, toutes équipées de la TV, radio et de coffre-fort. Les patrons parlent le français et le personnel est très accueillant. Location de vélos.

🛏 ***Berlin City Center West*** *(zoom 1, B4, 24) :* Lietzenburger Str 85, 10719. ☎ 887-77-70. ● *abcinfo@ar totels.de* ● *U-bahn : Uhlandstr. Chambres et suites 95-150 €.* Dans la veine des hôtels design qui voient le jour un peu partout, la déco de celui-ci est axée sur l'œuvre d'Andy Warhol. Vous n'arriverez pas à échapper à sa tignasse peroxydée et ébouriffée, il est partout,

jusque dans les salles de bains ! Services haut de gamme et confort raffiné. Pour amateurs l'aise dans leur portefeuille.

🛏 ***Hotel Kronprinz*** *(plan général A4, 28) :* Kronprinzendamm, 10711. ☎ 89-60-30. ● *reception@kronprinz-hotel.de* ● *kronprinz-hotel.de* ● *S-bahn : Halensee ; bus X10, M19, M29. Doubles 150-215 €. Promos fréquentes.* Assez excentré au bout du Kurfürsterdamm, mais très bien desservi par les transports en commun et à 20 mn à peine de l'aéroport de Tegel. Fière bâtisse de 1894 avec un grand pignon à gradins. Complètement rénové, grandes chambres cosy, confort douillet et accueil très gentil. Un peu de trafic nocturne sur la ligne du S-Bahn voisin, mais sans trop de nuisance. Excellent petit déj-buffet.

Où manger ? Où boire un verre ?

De bon marché à prix moyens

|●| 🍷 ***Café am Neuen See*** *(plan général C3, 127) :* Lichtensteinallee 2. ☎ 254-49-30. ● *info@cafe-am-neuen-see.de* ● *Juste derrière le zoo, dans le* Tiergarten, au bord du lac. *S-bahn et U-bahn : Zoologischer Garten. Tlj 10h-23h ; en hiver, slt dim 10h-20h. Plats 8-13 €.* Immense *Biergarten* très agréable, ouvert dès les premiers rayons du soleil. Plats très simples, bon marché, d'inspiration italienne (enfin, n'exagérons rien !). Un des endroits préférés des Berlinois pour boire quelques bières et refaire le monde après une journée de travail. Brunch sympathique le week-end et location de barques de mars à octobre. Vous l'aurez compris, on paye un peu l'emplacement !

|●| 🍷 Pas loin, un autre *Biergarten,* bien sympathique, le ***Schleusen Krug,*** ouvert un peu plus tard que le précédent. La nuit, on le repère à ses petits lampions, qui lui donnent un air de guinguette. Plats autour de 9 €. Assez animé les vendredi et samedi soir.

|●| ***Joseph Roth Diele*** *(plan général D4, 129) :* Potsdamer Str 75. ☎ 26-36-98-84. ● *info@joseph-roth-diele. de* ● *U-bahn : Kurfürstenstr. Lun-ven 10h-minuit. Tartines 1-2,50 €.* Adresse insolite que ce « café d'artistes » dédié

à l'écrivain et journaliste Joseph Roth, décédé à Paris en 1938 d'une overdose d'alcool. Nombre de citations et de « cadavres exquis » sont reproduits sur les murs. Mélange joyeux de styles et de clientèle (de 7 à 77 ans, en exagérant à peine) sous la magnifique rosace décorative en plâtre : living-room rustique avec tables et bancs en bois brut, de belles chaises Thonet, carrelage à losanges au sol, plus quelques divans marocains autour d'étagères chargées de livres... de Joseph Roth (que l'on peut emprunter pour s'isoler dans un coin lecture). Pour les nourritures terrestres, pas plus de 2 plats chauds au choix *(5 € max).* Car l'esprit véritable du lieu réside dans ses *Flamenküche,* déclinées en 3 variantes (fromage, jambon et épinards) et servies sur des planches en bois. Simple et excellent. Également, de grosses tartines préparées « à l'ancienne » (*Stulle* en berlinois) : charcuterie paysanne, fromage, et même Nutella. Produits et pain artisanal garantis bio.

|●| 🍷 ***Einstein Café*** *(plan général D4, 132) :* Kurfürstenstr 58. ☎ 261-50-96. ● *contact@cafeeinstein.com* ● *U-bahn : Kurfürstenstr. À 10 mn du zoo. Tlj 8h-1h. Plats principaux 14,50-20 € ; formule*

midi 10 € en sem, proposant 1 boisson et un choix de tartes. Ornée d'une marquise rouge, une belle et grosse maison de style viennois (parquet, moulures dorées, banquettes), café favori de Wim Wenders et ancienne demeure de l'actrice Henny Ponen, où se retrouvent intellos et familles dans une atmosphère assez convenue. Chacun y lit journaux et magazines internationaux en savourant sa bière. Quelques très bons plats d'inspiration autrichienne, malheureusement chers. On peut aussi y prendre une tarte (env 4 €) – sacrément sucrée ! – ou son petit déj. Galerie d'art à l'étage. Joli jardin en été.

Très, très chic

|●| **Heising** (zoom 1, C4, **134**) : Rankestr 32. ☎ 302-55-15. ● b.heising@gmx.de ● U-bahn : Kurfürstendamm ou Wittenbergplatz. Tlj sf dim 19h-23h. Menus 3 plats 44 € et 4 plats 52 €. CB refusées. Derrière une façade qui ne paie pas de mine, un bon établissement. Dans une atmosphère feutrée néorococo (rideaux, tapis, mobilier ancien et lumières tamisées). On y sert une cuisine gastronomique, préparée par des cuisiniers français. Suprême de pigeon, fromage frais à la moutarde de figue, la carte est aussi raffinée que le cadre. Portions copieuses, mais carte des vins assez courte.

Où prendre le *frühstück* ?
Où faire un brunch ?

☛ **Tomasa** (plan général C4, **133**) : Motzstr 60, Schöneberg. ☎ 213-23-45. ● info@tomasa.de ● U-bahn : Victoria-Luise Platz. Lun-jeu 8h-1h, ven-sam jusqu'à 2h, dim dès 9h. Résa conseillée le w-e. Plats à la carte env 9,50-16 €. Le 3-étoiles du *frühstück* ! En salle, un Bouddha en passe d'atteindre le nirvana, on le comprend ! Le *Tomasa* reste un endroit (presque) unique pour le petit déj. Fort de son succès, 3 autres cafés ont été ouverts à Berlin. Beaucoup de choix, cuisine originale, présentation très soignée et une carte qui se parcourt comme un livre. Grand choix de vins au verre. Le must, le *Tomasa Brunch* (10 €), avec camembert frit accompagné de confiture d'airelles, porc à la tomate, croissants et confiture, salade aux crevettes, compote de pommes et gâteau au fromage blanc à la pomme. Succursale à Kreuzberg, dans une belle villa.
☛ Pour le brunch, voir aussi le **Café am Neuen See** (plan général C3, **127**).

Où danser ?

♪ **Kumpelnest 3000** (plan général D4, **223**) : Lützowstr 23. ☎ 261-69-18. ● kumpelnest3000@theodora-media. de ● U-bahn : Kurfürstenstr. Dès 17h et jusqu'à 4h en sem et jusqu'au petit mat le w-e. Entrée gratuite. Le « nid des potes », un ancien bordel au décor très kitsch (tentures des Mille et Une Nuits, dessins de Walt Disney...), est aujourd'hui le point de chute des oiseaux de nuit, bien après avoir fait la tournée des boîtes. Vers 4h du mat', l'ambiance bat toujours son plein sur la petite piste de danse. Musique variée car, ici, les clients peuvent proposer la programmation, mais cela reste quand même très *mainstream*.

À voir

🍴🍴🍴 **Reichstag** (plan général et zoom 2, E2-3) : Platz der Republik. Coupole ouv tlj 8h-minuit. Accès fermé après 22h. Entrée gratuite. Venir tôt, grosse affluence *(facilement 1h d'attente) ; la fin de l'ap-m et la soirée sont moins fréquentées. Pour les visites guidées, inscriptions au ☎ 22-7300-27 ou par écrit : Besucherdienst des Deutschen Bundestags, 10870 Berlin. Visite en français, en principe, mar à 13h. Brochures en français à l'accueil. Des visites complètes en français sont organisées à la demande ; on peut s'y joindre. S'adresser à la porte de gauche en haut des escaliers pour s'y inscrire. Dans ce cas, on évite la queue. Audioguide bien utile.*

Construit à la fin du XIXe s avec l'argent que la France versa après 1871 en guise d'indemnités de guerre et dédié au peuple allemand (voir fronton), le siège du Parlement fut partiellement détruit en 1933 par le fameux incendie qui déclencha la chasse aux communistes menée par Hitler 1 mois après son accession au pouvoir. L'image des soldats russes fixant le drapeau soviétique sur les ruines de la coupole en 1945 a fait le tour du monde. Après avoir été emballé par Christo en 1995, il a été rénové pour accueillir le Parlement. Le Bundestag y a siégé pour la première fois le 19 avril 1999, jour de l'inauguration. Les visi-

LA PRISE DU REICHSTAG

La photo de l'événement est restée célèbre. Le 1er mai 1945, des soldats soviétiques hissent le drapeau de l'URSS sur le toit du Reichstag encore en flammes ; malheureusement, aucun photographe n'est présent. C'est donc le lendemain, le 2 mai, que la scène est recréée sous l'objectif des photographes. Ce qu'on sait moins, c'est que la photo choisie fut retouchée par l'agence Tass pour effacer une des deux montres au poignet droit de l'officier soutenant le soldat portant le drapeau. La montre en trop pouvait laisser supposer qu'elle avait été volée lors d'un pillage.

teurs peuvent d'ailleurs assister, depuis un balcon, aux débats des députés.

C'est devenu le must des visites à Berlin : depuis sa réouverture, des millions de curieux ont déjà gravi la rampe de la coupole. Nouveau symbole de la toute jeune république de Berlin, la coupole en verre, dernier centre d'attraction de la ville, fait l'unanimité. C'est effectivement une réussite, sa légèreté aérienne fait oublier la lourdeur de la façade. L'œuvre de l'architecte anglais Norman Foster intègre à la fois une architecture moderne de verre et d'acier, le respect du bâtiment original de Paul Wallot et l'introduction de technologies modernes, permettant de limiter la consommation énergétique (un sujet cher aux Allemands !). Le dôme transparent (8 t d'acier, 3 000 m^2 de verre) est transpercé par un cône central, sorte de cratère dont les 360 miroirs renvoient la lumière dans la salle plénière. Une galerie-promenade hélicoïdale permet d'atteindre le haut de la coupole, à 23,50 m au-dessus de la plate-forme. Magnifique vue sur la nouvelle chancellerie, le Tiergarten, la porte de Brandebourg et la Potsdamer Platz. Sachez enfin que ce nouveau Reichstag est devenu un modèle en matière d'écologie. Il possède en effet sa propre centrale électrique au colza, afin de limiter l'effet de serre.

À la sortie, côté gauche, jeter un coup d'œil côté Tiergarten sur les dalles noires fichées debout et correspondant chacune à un des 96 députés de gauche ou du centre éliminés par les nazis après la prise du pouvoir.

|●| Sur la terrasse, **restaurant** gastronomique chic et cher. Résa conseillée au ☎ 22-62-99-33. Ouv 9h-17h30, 19h30-minuit.

🍴 **Bundeskanzleramt** (la Chancellerie ; zoom 2, E2) : Otto-von-Bismarck Allee, Tiergarten. Ce bâtiment signé de l'architecte Axel Schultes abrite les bureaux de la Chancellerie, et donc de la chancelière Angela Merkel. Son architecture très moderne est discutée. Ses détracteurs l'appellent la « Machine à laver ». Pour certains Berlinois, l'édifice semble flotter au milieu de son environnement dénudé, alors que l'idée des bâtisseurs était d'ériger vers le Reichstag un *forum des citoyens* qui aurait symbolisé le dialogue entre l'exécutif et le législatif et, pourquoi pas, le rapprochement entre l'Est et l'Ouest.

TIERGARTEN ET SCHÖNEBERG

Au nord de la Chancellerie, dans la boucle de la Spree, l'*ambassade de Suisse* (*plan général D2*), qui date de 1871, est le seul bâtiment qui a résisté à la mégalo-manie d'Hitler et de son architecte Albert Speer.

🏃 ***Schloss Bellevue*** (*château Bellevue ; plan général D3, 343*) *: Am Spreeweg, dans le Tiergarten.* Construit en 1785 pour le prince Ferdinand, frère de Frédéric II. Sous les nazis, on y accueillait les visiteurs de marque. Depuis 1994, c'est la résidence officielle du président de la République, actuellement Horst Köhler. Juste à côté du château, le curieux bâtiment ovale, surnommé « l'Œuf » par les Berlinois, abrite les nouveaux bureaux de la présidence fédérale.

🏃 ***Siegessäule*** (*colonne de la Victoire ; plan général C-D3*) *: au croisement des 5 avenues qui traversent le parc de Tiergarten. Bus n° 100 ; S-bahn : Bellevue ou Tiergarten. Tlj 9h30-18h30 (19h le w-e) avr-oct, 10h-17h (17h30 le w-e) nov-mars.* Ce sosie du Génie de la Bastille (de loin seulement) culmine à 67 m. Sa statue dorée célèbre les victoires militaires remportées sur l'Autriche, le Danemark et la France par la Prusse entre 1864 et 1871. Songez que, érigée (en 1869) sur la Königsplatz (place Royale), elle fut transportée en 1938 sur ordre d'Hitler à son emplacement actuel ! Les routards courageux (et sans sac à dos) graviront les 285 marches inté-rieures (*entrée payante : 2,50 € ; réduc*) pour admirer la vue sur Berlin et saluer la statue de celle que les Berlinois appellent *Goldelse* (Else dorée).

🏃 ***Le carillon*** (*plan général D3, 345*) *: hte tour noire, à proximité de la Kongress-halle, à l'angle de John-Foster-Dulles Allee et de Grosse-Quer Allee.* Le carillon le plus imposant d'Europe : concerts de cloches « kolossal » tous les jours à 12h et 18h. Pour les fans, écouter aussi ceux du *Französischer Dom* et de *Saint-Nicolas* (détails plus loin dans « Le quartier de Mitte »).

🏃 ***Le mémorial en l'honneur des soldats soviétiques tombés lors de la Seconde Guerre mondiale*** (*plan général D-E3, 346*) *: sur l'av. des 17 Juni.*
Sa construction débuta quelques jours seulement après la fin de la guerre pour rendre hommage aux 20 000 *Ivans* victimes des derniers combats. On utilisa le granit et le marbre des ruines de la chancelle-rie d'Hitler toute proche. Les deux chars T-34 seraient les premiers à être entrés dans la ville en 1945. Un mémorial a également été construit dans le Treptower Park. Il abrite la sépulture de 41 800 sol-dats soviétiques tombés lors des derniers combats.

> **LES JOIES DE L'OCCUPATION**
>
> *Avant la chute du Mur, Berlin-Ouest était l'un des rares endroits au monde où les gens étaient reconnaissants d'être occupés par des puissances étran-gères. Un jour, un déséquilibré tira sur l'un des soldats soviétiques de garde au mémorial. L'Armée Rouge dut alors demander la protection des autorités en charge du secteur, c'est-à-dire... les Anglais. On peut comprendre la gêne des Russes : finalement, c'est la police de la ville de Berlin qui fut chargée d'assurer la sécurité des « popovs ». Le monde à l'envers.*

🏃🏃 ***Lehrter Hauptbahnhof*** (*plan général D2*) *: Invalidenstr, Friedrich-List Str.* Située au nord de Tiergarten, juste au-delà de la Spree, la construction de cette gare futuriste s'est achevée en 2006. Conçue par Meinhard von Gerkand pour assu-rer les besoins du trafic ferroviaire et interurbain du XXIe s, elle a été bâtie sur le *no man's land* du Mur. Elle fait penser de loin à un long serpent métallique. De près, on prend la mesure du gigantisme de la construction qui a englouti 700 millions d'euros et où se croisent les voies aériennes, axes nord-sud et est-ouest du réseau à grande vitesse allemand. Sous la halle centrale, 54 escalators et 34 ascenseurs les relient les unes aux autres. Selon son concepteur, le plafond prévu aurait été pensé comme une voûte de cathédrale gothique, mais finalement il se présente comme le toit d'une station de métro par la volonté du patron de la DB, résolu à réduire le coût de l'ouvrage.

🎥🎥 Hamburger Bahnhof, Museum für Gegenwart (gare de Hambourg, musée d'Art contemporain ; plan général et zoom 2, E2) : Invalidenstr 50-51. ☎ 39-78-34-11. ● smb.museum/smb/hbf ● S-bahn : Lehrter Stadtbahnhof ; bus n°s 245, 248 et 340. Tlj sf lun : mar-ven 10h-18h, sam 11h-20h, dim 11h-18h. Entrée : 10 € ; gratuit jeu ap-m.

Superbe musée d'Art contemporain, dont la métamorphose a duré six ans. Comme pour le musée d'Orsay, l'architecture de la gare (construite en 1847 par Neuhaus) a été préservée au profit de lignes épurées. Désopilante vidéo en boucle à l'entrée. Dans l'immense galerie aux voûtes métalliques et verrières, on retrouve Andy Warhol, Rauschenberg, Lichtenstein, Twombly, ou encore Kiefer ; des recherches picturales variées forment l'essentiel des œuvres issues de la collection privée d'Erich Marx, riche homme d'affaires berlinois. Y sont présents : la Transavangarde italienne, le Minimal Art et les représentants des plus récents courants américains : Keith Haring, Julian Schnabel, Jean-Michel Basquiat... Mais c'est à l'artiste allemand Joseph Beuys que le musée consacre de façon permanente deux ailes, pour 80 de ses œuvres. Il faut avoir certaines clefs pour comprendre l'œuvre de Beuys... (voir la rubrique « Personnages » dans « Hommes, culture et environnement »). Ces artistes laissent parfois leur place à des expositions temporaires de niveau international.

D'autre part, le musée accueille depuis 2004, et pour une période de 7 ans, une des collections privées d'art contemporain les plus importantes : la **collection Flick** (du nom d'une famille d'industriels allemands). Au travers des expositions, il est donc possible de voir quelques-unes des 2 500 œuvres (tableaux, sculptures, photos, vidéos et installations) de 150 artistes. Parmi ceux-ci, on retrouve Marcel Duchamp, Marcel Broodthaers, Gerhard Richter, Richard Serra, Bruce Naumann... Et puis retenez aussi ces noms : Urs Fisher, Martin Kippenberger et Dieter Roth (et ses drôles d'assemblages).

TIERGARTEN ET SCHÖNEBERG

🎥🎥🎥 Potsdamer Platz (zoom 2, E3) : ce fut le plus grand chantier d'Europe entre 1990 et 2005. Après plusieurs années de travaux, la Potsdamer Platz est redevenue le centre névralgique de la capitale. Trois ensembles ultramodernes de verre et d'acier symbolisent ce renouveau : la tour de la *Deutsche Bahn,* celle de *Daimler-Chrysler* (tour Kollhoff) et le *Sony Center.* En octobre 1998 a été inauguré le secteur *Daimler-Benz.* La société n'a pas hésité à investir quelque 1,5 milliard d'euros, pariant sur la dynamique de cet ensemble monumental. Orchestré par l'architecte Renzo Piano (celui-là même qui a créé, avec Richard Rogers, le Centre Pompidou à Paris), le lieu regroupe 17 immeubles abritant 50 % de bureaux, 20 % de logements et 30 % de commerces. En 2004, la reconstruction de la place a définitivement été achevée par l'inauguration du *centre Beisheim,* un complexe de bureaux complété par l'hôtel *Ritz-Carlton.* Ne cherchez pas l'adresse dans notre rubrique « Où dormir ? »... Du temps de la division de la ville (avant 1989), cette grande place n'était qu'un *no man's land* entre Berlin-Est et Ouest.

– *Les tours de la Potsdamer Platz :* la tour Kollhoff (du nom de ses architectes Kollhoff et Timmermann) en brique marron, la tour Sony dessinée par Helmut Jahn et le Debi Haus, œuvre de l'Italien Renzo Piano.

– Le côté culturel du quartier n'est pas en reste : un théâtre, l'écran *Imax* le plus grand d'Allemagne et une vingtaine de salles de ciné. D'autres entreprises ont développé des projets pharaoniques : *ABB, Hertie,* et surtout l'étonnant complexe du siège de *Sony,* dont l'énorme forum accueille sur son pourtour bureaux, appartements, cinémas, *Imax* et le *musée du Cinéma allemand* qui abrite les archives cinématographiques et une collection Marlène Dietrich (voir plus loin). Impression de gigantisme garantie et pari audacieux sur la juxtaposition de l'ancien et du moderne avec l'intégration surréaliste de vestiges d'un ancien hôtel dans l'ensemble *Sony* ! Le toit de forme conique évoque, bien sûr, le Fuji Yama (splendide le soir quand il change de couleur).

፨፨፨ Filmmuseum Berlin – Deutsche Kinemathek (*musée du Cinéma de Berlin ; zoom 2, E3, 341*) : Potsdamer Str 2. ☎ 30-09-03-27. ● *filmmuseum-berlin.de* ● S-bahn : Potsdamer Platz ; bus n°s 148, 200, 248 et 348. Tlj sf lun 10h-18h (20h jeu). Entrée : 6 € ; réduc.

Installée dans le nouveau complexe du *Sony Center,* la maison du Cinéma (*Filmhaus*) regroupe au sous-sol le cinéma d'art et d'essai *Arsenal,* une école de cinéma et le musée du Cinéma. En février s'y déroule le Festival du cinéma de Berlin, où sont attribués les Ours d'or.

Superbe réalisation multimédia à ne pas rater : parcours lumineux au milieu des miroirs (clin d'œil à la *Dame de Shanghai*) et des premiers effets spéciaux inventés par les pionniers de l'expressionnisme allemand. Vidéo avec les premiers films, premiers projecteurs, premières affiches, etc. On y voit la genèse des grands classiques que sont le *Cabinet du Dr Caligari* en 1920, belles gouaches de préparation des décors), le *Nosferatu,* et surtout *L'Ange bleu* de la divine Marlène Dietrich. Le cinéma sous la république de Weimar (*M le Maudit, Docteur Mabuse*), le fameux baiser de Louise Brooks, les dessins de *Metropolis* et des photos du fabuleux tournage. De Murnau, des scénarios, des dessins, lettres... Souvenirs de Lubitsch, Eric von Stroheim.

Une rotonde entière est consacrée à Marlène Dietrich, avec quelques-uns de ses costumes de tournage où elle incarne un érotisme éthéré et inaccessible... sauf pour ce coquin de Gabin qui eut avec elle une idylle à Hollywood : voir dans une vitrine la jolie dédicace faite à Dietrich en accompagnement d'un bracelet : « Je n'ai que deux amours, toi et encore toi. » Ah ! les *French lovers* ! Un lieu magique rythmé par ses chansons. Souvenirs particulièrement émouvants de son engagement contre les nazis (sa carte de cantine à Hollywood).

Plus loin, la technique époustouflante de Leni Riefensthal aux JO de 1936, malheureusement un peu trop au service des théories de l'*Ubermensch* ; dans le même registre, la propagande antisémite

MARLÈNE ET BERLIN

Malgré ses rapports difficiles avec l'Allemagne, Marlène Dietrich est toujours restée berlinoise dans l'âme. Antinazie et exilée à Hollywood, Hitler souhaite la voir rentrer pour redorer le blason du cinéma du III Reich. Elle refuse et devient citoyenne américaine en 1937. Pendant la guerre, elle parcourt les bases militaires pour doper le moral des combattants. Elle a marqué les mémoires comme grande star de ciné, mais aussi comme l'interprète de Lili Marleen, populaire tant auprès des soldats allemands que parmi les Alliés. Elle retourne dans son pays d'origine en 1960, mais reçoit un accueil mitigé. À sa mort, Berlin (où elle est enterrée) l'a faite citoyenne d'honneur et une place porte son nom.*

du *Juif éternel.* Le climat malsain exila les plus grands réalisateurs juifs allemands, tout bénéfice pour Hollywood. L'après-guerre sera moins flamboyant : *Sissi,* des westerns, des séries TV (*Derrick* !) ; mais aussi quelques grandes réussites : *L'Honneur perdu de Katharina Blum, Le Tambour, Das Boot,* ou la personnalité hors pair d'Hannah Schygulla. Galerie de portraits de grands acteurs et actrices : Gert Fröbe,

Hildegard Knef, Heinz Ruhmänn, etc. Un bien beau musée. Pour retrouver les principaux protagonistes du cinéma allemand, se reporter à la rubrique « Patrimoine culturel. Cinéma » dans « Hommes, culture et environnement ».

🍴 🚶 Dans le centre Sony, et puisque nous en sommes aux loisirs, s'est ouvert, en 2008, le **Legoland Discovery Centre** : ☎ 301-04-00. • legolanddiscoverycen tre.com • Tlj 10h-19h (dernière entrée 17h). Entrée : 15,95 € adulte, 12,95 € enfant. Le prix est plutôt prohibitif, on en convient, mais c'est là une expo énorme, répartie sur 3 000 m² (compter une bonne demi-journée). Au programme, monuments de Berlin et autres figurines en briques Lego, secrets de fabrication, jeux interactifs et voyage dans une jungle... en Lego. Au cas où vous devriez compenser la visite de quelques musées supplémentaires à vos pauvres bambins... ou si la nostalgie de vos années tendres vous prenait soudainement !

Enfin, pour info, sachez que sous la Potsdamer Platz, Leipziger Platz et Wilhelmstrasse court toujours un vaste réseau de **tunnels** et **bunkers** (dont certains seraient transformés en discos « privées »). Vous touchez là le cœur de l'appareil politique de terreur et de répression du système hitlérien...
Si la chose vous intéresse, une association s'est spécialisée dans la visite guidée des espaces souterrains de Berlin, tant à l'époque de la fin du IIIe Reich que de la guerre Froide. Certaines visites peuvent être organisées en français :

■ **Berliner Unterwelten e.V.** (hors plan général par E1) : Brunnenstr 108a. Rens : ☎ 49-91-05-18. • berlinerunter welten.de • À l'entrée sud de la station | de métro Gesundbrunnen (S-bahn U8), au nord du parc Humbollthain. Lun-ven 10h-16h.

🚶🚶 **Panoramapunkt, vue depuis le haut de la tour Kollhoff** (zoom 2, E3) : tour Kollhoff, Potsdamer Platz 1. ☎ 25-29-43-72. • panoramapunkt.de • Tlj 11h-20h. Billet : 5 € ; réduc. C'est la tour de bureaux en brique marron, située à l'angle de la Potsdamer Strasse et Alte Potsdamer Strasse. En 20 secondes, l'ascenseur le plus rapide d'Europe propulse les visiteurs au dernier étage de la tour. De la terrasse au sommet (100 m de haut), superbe vue sur Berlin, à l'est et à l'ouest : le quartier de la Potsdamer Platz, le parc Tiergarten, le Reichstag, la porte de Brandebourg, la chancellerie fédérale. Vous croisez là-haut un étrange visiteur : une sculpture en résine de l'ours rouge de Berlin.

Le quartier du Kulturforum (plan général D3)

Potsdamer Platz. U-Bahn du même nom. Vaste complexe culturel comprenant la Bibliothèque nationale, le Kunstgewerbemuseum (musée des Arts décoratifs), la Gemäldegalerie (pinacothèque), le Kupferstichkabinett (cabinet des Estampes), la Neue Nationalgalerie (Nouvelle Galerie nationale), la Philharmonie et, un peu plus loin, le Bauhaus Archiv (archives du Bauhaus).
La salle de concert de la **Philharmonie,** reconnaissable à son curieux chapiteau, est appelée ironiquement « Circus Karajani » en l'honneur du grand chef d'orchestre qui y régna... Construite en 1960, elle révolutionna le genre : l'orchestre y joue au centre du public, de manière à donner une ampleur plus importante à la musique !

– À noter qu'un billet valable 3 j. à 19 € (tarif réduit : 9,50 €) donne droit à l'entrée des musées d'État (et slt d'État) – en allemand : Staatliche Museen zu Berlin –, soit, ici, la Neue Nationalgalerie, la Gemäldegalerie, le Kupferstichkabinett, le Kunstgewerbemuseum et le Musikinstrument Museum. Rens : Kulturforum, ☎ 266-42-30-40.

🚶🚶🚶 **Neue Nationalgalerie** (Nouvelle Galerie nationale ; plan général D3, **383**) : Potsdamer Str 50. ☎ 266-42-45-10. • neue-nationalgalerie.de • U-bahn : Kurfürstenstr ou *Potsdamer Platz*, puis marcher 10 mn ; bus n°s 129 et 148 qui vous déposent plus près, dans la même rue. Près du *Kulturforum*. Tlj sf lun 10h-18h (22h jeu, 20h ven-sam). Entrée : 8 € ; réduc ; gratuit le jeu dès 18h. Les expos temporaires se règlent à part. **Après de longs travaux, la réouverture des collections permanentes est prévue pour mars 2010 ; en attendant, les expos temporaires restent accessibles.**

L'imposant bâtiment de verre et d'acier noir de la Nouvelle Galerie nationale est entièrement voué à l'art moderne. C'est Mies van der Rohe qui en a conçu les plans. Expos « tournantes » au rez-de-chaussée, collections permanentes au sous-sol, parfois des expositions temporaires : la collection se limite alors aux artistes allemands.

Ceux qui, comme nous, s'enflamment à la vue d'une toile expressionniste ou abstraite seront comblés ! Delaunay, Picasso, Klee, Dubuffet, quelques œuvres de Brancusi et une sensationnelle sculpture géante de Max Ernst, *Capricorne*. Les vedettes du musée sont bien naturellement les peintres expressionnistes allemands ; malgré la chasse à « l'art dégénéré » menée par les nazis, on peut y voir des œuvres de peintres du XXe s : Kirchner, Nolde, le maître de l'expressionnisme Oskar Kokoschka, Beckmann, Munch,

> ### UN GROSZ SCANDALE
> *Les peintres expressionnistes de l'après-guerre 1914-1918 ne faisaient pas dans la dentelle, ainsi George Grosz, en 1926, illustrant sa toile* Les Piliers de la société *(exposé à la Neue National-galerie) d'un crâne ouvert d'un capitaliste contenant un étron fumant. Il faut dire qu'à l'époque Grosz était président du Rote Gruppe, l'association des artistes communistes et collaborait à des revues satiriques particulièrement féroces.*

Kandinsky, le satiriste George Grosz (ennemi juré de la bourgeoisie d'avant-guerre) et Otto Dix, dont le tableau *Flandern* est une splendide dénonciation de la guerre.

Gemäldegalerie (pinacothèque ; plan général D3, **337**) : Matthäikirchplatz. ☎ 266-42-42-42. • gemaeldegalerie-berlin.de • U-bahn : Potsdamer Platz ; bus n°s 129, 148 et 200. Tlj sf lun 10h-18h (22h jeu). Entrée : 8 € ; réduc ; gratuit le jeu dès 18h. Audioguide en français.

Ce musée possède une collection de plus de 2 700 œuvres (dont près de 1 200 sont présentées) du XIIIe au XVIIIe s, rassemblant des pièces du *Dalhem* et du *Bode Museum*. Tous ces chefs-d'œuvre ici réunis ont connu bien des aventures : avant la guerre, la plupart étaient exposés au *Kaiser Friedrich Museum* et au *Bode Museum*. Pendant la guerre, ils ont été soit évacués, soit entreposés dans les caves du *Bode Museum*. Avec l'arrivée des Soviétiques et des Américains, certains sont emportés, d'autres laissés dans les caves, et beaucoup disparaissent. Les Soviétiques et les Américains les restituent plus tard au *Bode* et au *Dalhem Museum*. Enfin, après la chute du Mur, on décide de les regrouper, là où ils se trouvaient avant 1939. On choisit alors la *Gemäldegalerie,* reconstruite en 1996 par les architectes M. Wellmer et H.-C. Sattler (lumière sublime et remarquables jeux de perspectives des salles). Vous y retrouverez tous les grands classiques de la peinture allemande, italienne, espagnole, néerlandaise, française, anglaise : Van Eyck, Bosch, Botticelli, Raphaël, La Tour, Poussin, Watteau, Vélasquez... Un musée à voir en priorité. Prévoir 3h pour en avoir un aperçu consistant (hardi petits... 53 salles !). Les salles portent alternativement des chiffres romains et arabes. Bien entendu, hors de question de présenter toutes les œuvres, voici cependant nos coups de cœur. À partir de la droite du grand hall, à tout seigneur, tout honneur, l'école allemande.

La peinture allemande du XIIIe au XVIe s

– **Salle 1** : de Hans Multscher, le prodigieux *Retable de la Passion du Christ* (1437) en huit tableaux, dont les personnages sont en costumes d'époque. À gauche, la passion du Christ ; à droite, la vie de la Vierge Marie (dans la scène de sa mort, le Christ se tient à son chevet et tient son âme dans les bras sous la forme d'une jeune fille). De Martin Schongauer (qui influença grandement Dürer), *Naissance du Christ* (1480), l'une de ses œuvres les plus achevées, parmi les rares de cet artiste (environ une douzaine) qui survécurent aux guerres de Religion. Émouvants bergers.

– *Salle 2 :* d'Albrecht Dürer, *Hieronymus Holzschuher* (1526), l'un de ses plus beaux portraits (noter le regard un peu sévère, teinté pourtant de sympathie pour le spectateur). Portrait de l'empereur Maximilien qui épousa Marie de Bourgogne.

– *Salle II :* la peinture religieuse autrichienne avec Hans Baldung.

– *Salle 3 :* *Saint Jérôme* et surtout la *Fuite en Égypte* (1504) de Lucas Cranach l'Ancien. Portrait de Charles Quint par Christoph Amberger. On notera le menton en galoche, marque de famille chez les Habsbourg.

– *Salle 4 :* *Le Marchand Georg Gisze* (1532) de Hans Holbein le Jeune, dont on notera la merveilleuse technique. Tous les objets de la scène possèdent une symbolique.

– *Salle III :* de Hans S. von Kulmbach, *L'Adoration des Rois mages* (1511). Puis Lucas Cranach à nouveau, avec *Vénus et l'Amour aux abeilles* (1530) et la *Fontaine de Jouvence* (1546), à lire de gauche à droite (les vieilles arrivent, souvent sur un brancard, puis elles plongent dans la piscine d'où elles ressortent avec un corps neuf, prêtes à connaître à nouveau les joies de l'amour). Quant au superbe *Retable du Jugement dernier,* on dirait du Jérôme Bosch, mais c'est une copie. Richesse des scènes, originalité des personnages. Noter à gauche l'ivrogne dont la punition consiste à boire jusqu'à l'éclatement (mais devinez qui remplit le tonneau au-dessus ?).

La peinture italienne du XIIIᵉ au XVIᵉ s

– *Salle XVIII :* démarrage en flèche avec la *Vierge à l'Enfant et les Anges chanteurs* (1477) de Botticelli. C'est un *tondo* (cadre rond), format difficile pour ce genre de scène. Beauté sans fard mais teintée de spleen de la Vierge et merveilleuse grâce juvénile des anges. Ses pieds sont moins réussis, en revanche. De Sandro, toujours, une autre sublime *Vierge avec les deux Jean* (1484), une de ses œuvres les plus achevées. À signaler, la *Sainte Famille avec Zacharie* (1512) de Luca Signorelli, exemple parfait de l'application du fameux nombre d'or et de l'intégration dans un *tondo*. De Piero di Cosimo, *Vénus, Mars et Amour.* On a envie de caresser le petit lapin.

– *Salle 41 :* avalanche de superbes primitifs religieux, dont *L'Enterrement de la Vierge* (1310) de Giotto, ainsi que des Veneziano, Daddi et des triptyques d'anthologie.

– *Salle 40 :* *Vierge à l'Enfant* de Gentile de Fabriano, la plus ancienne œuvre du plus grand maître de cette époque.

– *Salle 39 :* Verrocchio, Piero della Francesca, Philippo Lippi (le maître de Botticelli), mais surtout un admirable *Jugement dernier* de Fra Angelico (noter le raffinement des supplices des méchants).

– *Salle 38 :* La *Présentation du Christ au Temple* de Mantegna. La scène est assez dramatique, le vieux Siméon qui prend l'enfant sait qu'il va mourir peu après... Puis *L'Archange saint Michel* d'Antonio Vivarini et la magnifique *Vierge se faisant remettre les clés par saint Pierre* de Carlo Crivelli. Grande richesse des détails des vêtements. Joli costume de l'Enfant Jésus.

– *Salle 37 :* *L'Ensevelissement du Christ* (1505) de Carpaccio et la *Résurrection du Christ* de Giovanni Bellini.

– *Salle 35 :* grimper un petit escalier pour découvrir la salle des miniatures.

– *Salle 32 :* *Les Adieux du Christ à sa mère* de Lorenzo Lotto, *Vierge à l'Enfant* de Francia, Giorgione, Antonello da Messina, etc.

– *Salle 31 :* Bernadino Luini, Palma le Vieux et Dosso Dossi.

– *Salle 30 :* *La Descente du Christ* de Francesco Morandini, Vasari.

– *Salle 29 :* magnifique *Madone avec l'Enfant Jésus et saint Jean* de Raphaël. Réalisée peu après son arrivée à Florence, elle montre déjà l'influence montante de Léonard de Vinci.

– *Salle XVII :* Lorenzo Costa, Moroni, Mazzolino.

– *Salle XVI :* Véronèse, Le Tintoret, Paris Bordon, et le célèbre *Vénus et l'organiste* (1550) de Titien.

– *Salle XV :* Le Parmesan, Le Corrège, Prospero Fontana.

La peinture néerlandaise et française du XIVe au XVIe s

– **Salle IV :** au hasard, Petrus Christus, Dirk Bouts, Robert Campin, etc. De Rogier van der Weyden, une très belle *Nativité* et le sublime retable de saint Jean. Portrait de Charles le Téméraire.

– **Salle V :** une des salles les plus fascinantes avec Hans Memling *(Vieillard et l'Enfant)*, Gérard David, Dirk Bouts et, surtout, Hugo van der Goes dont on admirera une *Adoration des Rois mages* (richesse des drapés) et celle *des Bergers* (1480) tout à fait inhabituelle : ces derniers semblent se précipiter, le format du tableau est très long et deux prophètes soulèvent un rideau comme pour une pièce de théâtre.

– **Salle 5 :** la *Madone dans l'église* de Jan van Eyck (1425). Harmonieuse distribution de la lumière dans la cathédrale. *Deux singes enchaînés* de Pieter Bruegel.

– **Salle VI :** *Saint Jérôme* de Marinus van Reymerswaele (superbe rendu de la barbe) et un fabuleux *Jugement dernier* de Jean Bellegambe (le doué de Douai, 1520). Ahurissant rendu de l'Enfer, visages horrifiés, pittoresques tortures, rendu des tons et nuances de rouges, descente aux enfers... Quelle leçon pédagogique !

– **Salle 6 :** de beaux triptyques, Joos van Cleve, Quentin Massys (*Madone sur son trône*, 1520), Lucas van Leyden... et un Jérôme Bosch très sage (*Tentation de saint Antoine*, 1505).

– **Salle 7 :** on y découvre l'extraordinaire *Chemin de Croix* de Pieter Bruegel le Jeune, aux couleurs hallucinantes, un superbe triptyque de Jacob Claesz van Utrecht (perfection du détail et des teintes). De Pieter Brueghel l'Ancien les *Proverbes flamands* (1559). Ne pas tenter de discerner les quelque 120 proverbes qui s'y nichent (sur la folie des hommes), on se contentera de savourer une fois de plus le côté surréaliste des situations, de deviner quelques métaphores et d'en recueillir les messages...

– **Salle 8 :** encore Bruegel le Jeune *(Le Paradis),* Simon de Vos et *Hiver* de Lucas van Valkenborgh.

La peinture flamande et néerlandaise du XVIIe s

– **Salle 9 :** *Kermesse flamande* de David Teniers.

– **Salle VII :** Van Dyck, le plus important peintre baroque après Rubens, y présente deux portraits de la haute bourgeoisie génoise. Expression sévère de personnages sûrs de leur rang. Altière marquise de Spinola.

– **Salle VIII :** Cornelis de Vos (spécialiste des portraits de famille et d'enfants) et surtout Rubens avec *Saint Sébastien* (1618), *Persée et Andromède* (1620). Noter l'adorable *putti* coupant les liens de la sereine et lumineuse héroïne.

– **Salle IX :** Van Loo et Gerrit van Honthorst dont on remarque la *Délivrance de saint Pierre* (1616). Ici, si le coup de pinceau se révèle assez académique, le travail sur la lumière reste prodigieux. Normal, l'artiste revenait d'une Rome baignée dans l'influence caravagesque.

– **Salle 11 :** natures mortes de Roelandt Savery.

– **Salle 12 :** paysages d'hiver de Barent Avercamp.

– **Salle 13 :** nombreux Frans Hals (qu'on ne présente plus !).

– **Salle 14 :** Wouwerman, van Ostade et van Goyen. Scène de chasse au faucon.

– **Salle 15 :** les grands paysagistes comme van de Velde, Ruysdael, etc.

– **Salles 16 et X :** Rembrandt et son école, avalanche de chefs-d'œuvre. En particulier, le sublime *Prédicateur mennonite et sa Femme.* Ici, Rembrandt distribue sa lumière uniquement sur les mains, les visages et la bible. Il réussit un portrait non conventionnel pour l'époque, tout en mettant en valeur les talents de prédicateur de ce très riche bourgeois (la force du regard et le geste persuasif de la main, l'attention de la femme). De même, le message des protestants apparaît également clair : la parole l'emporte sur l'image ! Suivent *Samson et Dalila,* le très précieux *Enlèvement de Proserpine, Minerve,* etc.

– **Salle 17 :** Gérard Dou, Emmanuel de Witte, van Ostade.

– **Salle 18 :** le choc de deux Vermeer majeurs (sur 35 seulement de par le monde). Dans le *Verre de vin* (1661), la lumière jaillit du vitrail de façon extraordinairement fluide et énergique. Elle vient napper objets et tissus de mille nuances changeantes. Dans la *Jeune femme au collier de perles* (1662), la lumière inonde la pièce de façon encore plus subtile. C'est le talent à l'état pur, dans le traitement des dégradés (mur, vêtements, rideaux), renforcés par le premier plan sombre, voire noir... Et puis citons encore Gabriel Metsu, Pieter de Hooch *(La Mère),* Jan Steen qui décrit une rixe aux cartes... Une salle admirable !

La peinture anglaise, française et allemande du XVIIIe s

– **Salle 20 :** avec les *Enfants Marsham* (1787), Gainsborough, dont c'est une œuvre de commande très tardive, a placé les enfants dans une nature exubérante. Cependant, la scène reste d'un certain formalisme et manque de spontanéité (les enfants ne se regardent pas). Visiblement, les visages ont été posés en atelier et collés au paysage ! Également, *Lady Sunderlin* de sir Joshua Reynolds, puis sir Thomas Lawrence.

– **Salle 21 :** Nattier, Watteau *(Comédie française,* 1716 ; *La Danse),* Chardin, le *Portrait de René Fremin* et le *Sculpteur Coustou* (1710) dans son atelier de Nicolas de Largillière. Exquis J.-B. Pater.

– **Salle 22 :** Anton Graff, et surtout Antoine Pesne, grand peintre de la cour prussienne, dont on peut apprécier un intéressant *Autoportrait avec ses deux filles.* La composition triangulaire et la judicieuse répartition de la lumière suggèrent une affectueuse intimité entre les personnages.

– **Salle XI :** *paysages* de Ruysdael.

La peinture espagnole, française et allemande du XVIIe s, la peinture italienne des XVIIe et XVIIIe s

– **Salle XII :** *Mort de saint Étienne* de Tiepolo, et un festival de Canaletto, dont *Campo di Rialto* et le merveilleux *Grand Canal.* Sans oublier son collègue Guardi, bien entendu.

– **Salle XIII :** splendide *Archange saint Michel* (1663) de Luca Giordano (intéressant travail sur les roses et les rouges évoquant l'Enfer). De Satan, on ne retient que l'abominable bouche... *Portrait de dame* (1631) par Vélasquez. Noter la grande économie de moyens (seul décor : un dossier de chaise). *Baptême du Christ* (1655) de Murillo.

– **Salle 23 :** Pannini et les célèbres colonnes de la place Saint-Pierre (1754).

– **Salle 24 :** délicats Tiepolo, Guardi et le *Betsabée au bain* (1725) de Sebastiano Ricci. *Elisabetta Collin* de Luigi Crespi, une vraie jeune fille italienne.

– **Salle 25 :** Nicolas Poussin, *Paysage de la côte italienne* (1642) de Claude Lorrain, cet amoureux fou de la lumière italienne. *Saint Bruno dans sa cellule* d'Eustache Le Sueur.

– **Salle XIV :** Barbieri, le Carrache, Giovanni Lanfranco, mais surtout deux chefs-d'œuvre absolus : *Salomé et la tête de saint Jean-Baptiste* de Bernardo Strozzi et, surtout, le sublimissime *Amour vainqueur* du Caravage. La métaphore apparaît évidente : à terre, les symboles de la science, des arts, de la gloire et du pouvoir (équerre, instruments de musique, cuirasse, lauriers, etc.) et, triomphant, cet ado au corps parfait et à l'attitude d'un érotisme discret mais réel ! Et, là encore, la technique du clair-obscur de l'artiste triomphe tout autant que ses fantasmes...

¶ **Kupferstichkabinett** *(cabinet des Estampes ; plan général D3) :* Matthäikirchplatz 6. ☎ 266-20-02 et 266-29-51. *À droite de la Gemäldegalerie. Tlj sf lun 10h (11h le w-e)-18h (22h jeu). Entrée :* 8 €. *Seulement des expositions temporaires. Elles tournent environ tous les trois mois.* Très riche fonds de dessins, aquarelles et pastels du XIVe au XXe s. La lumière endommageant les travaux sur papier, ces merveilles sont rarement présentées au public. L'intérêt du cabinet devient alors limité. Rassurez-vous, les fanas pourront toujours se rendre à la salle d'étude *(ouv mar-ven 9h-16h).*

¶ **Kunstgewerbemuseum** *(musée des Arts décoratifs ; plan général D3) :* le 3e musée du Kulturforum ; *entrée principale au n° 10 de la Matthäikirchstr.* ☎ 266-42-43-36. *Tlj sf lun 10h (11h le w-e)-18h. Entrée :* 8 € ; *réduc. Commentaires en allemand slt.* Une expo exhaustive, qui ravira les amateurs d'objets précieux, grâce à de véritables trésors (porcelaines, verreries, mobilier, argenterie), du Moyen Âge à l'art contemporain. On a particulièrement aimé la section sur les télécommunications, au sous-sol. Télévisions des années 1960, sorties tout droit d'un *Star Trek* ; poste radio de 1933, déjà étiqueté de la croix gammée... Au rez-de-chaussée, la Renaissance dans le nord de l'Europe : échantillons de vitraux, numismatique, fourchettes à deux pointes et au manche incrusté... Voir la *Vierge à l'Enfant* (1530), à la couronne finement ciselée. Au 1er étage, Art déco et *Jugendstil*. Fine porcelaine de Sèvres (sur l'une, voir l'incroyable rendu du mouvement de l'écharpe).

🎻 *Musikinstrument Museum* (musée des Instruments de musique ; plan général D3, **340**) : Tiergartenstr 1 ; entrée par Ben-Gurion Str. ☎ 254-81-178. ● mim-berlin.de ● S-bahn et U-bahn : Potsdamer Platz ; bus n°s 129, 148 et 200. Tlj sf lun 9h (10h le w-e)-17h (22h jeu). Entrée : 4 € ; gratuit le jeu dès 18h. Visite guidée jeu à 18h, sam à 11h ou sur demande au ☎ 25-48-11-39. Concerts réguliers, voir le site. Une collection unique, où chaque instrument est une œuvre d'art à part entière. Sur certains clavecins, le clavier est tellement petit par rapport à l'espace peint qu'on se demande s'il ne servait tout simplement pas à décorer ! Magnifiques instruments, dont un stradivarius du XVIIIe s, un amusant piano-girafe et une belle collection de clavecins décorés jusqu'aux touches, de harpes et de guitares classiques.

🎖 *Gedenkstätte Deutscher Widerstand* (mémorial de la Résistance allemande ; plan général D3, **344**) : Stauffenbergstr 13-14, derrière le Kulturforum. ● gdw-berlin.de ● Tlj 9h (10h le w-e)-18h (20h jeu). Entrée et audioguide en français gratuits. Musée très complet sur les mouvements qui, dans la clandestinité, résistèrent au pouvoir nazi. Il se tient dans l'ancien état-major des armées, appelé aussi le *Bendlerblock*, un lieu chargé d'histoire. C'est là qu'Hitler prononça son discours sur l'« espace vital » en 1933, mais aussi que les officiers, qui avaient failli l'assassinat dans son QG en juin 1944, tentèrent un putsch. Les principaux conjurés militaires furent fusillés dans la cour du bâtiment. La scène de l'exécution se retrouve dans le film *Walkyrie,* avec Tom Cruise dans le rôle de Stauffenberg.
Les premières salles sont consacrées au climat d'intense propagande des années 1930 (affiches électorales de tous bords, dont un social-démocrate repoussant des coudes extrémistes de droite et de gauche...). Vient ensuite la répression, qui suit l'arrivée des nazis au pouvoir (internés politiques dans les premiers camps de concentration...). Puis chaque salle est consacrée à un type particulier de résistance intérieure : étudiante (émouvants panneaux sur la *Rose blanche* de Hans et Sophie Scholl), juive, catholique, et bien sûr militaire, avec la conjuration du colonel von Stauffenberg et de Ludwig Beck pour ne citer qu'eux. Intéressante section sur les Allemands engagés dans les armées alliées ; parmi eux, une certaine Marlène Dietrich. Rappelons enfin que, malgré leur courage et leur sacrifice, les résistants allemands ont dû affronter l'accusation la plus injuste : celle de trahir leur propre pays en temps de guerre.
À proximité, le *Plötzensee Memorial Centre* où, de 1933 à 1945, près de 3 000 opposants au nazisme furent pendus ou décapités. Très complet et passionnant.

🏛 *Bauhaus Archiv* (archives du Bauhaus ; plan général D3, **384**) : Klingelhöfer Str 14. ☎ 254-00-20. U-bahn : Nollendorfplatz. ● bauhaus.de ● Tlj sf mar 10h-17h. Bibliothèque lun-ven 9h-13h. Obligatoire de laisser ses grands sacs au sous-sol dans un casier. Entrée : mer-ven 6 €, sam-lun 7 € ; réduc. Visites à 11h et 15h, 2 €. Caution de 10 € pour l'audioguide. Textes en français de l'expo permanente 1 €.
Bâti d'après les plans de Walter Gropius, pape du Bauhaus, l'étonnant ensemble architectural qui tient lieu de musée ne date que de 1978. Des expos temporaires et présentent la plus célèbre école d'architecture du siècle et son retentissement dans tous les domaines artistiques depuis sa création (dessin, ameublement, déco, etc. ; un groupe de rock anglais a même repris le nom !). Expo et vente d'objets (réveils, lampes, montres, thermos, coupes...) indispensables à la vie de tous les jours !
Pour les mauvais élèves, rappelons que l'école d'art du Bauhaus fut fondée en 1919 à Weimar, par Gropius en personne. Avec des professeurs comme Kandinsky, Klee ou Oskar Schlemmer, les fameuses recherches d'esthétique industrielle du

Bauhaus inspirèrent ensuite l'art abstrait et l'architecture fonctionnelle. L'existence et l'évolution même de ce courant artistique sont évidemment liées à l'histoire allemande très mouvementée de l'entre-deux-guerres. Après avoir déménagé à Dessau en 1925, puis à Berlin en 1932, l'école du Bauhaus est définitivement balayée par la pression nazie. En effet, après 1933, le Bauhaus est violemment rejeté. L'école est fermée. Joseph Goebbels, ministre de la Propagande, déclare en 1935 : « J'ai trouvé dans le Bauhaus l'expression la plus parfaite d'un art dégénéré. » En fait, les nazis condamnent les liens étroits qu'entretiennent de nombreux membres du mouvement avec le parti communiste. Beaucoup d'artistes fuient alors l'Allemagne, dont Walter Gropius, ou encore Ludwig Mies van der Rohe, qui se réfugient aux États-Unis. En Allemagne, leurs œuvres sont détruites, mais plusieurs d'entre eux poursuivent alors leur carrière de l'autre côté de l'Atlantique et contribuent ainsi à la diffusion des concepts de la modernité aux États-Unis.

– *La visite :* nombreuses maquettes, ça va de soi. On peut même en visionner en 3D. Études sur les couleurs, les variations chromatiques et les influences de la lumière. Études également de marques, de logos (H. Koch), de motifs de papier peint, de nouveaux dégradés, sur la forme du mobilier et des objets domestiques. Projets d'affiches (F. Reimann). Quelques peintures : *Le Faucheur* de Hans Olde, des œuvres d'Oskar Schlemmer, d'intéressantes lithos de Lazlo Moholy-Nagy, de jolies gravures, etc. Ne pas manquer le *Lever du jour sur Bahnhof Friedrichstrasse* de l'immense Mies van der Rohe, pour le remarquable rendu des jeux d'ombre et de lumière. Vaisselle de Marianne Brandt. Possibilité de consulter et d'acheter des livres sur le Bauhaus.

🗝 **La cloche de la Liberté** *(plan général C5, 339)* : J.-F.-Kennedyplatz, à Schöneberg. U-bahn : Rathaus Schöneberg. Dans le beffroi de l'ancien hôtel de ville de Berlin-Ouest, redevenu la mairie du quartier de Schöneberg. Écoutez donc à midi ce petit air d'Amérique... Vous pouvez aussi, du balcon, jouer à John et Jackie Kennedy : c'est de là que, le 23 juin 1963, J.F.K. lança son célèbre « *Ich bin ein Berliner* »... (voir plus loin le musée The Kennedys).

Achats

🔆 **Europa Center** *(plan général C3, 402)* : entrée sur la Budapester Str. Centre commercial, surmonté de l'emblème de Mercedes, véritable temple du capitalisme berlinois. Boutiques de mode, restaurants, cabaret, cinéma. Dans le hall, une curieuse clepsydre, « l'Horloge du temps qui coule » *(Uhr der fliessenden Zeit)*, fascine petits et grands. C'est l'œuvre d'un Français, Bernard Gitton. Hormis cette attraction, la galerie marchande est d'un intérêt assez limité. Beau panorama depuis le 20e étage. Accès en ascenseur payant. Projection d'une vidéo sur le survol du Mur en hélicoptère.

🔆 **KaDeWe** *(plan général C4, 406)* : Tauentzienstr 21-24. ● kadewe.de ● U-bahn : Wittenbergplatz. Lun-jeu 10h-20h, ven 10h-21h, sam 9h30-20h. Situé près du Ku'damm, le *Kaufhaus des Westens*, qui a fêté ses 100 ans en 2007, est bien plus que le *Grand Magasin de l'Ouest* : c'est un palais de la consommation et de la découverte, des rayons de parfumerie du rez-de-chaussée jusqu'au légendaire 6e et dernier étage, le royaume de la gastronomie et des épiceries fines. Magasin labyrinthique sur plus de 60 000 m^2, on trouve ici tout ce qui est introuvable ailleurs.

🔆 **E & M Leydicke** *(plan général D4, 404)* : Mansteinstr 4, Schöneberg. ☎ 215-25-30. ● kontakt@leydicke.com ● U-bahn et S-bahn : Yorckstr. Ouv théoriquement tlj 18h-1h. Le patron n'arrive parfois qu'à 20h ! Vente d'eaux-de-vie et de liqueurs maison, fabriquées depuis 1877. Étonnante adresse, qui mérite une petite visite.

– **Marché en plein air de Winterfeldtplatz** *(plan général D4)* : mer et sam 8h-13h. U-bahn : Nollendorfplatz. Pour se plonger dans l'ambiance berlinoise. Flâner ensuite dans les rues autour de la place, par exemple de la Goltzstrasse

TIERGARTEN ET SCHÖNEBERG

à Grünewaldstrasse.
– *Marchés aux puces :* w-e 11h-17h. Le plus célèbre, le Berliner Trödel und

Kunstmarkt, *se tient à deux pas du Tiergarten sur la Str des 17 Juni (S-bahn : Tiergarten ; plan général C3).*

LE QUARTIER DE MITTE
(plan général E-F2-3 et zoom 2)

> Pour les adresses de Mitte, voir le zoom 2
> au dos du plan général de la ville en fin de guide.

Le quartier de Mitte se retrouve désormais, depuis la chute du Mur, au centre de la ville ! Entre nous, c'était sa vocation et c'est incontestablement un quartier branché, bruyant et en perpétuelle animation : dans la journée, on visitera ses nombreux musées et monuments historiques, situés de part et d'autre de l'avenue *Unter den Linden,* et on s'arrêtera dans les magasins et centres commerciaux de la *Friedrichstrasse* ou d'*Alexanderplatz* ; la nuit, on s'éparpillera dans les petites rues du *Scheunenviertel* ou dans les cours labyrinthiques près du *Hackescher Markt.*
Toujours en effervescence, c'est aussi le quartier le plus créatif ; on peut s'en assurer en faisant un tour dans les nombreuses boutiques de *Rosenthaler Strasse* et *Alte-Schönhauser Strasse.* Il suffit de tourner les talons quelques semaines pour voir surgir ici de nouveaux restos, bars ou boîtes. Malgré les efforts du quartier pour limiter les implantations de cafés et restaurants, Mitte compte plus de 700 établissements de ce genre. On ne va pas s'en plaindre...

Où dormir ?

Bon marché

≜ **St Christopher Hostel** *(zoom 2, F2, 61)* : Rosa-Luxemburg Str 39-41. ☎ 81-45-39-60. ● st-christophers.co.uk ● U-bahn : Rosa-Luxemburg Platz. Réception 24h/24. Pas de couvre-feu. Lit en dortoir 20-25 €/pers (un peu plus cher le w-e) ; doubles sans douche 63-75 € ou avec 75-100 € ; petit déj inclus, draps fournis. CB acceptées. Grande auberge de jeunesse privée (appartenant à un réseau britannique) offrant presque le confort d'un hôtel. Intérieur spacieux, moderne et design. C'est sans doute une des plus belles auberges privées pour petits budgets à Berlin. Le quartier est calme, sûr, à proximité d'Alexanderplatz. Dortoirs impeccables de 5, 6 ou 8 lits superposés (certains sont mixtes, d'autres séparés). Chambres doubles propres et soigneusement arrangées. Grand salon et bar-cafétéria où des affiches de Nir-

vana et d'*Eminem* donnent le ton. Location de vélos. 4 postes Internet sur une mezzanine. Tous les services. Merci saint Christophe, saint patron des voyageurs, de nous avoir conduit ici !
≜ **Hostel Baxpax Downtown** *(zoom 2, E2, 74)* : Ziegelstr 28. ☎ 27-87-48-80. ● baxpax-downtown.de ● S-bahn : Oranienburger Str. Réception 24h/24. Pas de couvre-feu. Lit en dortoir 20-29 € selon taille du dortoir et saison ; doubles avec sdb 60-90 € selon jour davantage que la saison. Une des meilleures adresses de Berlin. Une auberge de jeunesse privée très bien située, avec des dortoirs propres, clairs et fonctionnels, un petit jardin d'été, et surtout une terrasse sur le toit (avec mini-piscine pour barboter, transats au soleil et buvette). Les soirées d'été, des jeunes d'un peu partout s'y installent pour discuter autour des tables. Petit déj-buffet. Coin

salon avec Internet. Bar avec lanterne rouge design, avec, en sus, un trophée de chasse, doux mélange... Réduc sur les sorties, les clubs, les discothèques et les excursions. Tous les services à disposition et notamment lave-linge. Bon accueil.

🛏 *The Circus Hostel* (zoom 2, F2, *62*) : Weinbergsweg 1a. ☎ 20-00-39-39. ● in fo@circus-berlin.de ● circus-berlin.de ● U-bahn : Rosenthaler Platz. En dortoir de 4 à 8 lits, compter 19-23 €/pers avec douche et w-c à l'étage ; doubles 56-70 € selon catégorie ; appart 85 € pour 2 pers et 140 € pour 4. Adresse que l'on conseille vivement, non seulement pour sa situation. Nombreux services : Internet, consigne, billets pour les concerts, location de vélos, et même une petite bibliothèque où chacun apporte sa quote-part de bouquins ! Coup de cœur pour les 11 appartements de 2 ou 4 lits du Weinbergsweg 1a. Tous sont décorés dans le style d'une marque suédoise bien connue et possèdent une salle de bains indépendante, une cuisine, et, le fin du fin, une terrasse. Abrite aussi un café (sandwichs, salades, petit déj) et le *Goldmans Bar* (au sous-sol) qui organise des soirées surf coaching (échange d'apparts), mais aussi karaoké le mercredi (voir « Où boire un verre ? »). Un hostel à forte personnalité !

🛏 *A&O Mitte Ostbahnhof* (plan général G3, *46*) : Köpenicker Str 127-129. ☎ 809-475-200. ● aohostels.com ● U-bahn : Heinrich-Heine Str. En été, doubles avec douche 60-84 € (selon jour) dans la partie hostel et 64-88 € dans l'hôtel (chambres plus grandes). Téléphone et Internet (payants). À deux pas des sites historiques de Mitte et dans un quartier alternatif. Outre son emplacement, cet hostel offre un autre avantage : vous y ferez

plein de rencontres. Danois, Tchèques, Allemands, tout ce petit monde se croise au bar ou devant l'hôtel, avant le club... ou après. Chambres bien entretenues. Petit déj simple mais bon (le pain est croustillant...) ; surtout ne pas oublier son petit jeton !

🛏 *Mitte's Backpacker Hostel* (plan général E2, *63*) : Chaussestr 102, 10115. ☎ 283-90-965. ● info@backpac ker.de ● backpacker.de ● U-bahn : Zinnowitzer Str. Nuitée 14-21 €/pers en dortoir ; doubles avec ou sans sdb 25-29 €/pers ; 7e nuit gratuite ; loc de draps 2,50 € ; petit déj 3 €. Une auberge de jeunesse privée (sans limite d'âge) dans un grand bâtiment au fond d'une cour (parking) avec un *Ballhaus* (salle de bal) à l'ancienne au rez-de-chaussée de cette cour. Clair, spacieux et propre. Chambres à la déco originale et dortoirs bien tenus répartis sur 2 étages. Cuisine équipée, laverie, TV, Internet café, bar et location de vélos.

🛏 *Helter Skelter Hostel* (zoom 2, E2, *64*) : Johannisstr 2/Kalkscheunenstr 4-5, 10117. ☎ 280-44-997. ● info@ helterskelterhostel.com ● helterskelter hostel.com ● U-bahn : Oranienburger Tor. Face aux arrières du Tacheles, plus central tu meurs... Réception au 3e étage. Ouv 24h/24. Lit en dortoir à partir de 14 € ; double 27 € ; quadruple 22 € ; petit déj 3 €. Billard. AJ indépendante, installée dans le centre culturel de la Kalkscheune. Un hostel pour sacs à dos pur jus, dans une ancienne fabrique au milieu des derniers friches de Mitte. Beau lounge-cuisine, ouvert 24h/24 (« Vous êtes à Berlin ! », nous explique-t-on à la réception, on s'en serait douté...). Cour intérieure pavée, grands escaliers en bois et fer forgé, style alternatif cool et tarifs au diapason. Un vrai plan roots.

Prix moyens

🛏 *Hotel-pension Merkur* (zoom 2, F2, *66*) : Torstr 156, 10115. ☎ 28-282-97. ● info@hotel-merkur-berlin.de ● hotel-merkur-berlin.de ● U-bahn : Rosenthaler Platz. Au cœur de Mitte, en dessous de la Kastanien Allee et de Rosenthaler Platz. Selon saison, doubles avec dou-

che 50-80 € et 70-96 € avec les w-c en plus (!), petit déj inclus ; chambre 3-4 lits 75-140 €. À deux pas des galeries, une adresse impeccable, avec des chambres claires et spacieuses, qui sentent bon le propre. Patronne avenante. La décoration est épurée mais agréable et, surtout, les prix sont restés raisonnables dans un quartier où certains les font flamber. Ambiance classique et un brin tristoune.

▣ **Hotel Märkischer Hof** (zoom 2, E2, 67) : Linienstr 133, 10115. ☎ 282-71-55. • service@maerkischer-hof-berlin.de • maerkischer-hof-berlin.de • U-bahn : Oranienburger Tor. En face du Tacheles. Doubles avec douche et w-c 75-85 € ; petit déj-buffet 5 €. Parking gratuit dans l'arrière-cour. Bien placé, près d'une place occupée par les petits bars animés. Grandes fenêtres donnant sur une cour intérieure ou sur le tout début de la Friedrichstrasse et d'Oranienburger Strasse. Une adresse vraiment comme il faut (sans luxe), avec un accueil courtois et des prix sages. Certes, le mobilier n'a rien d'original,

mais la situation et la propreté l'emportent. Et avec son escalier étroit, il possède un certain charme « vieux Berlin ». Resto et Kneipe bien typiques (poutres, lampes anciennes en céramique...) juste en dessous.

▣ **Hotel Taunus** (zoom 2, F2, 65) : Monbijou Platz 1. ☎ 28-35-254. • hoteltaunus.com • S-bahn : Hackescher Markt. Doubles à partir de 59 €. En plein quartier de Mitte, près des bars et des restos de Hackescher Markt, un haut lieu de la vie nocturne berlinoise. Proche de l'agitation, mais calme car en retrait de la rue. Petit immeuble de brique avec des coursives métalliques extérieures. Chambres simples et propres mais exiguës, avec douche, w-c et TV. Confort minimum. Parking intérieur pratique pour les motorisés.

Plus chic

▣ **Hotel Honigmond** (zoom 2, E2, 69) : Tieckstr 11, 10115. ☎ 284-45-50. • info@honigmond.de • honigmond.de • U-bahn : Oranienburger Tor. À l'angle de la Borsigstr. Doubles 145-225 € selon taille et confort. Un délicieux hôtel de charme dans une rue calme de Mitte (ex-Berlin-Est), à deux pas des galeries d'art et de la centrale Torstr. On a été séduits par le bon goût et l'originalité de la décoration. Grandes chambres au parquet blanc, de styles variés (classique, avec stucs au plafond et armoires vitrées, ou moderne), immenses couloirs, peintures style Grand Siècle, mobilier bien choisi. Petit jardin à l'arrière. Café-resto au rez-de-chaussée (à prix doux). C'est une de nos meilleures adresses dans la catégorie « charme » à Berlin.

▣ **Arte Luise Kunst Hotel** (zoom 2, E2, 72) : Luisenstr 19, 10117. ☎ 284-480 (24h/24). • info@luise-berlin.com • luise-berlin.com • U-bahn et S-bahn : Friedrichstr. Doubles avec douche 135-150 € et 85-110 € sans (dans la partie mansardée) ; également des suites avec bains ; très bon petit déj 9,50 €. Quartier central, à côté du bel hôpital ancien et en brique rouge de la Charité et à deux pas du Reichstag. Bel immeuble avec cour intérieure, un hôtel conçu et décoré par et pour des artistes. Les

chambres sont amusantes, parfois intrigantes (déco sur le thème du tronc d'arbre...), mais toutes originales. Chacune est différente et ultra personnalisée. Un conseil : pour éviter les surprises, choisissez votre chambre sur Internet avant de réserver. Défauts : pas de clim', et les chambres de la partie rénovée, plus proches du métro, sont bruyantes malgré le double vitrage.

▣ **Park Inn Berlin-Alexanderplatz** (zoom 2, F2, 70) : Alexanderplatz 8. ☎ 23-890. • berlin.hotel@rezidorparkinn.com • rezidorparkinn.com • S-bahn et U-bahn : Alexanderplatz. Doubles (douche et w-c) 90-130 € selon période, petit déj inclus. Clim' et coffre-fort dans les chambres. Remise en forme à l'américaine pour cet hôtel de chaîne situé directement sur l'Alexanderplatz. Très impressionnant, c'est l'un des bâtiments les plus hauts de la ville, idéal donc pour prendre de la hauteur avec ses belles chambres (1 012 exactement), du 6e au 35e étage. L'ensemble a le charme impersonnel d'un hôtel international avec sauna, ascenseurs, solarium et casino très sélect, mais le design des chambres est agréable et en surprendra plus d'un. Demandez-en une avec vue sur la tour de Télévision (de l'autre côté, les chambres donnent sur les chantiers de construction de la place). Personnel serviable et pro.

⌂ *Art'otel Berlin Mitte (zoom 2, F3, 73) :* Wallstr 70-73, 10179. ☎ 24-06-20. ● aobminfo@pphe.com ● artotels. com ● U-bahn : Märkisches Museum. *Réservez impérativement pour vous entendre sur le prix des chambres, qui change selon les périodes. Doubles 100-260 € ; parfois les prix pour une double baissent jusqu'à 90 € ! Petit déj 16 €. Clim' et connexion Internet (payante) dans les chambres. Réduc si résa en ligne par* ● booking.com ● *Un hôtel calme et central, avec deux visages. La partie moderne, décorée dans un style design contemporain, et à* l'arrière un authentique palais rococo. Les deux parties sont accolées, mais les chambres sont dans la partie moderne côté Wallstrasse. Celles-ci, au confort 4-étoiles et à la déco épurée, sont fonctionnelles mais pas très grandes par rapport au standing berlinois normal. Elles sont toutes identiques, seule la couleur du tapis change, on se serait attendu à un peu plus de personnalisation... Le projet artistique de l'hôtel est dédié à Georg Baselitz, dont 130 œuvres recouvrent les murs ! Le petit déj-buffet est servi dans une salle alliant l'ancien et le moderne. Location de bicyclettes (15 € la journée).

Où manger ?

Bon marché

|●| *Resto U « Suma cum Laude » de la Humboldt Universität (zoom 2, E-F3, 136) :* Unter den Linden 6 ; entrée sur l'arrière, sur Dorotheenstr. U-bahn : Friedrichstr. Demandez la Mensa. À gauche, la *Mensa* étudiante et, à droite, la *Mensa* des professeurs, vrai resto, encore très bon marché. Il faut quand même savoir que ça n'a rien d'une adresse gastronomique... Une brocante aux vieux livres se tient dans la cour certains week-ends ; on y a même vu des *comics* de l'ancienne RDA !

|●| *Piccola Italia (zoom 2, F2, 137) :* Oranienburger Str 6. ☎ 283-58-43. S-bahn : Hackescher Markt. Tlj 11h-1h. Pâtes et pizzas à manger sur le pouce ou à emporter 3-5 €. Sans conteste l'*Imbiss* italien le plus connu des jeunes Berlinois. Pour preuve, la file ininterrompue devant le four, qui ne connaît pas les RTT !

|●| *Bagels & Bialy's (zoom 2, F2, 123) :* Rosenthalerstr 46. ☎ 283-65-46. ● bagels-bialy@gmx.de ● U-bahn : Weinmeister Str. Tlj, 24h/24. Bagels env 3,50 € et petits déj. Dans une petite salle ou à emporter, des spécialités libanaises en osmose avec l'Europe centrale, comme ces très honnêtes *bagels* au houmous. Accueil avec le sourire. Idéal à la sortie des clubs environnants.

|●| *Imbiss Dada Falafel (zoom 2, E2, 138) :* Linienstr 132 ; donne sur la Ora-nienburger Str. U-bahn : Oranienburger Tor. Tlj 10h-2h (4h le w-e). Falafels et assiettes (aubergines...) env 3 €. Un endroit idéal pour déguster un falafel libanais (boulettes de purée de pois chiches présentées dans un pain avec de la salade et de la sauce au yaourt). Jetez votre dévolu sur le falafel *Schawarma Bronwin*, agrémenté de poulet mariné dans du sirop de grenade. Servis dans une petite coupe argentée : royal, mais c'est un plat, pas une assiette ! Accueil plein de gentillesse.

|●| *Berliner Currywurst :* au début d'Am Kupfer Graben. Un petit stand à saucisses tout simple, idéal pour prendre des forces avant la visite du musée Pergamon. On y déguste, ô surprise, la célèbre *Currywurst (3 €)* sur des tables en bois, situées sous le pont ferroviaire et près d'un marché. Populaire à souhait.

|●| *Imbiss Fantasia (plan général G3, 115) :* Brückenstr 2. U-bahn : Heinrich-Heine Str. ☎ 279-17-25. Tlj, 24h/24. Kebabs et pizzas turques env 3 €. Une salle de bistrot avec quelques palmiers et les drapeaux turcs et allemands, unis en une solennelle fraternité ! Bons kebabs, au pain toasté et à la viande finement coupée. D'après une coupure de presse affichée au mur, ce serait l'un des meilleurs kebabs de Berlin (et il y en a !). Bien pratique pour les faims nocturnes en tout cas.

MITTE

|●| *Lindenbräu im Sonycenter* (zoom 2, E3, **130**) : Bellevuestr 3-5. ☎ 25-75-12-80. ● info@lindenbraeu-ber lin.de ● U-bahn et S-bahn : Potsdamer Platz. Tlj 11h-1h30 (2h30 le w-e). Carte 8,50-16 €. Carte en français. Une brasserie bavaroise dans une ambiance high-tech... et où les bières proposées sont brassées sur place. Ne prenez pas forcément une *Pils*, préférez une *Hefeweizen* (bière non filtrée) avec un plat de *Weisswürste* (saucisses blanches servies avec bretzel et moutarde sucrée). Cuisine d'inspiration autrichienne, comme les *Knödels* aux épinards et les *Schnitzels* (escalope panée), servis dans une corbeille de pain. En saison, la terrasse se mêle aux autres du centre ; vue imprenable sur marée humaine ! Préférez la salle, avec ses grandes cuves en étain. Pour les amateurs de vraie tradition et parce que cela fait plaisir de se sentir... bien en Allemagne !

|●| *Rice & Roll* (zoom 2, E3, **124**) : au coin de Schützenstr et de Charlottenstr. ☎ 206-16-393. Tlj sf w-e 11h-19h. Plat env 5,50 €. À deux pas de Checkpoint Charlie, un resto vietnamien avec bois, bambou et petites lampes, le tout dans un style épuré. Excellente poule-riz déclinée à toutes les sauces (pruneaux, coco...) et servie dans un grand bol. Accueil souriant.

Prix moyens

|●| *Keyser Soze* (zoom 2, E2, **146**) : Tucholskystr 33. ☎ 28-59-94-89. ● reser vierung@keyser-soze.de ● U-bahn : Oranienburger Tor. Tlj 8h-3h. Plat à partir de 10 € (un peu plus cher le soir). CB refusées. Vous pensez certainement : pourquoi ce bistrot plutôt qu'un autre ? Eh bien, parce que le *Keyser Soze* se démarque par son ambiance bon enfant, son équipe joyeuse et sa cuisine sincère (étonnante pour un quartier touristique), qui fleure bon la *Deutsche Küche*. Les *Käsespätzle* (pâtes allemandes aux oignons et fromage) sont parfaites ! Voilà pourquoi les habitués du quartier en ont fait leur repaire. Terrasse bien située, mais service nonchalant.

|●| *Monsieur Vuong* (zoom 2, F2, **141**) : Alte Schönhauser Str 36. ☎ 30-87-26-43. ● indochina@monsieurvuong.de ● U-bahn : Rosa-Luxemburg Platz ou Weinmeister Str. Tlj sf dim 12h-minuit. Plat env 12 €. Il faudra parfois vous armer de patience aux heures de pointe pour obtenir un bout de table et de banc, tellement le succès de ce restaurant branché, de cuisine indochinoise, est grand. Quelques plats bien assaisonnés, de grandes salades, des soupes vietnamiennes (il faut goûter la *Wan Tan soup* !), des jus de fruits frais, des milk-shakes, des thés (à l'artichaut !), tous préparés minute sous le regard perçant de M. Vuong en personne, qui ne quitte pas la salle des yeux... Tables conviviales sur le trottoir. C'est simple, délicieux, efficace et ça marche ! Cet ancien officier du Sud-Vietnam, réfugié en Allemagne, parle quelques mots de français et sera ravi de papoter avec vous.

|●| *Kuchi* (zoom 2, F2, **145**) : Gipsstr 3. ☎ 28-38-66-22. Tlj jusqu'à minuit. Menus à partir de 9 € ; plat env 10 €. Le meilleur resto japonais du quartier. Petite salle très bien décorée, dans un design asiatique moderne. Motifs végétaux au mur et tons rosés invitent à la décontraction. Savoureuse cuisine tout en fraîcheur et en délicatesse : soupes *ramen* ou *miso*, sushis, *tempura*, *yakitori*... Service efficace et aimable.

|●| *Brecht-Keller* (zoom 2, E2, **142**) : Chausseestr 125. ☎ 282-38-43. U-bahn : Oranienburger Tor ; tram : Torstr. Tlj dès 18h. Plats 10-16 €. Dans le sous-sol de la maison de l'écrivain et dramaturge Bertolt Brecht, avec terrasse sous les arbres de la cour intérieure en été. Ambiance vieux Berlin, avec du mobilier et des accessoires de théâtre provenant du *Berliner Ensemble*. Cuisine autrichienne d'après les recettes d'Hélène Weigel, actrice et femme de Brecht. À noter, un *lounge* longiligne dans une salle voûtée en pierre, pour fumer tranquillement un cigare sur des fauteuils en cuir et rester encore un petit moment avec un morceau de jazz en sourdine... dans l'esprit du maître des lieux.

|●| *Nola's am Weinberg* (plan général F2, **143**) : Veteranenstr 9. ☎ 44-04-07-66. U-bahn : Rosenthaler Platz ; tram : Zionskirchplatz. Tlj 10h-1h. Formule à midi avec entrée au choix et plat principal 7,50 €. Ce café-restaurant est situé en retrait de la rue, au sommet du parc Am Weinberg. Ambiance chalet de montagne avec une vue magnifique sur les pentes douces du parc et les toits du quartier. Diverses soupes et salades composées. Petits déj copieux. À la carte, spécialités suisses et plats de pâtes. *Lounge* musical avec de profonds fauteuils 1950. Grand choix de cocktails et d'eaux-de-vie ; il y a même de la vodka suisse.

|●| *Barist* (zoom 2, F2, **144**) : Am Zwirngraben 13. ☎ 24-72-26-13. Sous la gare de S-bahn : Hackescher Markt. Tlj jusqu'à 23h30 (0h30 sam). Plats 12-16 €. Café-bistrot-bar agréable quelle que soit l'heure de la journée. Cuisine internationale et variée (du coq au vin à la pizza !), qui satisfera les appétits bien aiguisés. Grande salle de style brasserie, mêlant lustres et grands miroirs. Le plafond, en voûte, épouse harmonieusement l'arcade de la gare. Le soir, le service est rythmé par de la musique jazz live, contrebasse et piano. Grande terrasse très convoitée.

|●| *Nolle* (zoom 2, E2, **147**) : Georgenstr 203. ☎ 208-26-45. ● info@restaurant-nolle.de ● U-bahn et S-bahn : Friedrichstr. Sous les arcades du S-Bahn de la gare Friedrichstr. Tlj 11h30-minuit (1h ven-sam, 20h dim). Spécialités env 11 €. Vaste salle sous les arcades de la gare. Brasserie à la déco élégante dans le style des années 1920. Cuisines berlinoise et internationale : goûtez à l'*Ofenkartoffel mit Kräuterquark* (pomme de terre cuite au four, accompagnée d'un fromage blanc aux fines herbes). Le fréquent passage des trains peut déconcentrer les plus affamés.

|●| *Barcomi's Deli* (zoom 2, F2, **148**) : Sophienstr 21. ☎ 28-59-83-63. U-bahn : Weinmeisterstr ; S-bahn : Hackescher Mark. Dans la 2ᵉ cour. Tlj 9h-21h (22h sam). Résa conseillée le sam soir. Plats à la carte 7-17 € et propositions à l'ardoise (lasagnes, etc.) env 9 €. Installé dans les charmantes cours en brique *Sophie Gips Höfe*. Se signale à peine. 2 entrées : une par la rue Gipsstr et l'autre par Sophienstr. Ce bistrot à la déco design, tenu par une New-Yorkaise pure souche, surnommée « Miss American Pie », décline d'authentiques spécialités américaines, toutes faites maison. Délicieux *bagels* et nombreuses sortes de cafés. Il y a aussi une petite boutique attenante pour emporter sandwichs ou pâtisseries.

|●| ▼ *Kasbah* (zoom 2, F2, **149**) : Gipsstr 2. ☎ 27-59-43-61. ● mail@kasbah-berlin.de ● U-bahn : Weinmeister Str. Tlj sf lun 18h-minuit. Plats 8-15 €. De la cuisine marocaine raffinée dans un décor oriental où rien ne manque. Détail révélateur, on vous lave les mains à l'eau de fleur d'oranger avant de passer à table, c'est exquis ! La cuisine est fine et délicieuse ; très bon *zaalouk*, aubergines parfaitement parfumées avec petite roquette au citron. Pastilla, tajine, et le couscous au bœuf, patates, citron, olives et safran, un vrai régal. Pâtisseries ; et on peut conclure par un café à la cardamome.

|●| *Marinehaus* (zoom 2, F3, **159**) : Märkisches Ufer 48. ☎ 279-32-46. Tlj sf w-e 12h-minuit. Plats 8-12 €. Près de l'ambassade de Chine, un bon restaurant au bord de la Spree (très jolie promenade pédestre), une auberge portuaire prussienne et chaleureuse avec des bancs au-dehors, une mouette, des filets et des bouées sur les murs, comme en Bretagne ou en Irlande. Cuisine mijotée (bonne fricassée de poule avec du riz et bouquet de salade), plats de la mer (poissons). On vient chercher la carte, le pain (gratuit) et son plat au comptoir. Prix sages. Les vendredi et samedi, soirée avec petit groupe musical.

|●| *Maredo* (zoom 2, E3, **122**) : Charlottenstr 57. ☎ 209-45-230. Tlj 11h30-minuit. Plats env 7,50-19 € et plus. L'un des seuls restos abordables dans ce quartier chic et bon teint de Mitte. Il appartient à une chaîne de bistrots. Salle typique de néo-brasserie, entourée de baies vitrées. Terrasse majestueuse donnant sur le *Deutscher Dom*. Choix du jour et vin au verre affichés sur une ardoise au mur. Vaste choix de steaks, à accompagner de petites pommes de terre.

MITTE

Plus chic

|●| *Bocca di Bacco* (zoom 2, E3, *151*) : Friedrichstr 167-168. ☎ 20-67-28-28. ● info@boccadibacco.de ● ♿ U-bahn : Französische Str. Lun-sam 12h-minuit, dim dès 18h. Résa conseillée. Menus à partir de 16,50 et 19,50 € le midi (2 et 3 plats). Pâtes env 12 €. Carte env 50 € sans les vins. Un haut lieu de la gastronomie italienne (gardé par des atlantes) ! Le chef ne se disperse pas dans d'audacieuses créations mais accède à l'excellence en livrant à ses convives une savoureuse cuisine classique : *spaghetti vongole*, pièce de veau parfaitement saisie, jusqu'à la riche sélection de vins aromatiques. Du même coup, les rangs des fidèles grossissent dans cet établissement aux lignes contemporaines et élégantes. Et puis, même si l'endroit est réputé, on a su rester naturel et vous accueillir avec chaleur.

|●| *Zagreus Projekt* (resto-galerie ; zoom 2, F2, *153*) : Brunnenstr 9a. ☎ 28-09-56-40. ● info@ zagreus-berlin.net U-bahn : Rosenthaler Platz. Résa obligatoire. Repas 20-35 €. Projet ambitieux, le *Zagreus* d'Ulrich Krauss occupe un lieu très central, d'anciens bains juifs (très belle fontaine de 1914 dans la cour). Ce n'est pas un restaurant classique mais une galerie d'art contemporain, où les menus préparés sur place font partie intégrante du concept de l'exposition. Celle-ci et le menu changent tous les 2 mois. Il n'y a qu'un service à 20h, souvent composé autour d'un thème choisi. Les repas se prennent dans un sous-sol à côté de la cuisine où le jovial Ulrich s'active.

Où manger autour du Nikolaiviertel ?

Dans ces auberges patiemment rénovées du Nikolaiviertel, on a peine à trouver la fameuse *Gemütlichkeit* berlinoise. Peu de Berlinois se rendent dans ce quartier, qui semble avoir été artificiellement conçu pour les touristes. Allez quand même jeter un coup d'œil dans une de ces *Gaststätte* (auberges), où l'on mange l'*Eisbein,* jarret de porc salé sur son lit de choucroute. Littéralement « jambe de glace », cette spécialité vieille de 600 ans s'est vu attribuer le nom donné autrefois aux patins à glace des enfants, confectionnés dans l'os le plus solide du porc !

|●| *Zum Nussbaum* (zoom 2, F3, *154*) : Am Nussbaum 3, à l'angle de la rue Propstr. ☎ 242-30-95. U-bahn : Alexanderplatz. Tlj 12h-22h (pour commander) et souvent open end ! Spécialités env 8 € tenant sur une page. C'est l'une des plus anciennes auberges, datant de 1571, reconstruite après la guerre. Boiseries, plafond bas, gravures, épaisses tables en bois, atmosphère sombre, le charme opère. Spécialités allemandes comme les *Rollmops* (filets de hareng marinés), l'*Eisbein* ou les boulettes de viande accompagnées d'une *Berliner Weisse mit Schuss* (bière amère adoucie avec du sirop de framboise ou d'aspérule, à boire à la paille). Petite terrasse pavée sous un arbre, aux premiers rayons de soleil. Accueil au lance-pierres, dommage...

|●| *Zur Rippe* (zoom 2, F3, *155*) : Poststr 17. ☎ 242-42-48. U-bahn : Alexanderplatz. À l'angle de Gertrauden-Mühlendamm, entre Nikolaikirche et les quais. Tlj 11h30-23h. Spécialités env 6,50-14 €. Cuisine à la bière et bons plats classiques, tels les *Berliner Eisbein, Sauerkraut, Erbspüree, Salzkartoffeln.* Murs surchargés de photos du Berlin d'autrefois. Atmosphère calme et service agréable.

Salons de thé

|●| ☕ *Operncafé* (zoom 2, F3, *241*) : Unter den Linden 5, Opernpalais. ☎ 20-26-83. ● info@opernpalais.de ● S-bahn : Friedrichstr. En face de l'ancien arsenal, aménagé dans un palais. Tlj 8h-minuit. Pâtisserie env 5 €.

Le comptoir vitré contient une cinquantaine de pâtisseries appétissantes que l'on déguste dans une grande salle décorée de peintures illustrant Berlin, ancienne capitale de la Prusse. Tentures précieuses et service en gilet bordeaux. Une réjouissante adresse pour les papilles dans un cadre très chic. Ambiance plus décontractée en terrasse, très agréable en été.

⍭ ☎ *Tadschikische Teestube* (zoom 2, F3, **242**) : dans le Theater im Palais, Am Festungsgraben 1 ; au 1er étage, salle 117. ☎ 204-11-12. S-bahn : Hackescher Markt. Lun-ven 17h-minuit, dès 15h le w.-e. Fermé en août. Salon de thé à l'orientale, de style tadjik ; un antre néo-baba installé dans un édifice classique. Prière de se déchausser à l'entrée ! Un grand salon, calme, où le client est assis (presque allongé) sur de confortables coussins, autour de tables basses. On y sert diverses sortes de thé (la formule du samovar russe est la plus dépaysante), mais aussi de petits plats savoureux et des pâtisseries. Très bon service. Pour faire votre choix, un livret très détaillé est à votre disposition.

Où déguster une glace ?

🍦 *Caffè e Gelato* (zoom 2, E3, **131**) : Alte Potsdamer Str 7 ; entrée au bout de la Voxstr, au 1er étage. ☎ 25-29-78-32. S-bahn et U-bahn : Potsdamer Platz. À l'étage, dans les Arkaden, la galerie commerciale couverte de Potsdamer Platz. Dim-jeu jusqu'à 22h30 (23h en été), ven-sam jusqu'à minuit. Les meilleures glaces de Berlin. Magnifiques coupes à la carte, vous saliverez avant d'avoir commencé. Savoureux mélanges de fruits, de parfums et de couleurs.

🍦 *Eis Hennig* (plan général G3, **135**) : Karl-Marx Allee 35. ☎ 247-84-44. U-bahn : Schillingstr. Tlj en été 9h-22h. Situé entre le *Mocca Milch Eisbar* et le *Kino International*, ce café-glacier est resté dans le jus des années 1950, lorsque la Karl-Marx Allee s'appelait encore Stalin Allee. Petit dernier d'une grande famille (8 filiales berlinoises), l'établissement appartient aux Hennig, glaciers réputés depuis des générations. Tout commence en 1930 avec Alois et Franz Hennig. Ce dernier, seul rescapé du front russe « glacial », se lance corps et âme dans l'aventure !

Où boire un verre ?

🍷 *Café-bar Gorki Park* (zoom 2, F2, **258**) : Weinbergsweg 25. ☎ 448-72-86. Ouv tlj 9h30-2h. CB refusées. Le bar de style et de thème russe, jeune et branché, le plus attirant du quartier, qui fait aussi petit resto : snack, blinis, soupe russe (bortsch). Toujours animé, surtout le soir. Terrasse agréable, tellement bondée les soirs d'été que des dossiers de chaise ont été fixés sur les marches ! Bon rapport qualité-prix.

🍷 *Café Cinéma* (zoom 2, F2, **230**) : Rosenthaler Str 39. ☎ 280-64-15. S-bahn : Hackescher Markt. Tlj 12h-3h. Petit café sombre. On passerait presque devant sans le voir ; c'est pourtant un classique. Tous les Berlinois connaissent le buste de Laurel et Hardy, le duo comique américain à jamais figé dans la vitrine. Projecteurs, photos et vieilles affiches. Dans un coin, un vieux piano en bois rappelle l'époque du cinéma muet. Jeunesse bohème et étudiante et jolie terrasse.

🍷 *Assel* (zoom 2, F2, **231**) : Oranienburger Str 21. ☎ 24-04-88-99. S-bahn : Oranienburger Str. Ouv tlj 10h-3h. Véritable café de l'ancienne RDA, qui a su garder son âme un peu underground malgré le succès grandissant du quartier. C'est un des derniers signes du passé de Berlin et il résiste tant bien que mal à la vague de ravalement du Mitte... En terrasse l'été, à la bougie ou dans la salle en contrebas enfumée l'hiver, il est toujours agréable de venir y boire un *Milchkaffee* ou une petite bière. Et puis, si côté rue il y a des échafaudages au-dessus de vos têtes, soyez sûr qu'on les aura décorés de plantes grimpantes ou de petites lampes !

Strandbad-Mitte (zoom 2, F2, **233**) : Kleine Hamburger Str 16. ☎ 24-62-89-63. ● info@strandbad-mitte.de ● S-bahn : Oranienburger Str. Tlj 9h-2h. Coincé au fond d'une impasse aérée, accolé à un terrain de foot, ce café draine une clientèle d'habitués à la recherche de souvenirs de vacances, ambiance qui se retrouve aussi bien en été sur sa terrasse dépaysante qu'en hiver grâce à son décor bien conçu de piscine. Rien n'y manque pour créer l'illusion, même pas le plongeoir qui se dresse au-dessus du comptoir. On peut aussi se connecter gratuitement à Internet, mais il faut avoir son ordinateur portable. Bonne zique.

Strandbar (zoom 2, F2, **234**) : Monbijoustr 1-3. ☎ 28-38-55-88. S-bahn : Oranienburger Str. Ouv slt en été, tlj de 10h jusque tard dans la nuit. Bar directement au bord de la Spree. Ambiance Berlin-plage ; les commandes sont prises au cabanon près de l'entrée avant de rejoindre pieds nus dans le sable sa chaise-corbeille ou chaise longue. On se dore au soleil (s'il est présent), on se repose, mais on ne se baigne pas...

Altes Europa (zoom 2, F2, **235**) : Gipsstr 11. ☎ 28-09-38-40. ● sommer@europastrand.de ● U-bahn : Weinmeister Str. Tlj jusqu'à 1h du mat. Déco minimaliste, grandes fenêtres et quelques vieilles cartes aux murs. Un îlot de simplicité dans un quartier de plus en plus métissé au niveau des styles. On y sert aussi quelques petits plats pas chers (4-9 €). L'ambiance et le service aimable de ce bar-resto donnent envie d'y rester des heures.

Frida's Schwester (zoom 2, F2, **236**) : Neue Schönhauser Str 11. ☎ 283-84-710. U-bahn : Weinmeister Str ; S-bahn : Hackescher Markt. Tlj 11h-1h (10h-2h le w-e). Brunch-buffet dim jusqu'à 16h. Café très gemütlich, comme on dit ici. Entre les murs sages et pastel, la colonne de gare ferroviaire joue les provocatrices. Ambiance caractéristique de ces Kneipen berlinois, où viennent pêle-mêle étudiants, simples passants et habitués travaillant dans le quartier.

Kilkenny Irish Pub (zoom 2, F2, **237**) : Am Zwirngraben 17-20. ☎ 283-20-84. ● info@kilkenny-pub.

de ● Sous la ligne de S-bahn Hackescher Markt. Tlj 10h-3h (4h sam). Musique live 3 fois/sem (entrée gratuite). Pub irlandais, réplique (en moins authentique) des pubs de Dublin. On peut aussi y manger. Le bruit du métro n'y couvre en tout cas jamais les palabres des habitués.

Zosch (zoom 2, E-F2, **238**) : Tucholskystr 30. ☎ 280-76-64. S-bahn : Oranienburger Str. Tlj dès 16h. Concerts mar-sam (jazz mer et jeu). Ici, pas de peinture fraîche, pas de mobilier neuf, pas d'échafaudage en vue. Ce café délabré, pionnier du quartier, est resté en l'état et on l'aime comme ça, avec son vieux bar, ses boiseries vert bouteille, ses miroirs et son sol en damier. Au sous-sol, cave voûtée en brique, où viennent se produire de petits groupes berlinois.

Goldman's Bar (zoom 2, F2, **62**) : Weinbergsweg 1a. Ouv tlj de 21h jusque tard dans la nuit. Au sous-sol du Circus Hostel, un bar-disco à la déco alternative : lampes de chevet près des samples, mosaïques orientales, aquariums à plante et smileys géants. Petite piste de danse et DJ aux manettes. Fréquenté par des jeunes d'un peu partout, qui s'y amusent autant que les serveurs au bar. Noter qu'on y sert des chopes de bière d'un litre. Sans pousser à la consommation d'alcool, ça permet parfois de gagner du temps !

Ici (zoom 2, F2, **239**) : Auguststr 61. S-bahn : Hackescher Markt ; U-bahn : Rosenthaler Platz. Tlj 14h-3h. Un café-galerie fréquenté par des artistes : odeur de la cire qui brûle, éclairage tamisé, grands tableaux exposés jusqu'au plafond et parfois musique classique. Sert de bons petits vins et quelques plats simples à prix doux. Un beau café, qui se respecte.

Deponie Nr 3 (zoom 2, E2, **240**) : Georgenstr 1-3. ☎ 20-16-57-40. ● deponienr.3@gmx.de ● Sous les voies de la ligne de S-bahn. Tlj dès 9h (10h le w-e) jusque tard dans la nuit. Live music ven et sam sans supplément dès 21h. Brunch jazz dim 10h-15h, sous forme de buffet. Encore une bonne adresse du quartier, réaménagée en pub alternatif et pourtant très vieux Berlin, avec ses faïences murales et sa balustrade en bois. Pour boire et écouter de la musique, mais on y mange aussi des plats copieux et économiques. Hors concerts, on y passe du rock ou du reggae selon l'humeur.

Die Zwölfe Apostel *(zoom 2, E-F2, 220) : un peu plus loin que le précédent, sur la gauche, le long de la voie ferrée. Tlj jusqu'à minuit ou plus.* Ce qui est en fait une grande pizzeria court sur 3 salles voûtées, entièrement recouvertes de peintures religieuses. Point de silence monacal en ces lieux pourtant, car, le soir, on est ici plutôt apôtre de la palabre ! Le tout sous un lustre sorti tout droit de la famille Adam's...

Alt Berlin *(zoom 2, F2, 257) : Münzstr 23. ☎ 281-96-87. U-bahn : Weinmeister Str. Tlj sf dim dès 20h. Nonfumeurs sf terrasse.* Quelques plats simples. C'est l'une des nouvelles tendances de la jeunesse branchée berlinoise : réinvestir quelques lieux traditionnels, rustiques à souhait, triés sur le volet, pour s'empiffrer autour de plats qui tiennent bien au corps, comme des œufs durs au vinaigre, des saucisses ou des boulettes. Carte très restreinte, mais ambiance copain-copain de bon aloi, où il faut jouer des coudes pour se frayer un passage. Populaire et intimiste.

Bar du restaurant Refugium *(zoom 2, E3, 232) : Auf Dem Gendarmenmarkt 5. ☎ 22-91-661. À partir de 11h en été.* Des tables et des chaises sous les arbres du Gendarmenmarkt, à l'ombre du temple des huguenots français (musée). Un endroit calme et paisible en été, pour siroter un verre. Au choix, petites tables ou transats, squattés autant par des touristes que par les habitants du quartier. Le bar dépend du restaurant *Refugium* (bonne cuisine, mais chère) dont le nom évoque l'épopée de ces réfugiés huguenots.

Oscar Wilde Irish Pub *(zoom 2, E2, 222) : Friedrichstr 112a. ☎ 282-81-66. ● oscar_wilde_irish_pub@hotmail.com ● U-bahn : Oranienburger Tor. Lunjeu 16h-2h, ven-sam 12h-3h et dim 12h-minuit.* Ce pub a su créer un esprit berlino-dublinois, avec sa déco de bois et de vitraux. Les serveuses portent le T-shirt Guinness mais la star, ici, c'est la *Berliner Pilsner*, une bière douce élaborée d'après des procédés tchèques ! Concerts acoustiques de musique irlandaise en fin de semaine et clientèles de jeunes expats anglo-saxons.

Café-bar Beisheim Centre *(zoom 2, E3, 244) : Inge-Beisheim Platz 2. Lunven 8h30-20h, w-e 9h30-19h.* Petit café à la déco moderne, en face de l'hôtel *Marriott,* avec une terrasse extérieure calme, sur une place, à deux pas de la Potsdamer Platz. On y sert du bon café, des pâtisseries et de petits sandwichs.

Bars à cocktails

Riva Bar *(zoom 2, F2, 245) : Dircksenstr 142. ☎ 24-72-26-88. ● mail@riva-berlin.de ● S-bahn : Hackescher Markt. Tlj 18h-minuit (4h le w-e). Gorille (discret) à l'entrée dès 21h.* Niché sous les arcades du S-Bahn, le bar de forme ovale prend presque toute la place. Déco gentiment épurée à la lumière travaillée. Un vrai temple pour les cocktails, à déguster dans une ambiance très relax et un rien huppée. Musique jazzy. Terrasse improvisée et presque bucolique.

Insolite

Absinth Depot *(zoom 2, F2, 243) : Weinmeisterstr 4. ☎ 281-67-89. ● info@absinth-berlin.de ● U-bahn : Weinmeister Str. Tlj sf dim 14h-minuit.* Le premier dépôt d'absinthe en ville. Vend l'absinthe à la bouteille mais pas au verre. On peut y prendre un café ou une bière car c'est aussi un *Spätkauf,* endroit où l'on peut faire 3 courses alimentaires le soir, quand les épiceries traditionnelles sont fermées. Décor de tapisserie ancienne et raffinée (tentures et glaces encadrées). L'*Absinth Depot* a relancé ce produit et vous trouverez ici 20 marques différentes, dont 3 ou 4 produits français destinés uniquement à l'expor-

MITTE

tation pour cause d'interdiction à la vente en France (ne nous demandez pas ce que l'Europe a à y faire !). Service souriant.

Où sortir ? Où écouter de la musique ?

¶ ♪ *Tacheles* (zoom 2, E2, **377**) : Oranienburger Str 54-56a. ☎ 282-61-85. ● office@tacheles.de ● U-bahn : Oranienburger Tor. Ouv tlj jusqu'à 2-3h. Concerts intéressants (se renseigner). Ce grand immeuble, en très mauvais état (euphémisme), reste l'une des grandes curiosités du Berlin branché (voir texte dans la rubrique « À voir »). Centre culturel, établi dans un ancien centre commercial, c'est l'un des symboles de la culture alternative. Des expos (peinture, sculpture), pièces de théâtre et spectacles y sont régulièrement organisés. Ne soyez pas timoré et allez jeter un coup d'œil. Installez-vous dans la cour, un vaste terrain de sable saupoudré de fauteuils en cuir noir, d'objets loufoques (fusée soviétique, camion déjanté...) et d'ateliers d'artistes. Jeunesse branchée et interlope et quelques badauds, qui viennent s'encanailler. Prenez un verre au bar *Zapata*, mais surtout ne venez pas en manteau de fourrure...

♪ ♪ *Sage Club* (plan général G3, **246**) : Köpenicker Str 78. ☎ 278-98-30. ● sage-club.de ● U-bahn : Heinrich-Heine Str. Tlj sf lun-mar. Entrée payante à partir de 22h : env 6 €, mais ça peut varier. Ce club est situé à l'intérieur d'une station de U-Bahn désaffectée. 10 espaces pour des concerts, défilés de mode, expositions et, bien sûr, de grandes fêtes, avec en plus jardin et piscine. Un véritable labyrinthe avec un public très diversifié. Jeudi rock, vendredi funk, samedi funk, hip-hop, R'n'B et house, et dimanche électro (infatigables ces Allemands !). Même en semaine on se marche sur les pieds, mais l'énergie y est intense. Il y a toujours la queue pour ce club moins sage que son nom l'indique.

♪ *Week-End Club* (zoom 2, F2, **247**) : Alexanderplatz 5. ● week-end-berlin. de ● U-bahn et S-bahn : Alexanderplatz. Jeu-sam dès 23h. Entrée : 6-8 €. Les clubs avec vue deviennent un must à Berlin. Et le *Week-End* est aussi un must de l'électro comme le *Berghain*.

Ici, on est au 12e étage d'un immeuble qui surplombe Alexanderplatz la mythique (pour vous repérer, le bâtiment est griffé à son sommet du nom d'une grande marque d'électronique). Vous arrivez par l'ascenseur dans ce HLM-club. Vue panoramique sans égal : 3 angles, dont un sur l'avenue Karl-Marx Allee. Le Berliner Dom est presque à vos pieds ! Les deux frères de TiefSchwarz sont parmi les DJs résidents qui officient dans ce temple de l'électro pêchue berlinoise. Public branchouille (*Schickeria* en allemand ; le mot désigne la jeunesse qui se montre), filles sexy et musique tout ce qu'il y a d'acceptable. Meilleur soir : le jeudi.

♪ ♪ *Tresor Club* (plan général G3, **259**) : Köpenicker 70. ● club@tresorberlin.com ● Tlj à partir de minuit. Entrée : 5 € ou plus. Un haut lieu de la techno et de l'électro situé dans une ancienne usine désaffectée, il suffit de se repérer aux grandes cheminées ! Il faut prendre son mal en patience pour pénétrer dans ce temple de la nuit berlinoise. Mais une fois passée la queue (et les gorilles à l'entrée !), c'est une expérience surréaliste qui commence. Dans une déco de fin du monde (pylônes, tuyauterie apparente, grilles, lumière minimale et fumée...), une jeunesse branchée se met en transe au son de DJs très pointus (allemands, mais aussi polonais ou luxembourgeois par exemple). Programme affiché sur la grille d'entrée.

♪ *Roter Salon und Grüner Salon* (zoom 2, F2, **250**) : Rosa-Luxemburg Platz 2 ; à l'étage, de chaque côté du Volksbühne. U-bahn : Rosa-Luxemburg Platz. Entrée : 4-15 € selon programme. **Roter Salon :** ☎ 24-06-58-06. ● info@roter-salon.de ● Presque tous les soirs dès 22h ou minuit, le « Salon rouge » est une boîte à musique intelligente, avec tous les genres possibles. Les lundi et mardi, la porte est ouverte aux jeunes créateurs de musique électro, et chaque 1er samedi du mois est consacré à une teuf funk et soul. Soirées agitées entre ses lumières, ses tapisseries et ses canapés rouges. Bizarrement, très animé le lundi. ♪ **Grüner Salon** : ☎ 28-59-89-36. ● *sclon dame@gruener-salon.de* ● *Tlj sf lun, à partir de 19h30.* Le « Salon vert », qui a gardé le charme du Berlin des années 1920, est un lieu cool et intime à la fois. Concerts et soirées variées toute la semaine, avec salsa et tango, mais aussi rock et électro. Programmation de qualité.

♪ ♫ **Kaffee Burger** (zoom 2, F2, **251**) : Torstr 60. ☎ 28-04-64-95. ● *tanzwirt schaft@kaffeeburger.de* ● *U-bahn : Rosa-Luxemburg Platz. Tlj dès 21h.* Sans *Ostalgie* prononcée, le style ici est authentique et le mobilier marron laqué comme les murs, recouverts de papier peint orange, jaunis par la fumée de cigarette. Lieu de lectures et de concerts, on y fait aussi la fête en fin de soirée quand on n'a pas envie de dormir. Et surtout, les 2ᵉ et 4ᵉ samedis du mois, Wladimir Kaminer est aux platines : l'écrivain russe et Berlinois d'adoption se déchaîne pour la soirée *Russendisko* avec des standards rock et électro russes qui valent vraiment le détour. On y danse alors sur les tables !

♪ ♫ **B-Flat** (zoom 2, F2, **254**) : Rosenthaler Str 13. ☎ 28-33-123. ● *post@b-flat-berlin.de* ● *U-bahn : Weinmeister Str. Tlj dès 20h. Entrée : gratuite certains soirs, sinon 8-10 €.* Happy hour pour profiter des délicieux cocktails. Une belle grande salle donnant sur la rue, un bel espace pour recevoir toutes sortes de formations jazz, du duo au big band. Le soir en été, on se déplace en groupes dans le passage qui fait l'entrée, pour prendre l'air.

♪ **Schlot** (zoom 2, E2, **255**) : Chaussee Str 18. ☎ 448-21-60. ● *info@kunstfabrik-schlot.de* ● *U-bahn : Zinnowitzer Str ou Nordbahnhof. Entrée : 8-10 € ; gratuit lun.* Un passage obligé des amateurs de jazz et autres petits divertissements presque sérieux comme les lectures et le cabaret. Spectacles du mardi au jeudi et jazz le week-end et le lundi. Public d'habitués.

♀ ♪ **Eschloraque** (zoom 2, F2, **396**) : Rosenthaler 39. ● *post@eschschloraque. de* ● *S-bahn : Hackescher Markt.* Vous traversez un passage ouvert, aux murs recouverts de graffitis étonnants, avant de vous trouver nez à nez avec des insectes ou une grenouille géante, qui roule des yeux quand on met une pièce dans la fente ! L'intérieur est tout aussi *freaky* : aquariums avec fossiles creusés dans le comptoir, gargouilles modernes... Toutes sortes d'événements dans ce lieu complètement décalé : concerts live, soirées DJ, électro ou 70's-80's, diffusion de films japonais... Allez-y, il se passera sûrement quelque chose !

|●| ♪ ♫ **Acud Kantina & Garten** (plan général F1-2, **256**) : Veteranenstr 21. ☎ 449-10-67. ● *kunstverein@acud. de* ● *U-bahn : Rosenthaler Platz. Tlj dès 20h.* Un lieu multiculturel resté assez alternatif et qui tient le coup, ça mérite toujours d'être signalé. Abrite un théâtre, une galerie, un cinéma, un *live café*, le *Fire Club* (dansant) et le *Mädchen-club*. Fait aussi petit resto : salades, soupes, snacks (2-5 €). Voir la programmation des spectacles, concerts, soirées musicales et dansantes sur ● *acud. de* ●

MITTE

Où danser dans une vieille salle de bal ?

|●| ♪ ♫ **Clärchens Ballhaus** (zoom 2, F2, **229**) : August Str 24. ☎ 282-92-95. *Tlj de 10h jusque tard dans la nuit. Petits plats 3-9 €.* Un lieu étonnant, vestige de l'ancienne RDA, qui montre comment les Berlinois de l'Est s'amusaient au bal du samedi soir. Un grand immeuble de 1913 au fond d'une cour verdoyante, une vaste salle au mobilier ancien, un plancher en bois patiné par les décennies. C'est presque un décor de film. On remonte dans le temps peut-être, mais la direction est assurée par des jeunes branchés. On y danse le tango, la salsa, le cha-cha-cha, on swingue à l'ancienne, on y boit, on y mange aussi. Mais le plus curieux dans ce lieu, c'est sa métamorphose inattendue. Voilà une adresse qui aurait dû disparaître et qui se métamorphose, s'adapte, se transforme : c'est une nouvelle vie. Du rétro séduisant ! On trouve autant de jeunes que de moins jeunes, toutes classes d'âge confon-

dues. Et les prix sont très raisonnables. Soirées concert classique ou jazz. Pour les détails, voir le programme sur ● *ballhaus.de* ●

À voir

De la porte de Brandebourg à l'île aux Musées (Museumsinsel)

🏃🏃🏃 *Brandenburger Tor (porte de Brandebourg ; zoom 2, E3, 355) :* plantée au bout de l'avenue Unter den Linden, elle a l'air plus petite qu'on ne l'imagine. Construite à la fin du XVIIIe s sur le modèle des propylées d'Athènes, la porte de Brandebourg s'élève entre l'avenue du 17-Juin et la Pariser Platz, ancien centre de la vie politique allemande. À son sommet se dresse le fameux quadrige représentant le char de la déesse de la Paix, volé par Napoléon. Après les inévitables dommages de 1945, on entreprit à l'Ouest la restauration du quadrige, amputé par Berlin-Est de l'aigle prussien et de la croix de fer...

Le 17 juin 1953, la révolte des ouvriers du bâtiment berlinois, réprimée par les Soviétiques, fit 25 morts à ses pieds, d'où le nom de l'avenue de l'autre côté de la porte, à l'ouest. Dernière péripétie : l'ouverture du Mur en 1989, avec l'escalade de la Brandenburger Tor, a occasionné de sérieux bobos au quadrige. Emporté par la déferlante du renouveau berlinois, le plus célèbre monument de la ville a profité d'une habile restauration en prévision du 12e anniversaire de la réunification allemande. Juste retour des choses : longtemps considérée comme le symbole de la division de Berlin, elle cristallise aujourd'hui les aspirations de l'Allemagne nouvelle... figurant même sur les pièces de la monnaie européenne !

> ### LES TRIBULATIONS DU QUADRIGE
>
> *1806, Napoléon campe à Berlin. Il a décidé de piller la ville de ses richesses. Le 21 décembre, un bateau rempli de 96 caisses d'œuvres d'art prises dans les palais de Berlin part vers Paris. À son bord, le quadrige de la porte de Brandebourg. Pour les Berlinois, le quadrige enlevé par les soldats français devient le symbole de la honte. Celle-ci ne sera lavée qu'avec le retour à Berlin du char de la déesse de la Paix en 1814. Il est alors réinstallé au sommet de la porte. Originellement orienté vers l'est, Hitler fait tourner le quadrige vers l'ouest pour exprimer ses désirs de puissance et de conquête.*

Les pavés placés au sol (côté ouest) marquent le tracé de l'ancien passage du Mur.

🏃🏃 *Holocaust Mahnmal (mémorial de l'Holocauste ; zoom 2, E3, 356) : Behrenstr ; à l'angle avec Ebertstr. ● holocaust-mahnmal.de ● S-bahn : Unter den Linden ; bus n° 123. Entrée gratuite. Textes en français, audioguide en anglais (1,50 €).*

Après de longues tergiversations et quelques scandales, il existe enfin à Berlin un monument d'importance à la mémoire des juifs assassinés dans l'Europe nazie. L'ensemble des stèles (2 711 exactement, de taille et d'inclinaison variées !) installées là, entre la porte de Brandebourg et la Potsdamer Platz, d'après les plans de l'architecte américain Peter Eisenmann sur l'emplacement du bunker de Goebbels, ressemble effectivement à un cimetière monumental, ouvert en permanence et accessible par tous ses côtés. La nuit, quelques allées sont éclairées.

C'est un lieu de promenade où il est, paraît-il, permis de pique-niquer (!) et de jouer à cache-cache (avec l'histoire ?). Cela ressemble à une grande vague de pierre de béton gris. C'est en fait assez abstrait, d'aspect froid ; on peut se perdre dans ses couloirs, ou s'y retrouver, superbement isolé, au coin d'une stèle. Le terrain irrégulier (on descend et on monte) et labyrinthique évoque le tourment des destinées individuelles, mais aussi la peur, tout aussi bien celle de la solitude que celle d'une mauvaise rencontre. L'Allemagne montre ici, après des années de débats douloureux, sa volonté d'accomplir un réel travail de mémoire. Un centre d'informations se trouve également sur place *(tlj sf lun 10h-20h, 19h en hiver).*

❧ *L'ambassade de France (zoom 2, E3, 1) :* ouverte depuis 2002, l'ambassade de France s'est réinstallée sur son site historique de la Pariser Platz. Sur cet emplacement, propriété de l'État français depuis 1860, se dressait l'ancienne ambassade, totalement détruite pendant la Seconde Guerre mondiale. Répondant au souhait de réinvestir ce lieu resté en friche pendant un demi-siècle, le projet de reconstruction a été confié à l'architecte français Christian de Portzamparc. Dès son inauguration en grande pompe par Jacques Chirac et Gerhard Schröder lors des célébrations du 40e anniversaire du traité de l'Élysée, les critiques ont fusé. Certains lui reprochent son aspect bunker, avec ses meurtrières qui parcourent sa façade. Cet aspect extérieur est justifié par l'architecte, qui explique avoir souhaité ce contraste entre un socle fermé et un étage très ouvert : l'aspect sécuritaire du rez-de-chaussée s'opposant au luxe et au calme de l'étage. On vous conseille donc de vous faire votre propre opinion en allant directement sur place...

En face de l'ambassade, la façade de la *DZ Bank (ex-DG)* n'a, a priori, rien de remarquable. À l'intérieur, en revanche, Frank Gehry (architecte du Guggenheim à Bilbao) a dynamité toutes les règles du genre : l'atrium abrite une structure de verre et de métal au-dessus de laquelle flotte une sorte de poisson. Côté Behrenstrasse, la façade montre un tout autre visage que celui de la Pariser Platz : la paroi, percée d'innombrables fenêtres carrées, semble onduler. Le toit se compose d'une structure complexe où s'enchevêtrent le verre et l'acier pour évoquer les rayons d'une ruche.

Juste à côté se plante le vaisseau tout en verre de l'*Akademie der Künste,* construit à la place de l'ancienne académie qui occupait un palais du XVIIIe s. L'atrium lumineux s'ouvre sur la bibliothèque, la librairie et la cafétéria, par un réseau de passerelles et d'escaliers de verre.

🎥🎥 *The Kennedys (zoom 2, E3, 390) : Pariserplatz 4a.* ☎ 31-00-77-88. • thekennedys.de • S-bahn : Unter den Linden ; bus nos 100, 200, M41, TXL. Tlj 10h-18h. Entrée : 7 € ; réduc.

Ce musée, consacré à l'ancien président des États-Unis, John F. Kennedy, ouvert en 2006, abrite une exceptionnelle collection de documents, photos et objets. Kennedy jouit toujours d'un grand prestige auprès des Allemands, en raison de sa détermination contre la partition du pays à l'époque de la guerre Froide. On se rappelle

qu'il prononça un discours resté célèbre le 26 juin 1963 à la mairie de Schöneberg. Son « Ich bin ein Berliner » (griffonné de sa main en phonétique sur l'original du discours tapé à la machine) est entré dans l'histoire. Autre parole historique : « Nous défendons la liberté de Paris, Londres et New York lorsque nous nous engageons en faveur de la liberté de Berlin. »

Sous une grande verrière design qui laisse passer une lumière blanche et sobre, c'est toute la vie brève et intense de Kennedy qui se déroule. Parmi les souvenirs : la serviette en crocodile qu'il portait avec lui le jour de son assassinat à Dallas (Texas) le 22 novembre 1963. Également des documents manuscrits, des lettres, ses lunettes, son tampon, sa boîte à cigares en bois, sa valise, sa malle de voyage, un porte-clé en argent orné d'une médaille du pape Pie XII. Certaines photos sont signées

Andy Warhol, Robert Frank ou Cornell Capa et montrent un Kennedy intimiste ou une Jackie pieds nus ou en bermuda. Souvenons-nous que Kennedy fut le premier leader politique à se construire une image people en exposant sa vie privée.

🚶 *Unter den Linden* (zoom 2, E-F3) : le fameux boulevard « Sous les tilleuls » a longtemps été considéré comme les Champs-Élysées de Berlin-Est. La perspective, moins ambitieuse, recèle pourtant plus d'édifices historiques que l'avenue parisienne. À l'origine, ce chemin campagnard menait les princes Électeurs à la réserve de chasse de Tiergarten ! Grâce aux tilleuls qu'y fit planter le Grand Électeur au XVIIᵉ s, puis aux palais officiels et aux boutiques de luxe qui l'agrémentèrent, cette voie devint le lieu de promenade favori des Berlinois. Aujourd'hui, la Pariser Platz et le premier tronçon du boulevard achèvent leur restructuration. De nombreux bâtiments administratifs pour l'État fédéral, la nouvelle ambassade de France ainsi que celle des États-Unis y ont pris place.

L'*hôtel Adlon,* palace mythique construit en 1907 (il avait inspiré Vicky Baum pour son roman *Grand Hôtel*), qui a reçu Charlie Chaplin, Greta Garbo et Caruso dans les années 1920, a été reconstruit à l'identique sous l'égide du groupe Kempinski. Avec sa réouverture, c'est un certain esprit et une partie de l'histoire qui ressurgissent, un parfum des années d'or, une nostalgie. Que les prix annoncés pour y dormir ne vous découragent pas d'aller y prendre un café pour y admirer la grande salle où le seul élément d'origine est la fontaine de marbre noir garnie d'éléphants. Un peu plus loin, du même côté, l'*ambassade de Russie*, qui fut en 1945 le premier bâtiment à être reconstruit par les Soviétiques. Des statues de style réalisme socialiste avec des héros de la classe ouvrière y trônent toujours.

🚶🚶🚶 *Linden Forum :* le deuxième tronçon de « Sous les tilleuls » s'étend de Bebelplatz à Schlossplatz, de l'autre côté du canal de la Spree. C'est une impressionnante et superbe enfilade de monuments et bâtiments historiques. Au centre de l'avenue, la gigantesque statue équestre de Frédéric le Grand.

🚶 *Deutsche Guggenheim* (musée Guggenheim ; zoom 2, E3, **348**) : Unter den Linden 13-15. ☎ 202-09-30. ● deutsche-guggenheim-berlin.com ● Tlj 11h-20h (22h jeu). Entrée : 4 € ; gratuit lun. 1 € de caution pour les sacs à dos. Né en 1997 d'un accord entre la fondation Guggenheim et la *Deutsche Bank,* le petit dernier de la famille Guggenheim est aussi le plus petit du monde, presque le parent pauvre (une seule salle). De plus, l'expo se révèle parfois décevante (ça dépend de l'artiste !) mais elle peut toujours valoir le coup, tentez votre chance. Rien à voir avec les prestigieux bâtiments qui abritent ses grands frères, puisqu'il ne possède qu'une seule et unique salle d'exposition de 510 m², aménagée dans les locaux de la *Deutsche Bank* par l'architecte américain Richard Gluckman. Ne possédant pas de collection propre, il accueille trois ou quatre expositions temporaires par an, alimentées par des œuvres provenant des collections du Guggenheim, de la *Deutsche Bank,* de musées internationaux, et, une fois par an, par un travail de commande à un artiste. Heureusement, la qualité des expos n'est pas proportionnelle à la taille de la salle.

🚶🚶 *La bibliothèque nationale* (zoom 2, E3, **357**) : Unter den Linden 357. Lun-sam dès 9h ; les heures de fermeture varient selon les sections. Visite le 1ᵉʳ sam de chaque mois à 10h30 ou carte de lecteur délivrée pour la journée. On paie au vestiaire ou à l'aide d'un appareil automatique (0,50 €). N'hésitez pas à faire une halte apaisante dans la cour de cet édifice néobaroque : fontaine rafraîchissante, murs parcourus de lierre.

🚶 À côté, l'*université Humboldt* (zoom 2, F3, **358)**, où Karl Marx, Heine et Engels firent leurs études. De grands noms y ont enseigné : Fichte et Hegel, Koch (l'homme du bacille), ainsi que Max Planck et Albert Einstein (une plaque rappelle qu'il y a travaillé de 1914 à 1932). Les frères Humboldt, eux, étaient des fils de l'aristocratie prussienne, descendants d'une huguenote française. Wilhelm (1767-1835) fut avocat et politicien ; il reste connu pour ses études du langage. Son cadet Alexander

(1769-1859) fut un grand voyageur (francophone et francophile) et scientifique de renom qui donna son nom à un courant froid qui remonte de l'Antarctique à la Californie du côté Pacifique.

De l'autre côté de l'avenue, l'*ancienne bibliothèque* (zoom 2, E-F3, *359*), où Lénine vint étudier en 1895. On aperçoit, au fond de Bebelplatz, derrière le magnifique *Staatsoper* (opéra d'État ; zoom 2, F3, *360*), à la façade palladienne datant du XVIIIe s (le plus ancien du monde) et reconstruit pierre par pierre après la guerre, la *cathédrale Sainte-Edwige* (zoom 2, F3, *361* ; entrée par la Behrenstr ; accès lun-ven 10h-17h, sam 10h-16h30, dim 13h-17h), de style romain. S'inspirant du Panthéon de Rome, elle est tout naturellement le siège de l'évêché catholique. Intérieur inattendu ; la nef suit les dimensions allongées de la coupole et l'autel est disposé sur deux niveaux.

Le musée K.-F. Schinkel (zoom 2, F3, *389*) : Werderscher Markt (et Oberwallstr). Tlj 10h-18h. Entrée gratuite. Petit musée dédié à K.-F. Schinkel, l'un des plus grands architectes (peintre et sculpteur également) berlinois. Installé dans la *Friedrichs-Werderschekirche*, une élégante église en brique de 1821, œuvre de Schinkel lui-même. Édifice néogothique d'harmonieuses proportions et belle voûte en lierne. Exposition de statues (de facture fort classique, il faut dire). Expo sur la vie et l'œuvre de Schinkel dans la galerie qui court au 1er étage. Nombreux plans et belles gravures. Tout le monde connaît l'œuvre la plus durable de Schinkel sans le savoir : c'est lui qui dessina la célèbre Croix de Fer qui sert toujours d'emblème à l'armée allemande.

Le mémorial de l'Autodafé (zoom 2, F3, *362*) : sur la Bebelplatz, un monument très sobre rappelle l'endroit où les nazis brûlèrent plus de 20 000 livres pour la première fois le 10 mai 1933. C'est une simple plaque de verre, incrustée dans le pavement, à travers laquelle on voit, en dessous, une bibliothèque blanche aux rayons vides. Un projet que l'on doit à Micha Ulmann, née à Tel Aviv en 1939 et membre de l'Académie des Beaux-Arts de Berlin. L'ancienne Opernplatz fut rebaptisée après guerre du nom du scientifique August Bebel, dont les livres brûlèrent ici aux côtés de ceux d'Einstein et de Freud... Pas facile à trouver. Repérez un petit cercle de personnes regardant toutes à leurs pieds ! C'est plus facile en soirée, quand la lumière semble monter du sol.

Plus loin encore, l'austère façade du *Kronprinzenpalais* (zoom 2, F3, *363*), qui servit de résidence aux rejetons impériaux jusqu'à l'abolition de la monarchie, puis aux visiteurs de marque pendant la période communiste (il devait être truffé de micros). Le traité d'unification de l'Allemagne y a été signé le 31 août 1990.

En face, à côté du *Deutsches Historischesmuseum*, la *Neue Wache* (Nouvelle Garde ; zoom 2, F3, *364*), qui abrite le mémorial aux victimes du fascisme et du militarisme et un agrandissement de l'émouvante statue de Käthe Kollwitz, *La Mère avec son fils mort,* faiblement éclairé par l'orifice de la coupole. En 1931 déjà, cet édifice, qui abritait au XIXe s la garde royale, fut consacré à la mémoire des soldats tombés lors du premier conflit mondial. À l'intérieur, le dépouillement extrême invite à la méditation.

Deutsches Historisches Museum (musée de l'Histoire allemande ; zoom 2, F3, *347*) : Unter den Linden 2. ☎ 20-30-40. ● dhm.de ● Tlj 10h-18h. Entrée : 5 € ; réduc ; gratuit moins de 18 ans. Café-resto agréable et calme avec terrasse sur la Spree ouv 10h-19h.
– Le musée est abrité par le plus ancien bâtiment de l'avenue Unter den Linden, la superbe *Zeughaus,* de style baroque, édifiée sous Frédéric Ier, roi de Prusse. Utilisée par l'armée prussienne comme arsenal, la *Zeughaus* est devenue un musée de l'Armement après 1871, avant de servir de lieu de propagande guerrière sous le régime nazi. Après la disparition d'une grande partie des collections pendant la

MITTE

guerre et de nouvelles reconversions sous l'administration militaire soviétique, la *Zeughaus,* souvent victime des ruptures de l'histoire allemande, était prédestinée à accueillir ce musée.

Derrière la *Zeughaus* et sa grande cour recouverte d'un toit translucide, la nouvelle aile, flanquée d'un escalier en colimaçon en forme d'escargot de verre, est l'œuvre de l'architecte sino-américain I.-M. Pei (auquel on doit la Pyramide du Louvre à Paris).

– *Le musée :* il est consacré à l'histoire allemande du haut Moyen Âge jusqu'à nos jours. Résultat : un musée passionnant, pas fastidieux du tout et qui fait le pari d'expliquer, sur deux niveaux et plus de 10 000 m^2, le destin agité de ce *Deutsche Volk,* dont la présence géographique au centre du continent l'aura conduit à jouer les premiers rôles dans l'histoire, on ne peut plus troublée, de la vieille Europe. Aujourd'hui, à l'image de ce *Deutsches Historisches Museum,* dans une Allemagne réunifiée, la réconciliation avec l'histoire, difficile mais nécessaire, concerne tous les citoyens. Rien n'est passé sous silence, rien n'est évité, au contraire tout est clairement illustré avec un degré d'objectivité réellement digne d'éloges. Ce qui rassure, si nécessaire, sur la capacité du peuple allemand à avoir tiré les leçons de son tumultueux passé, même si celui-ci est dur à porter pour les jeunes générations. Par son positionnement géographique, sa démographie et son rayonnement économique, l'Allemagne reste le pivot incontournable de la construction européenne.

Visite

Si le sujet vous intéresse, vous risquez d'y passer 3-4h, voire bien plus. Si vous êtes passionné, mieux vaut scinder la visite en deux fois.

On peut déjà se faire une idée de l'importance prédominante de cette position clé de l'*espace allemand* au cœur du continent en regardant (dans le hall d'accueil) la **carte lumineuse** au sol qui se modifie au fil des grandes dates de l'histoire.

– **Époque romaine :** l'influence de la civilisation romaine, dans le sud du territoire, en particulier à Trèves (Trier). Superbe mosaïque provenant de cette cité romaine. Les royaumes francs.

– **Moyen Âge, salles 2 et 3 :** l'Empire de Charlemagne, premier souverain européen digne de ce nom. Voir le portrait et la statue de Charlemagne, ainsi que le chevalier en armure monté sur un cheval caparaçonné. Vitrines avec de superbes cottes de mailles, casques, épées... Évocation des cités marchandes de la Hanse, rôle des abbayes, vie religieuse, antisémitisme (déjà !).

– **La Réforme et ses conséquences, salle 4 :** c'est un des événements majeurs de l'histoire allemande. Portrait de son principal acteur, Martin Luther, mais aussi du moine Melanchton (tous deux par Cranach le Vieux). Documents concernant l'expansion du protestantisme en Europe, conciles, manifestes. Premières bibles éditées en allemand, gravures sur le mouvement anabaptiste de Münster, cette minorité radicale persécutée qui pratiquait le partage des terres et la polygamie, suite à une interprétation particulière de l'enseignement de la Bible. En juin 1534, les troupes catholiques prennent Münster et massacrent la population convertie à l'anabaptisme. Contre-Réforme et concile de Trente.

– **Autres salles :** Charles Quint (tableau attribué à Rubens) et l'Empire dans la salle 5, l'Europe avant la guerre de Trente Ans qui oppose princes protestants et souverains catholiques. Chevaliers impériaux et mercenaires (les lansquenets ou *landsknechts*). Traités de Westphalie.

– **Le globe terrestre de Martin Behaim :** dans la salle 6. Il s'agit d'une copie et non de l'original qui date de 1492. Cette année-là, Christophe Colomb découvre de nouvelles terres à l'ouest du monde connu. D'abord nommées *Indes* par erreur, ces terres s'appelleront plus tard *Amériques,* en souvenir d'Amerigo Vespucci. Néanmoins, le globe terrestre de Martin Behaim est le premier globe de l'histoire : il prouve que son concepteur connaissait la rotondité de la terre, tout comme Christophe Colomb qui avait donné foi à la vieille théorie d'Aristote. Notez la grande tâche noire qui représente l'océan Pacifique encore inexploré, et surtout l'absence de l'Amérique qui vient juste d'être découverte et dont Behaim ne sait encore rien !

Tapisserie de Tournai montrant le retour des explorateurs portugais à Lisbonne en 1504 avec girafes et chameaux. Extraordinaire ensemble de quatre tableaux (Jörg Breu) montrant le déroulement des saisons dans la ville d'Augsbourg. On voit nettement (tableau avril-mai-juin) que la nudité des baigneurs dans les étuves a été couverte longtemps après la réalisation de la peinture.

– *La bataille pour la suprématie en l'Europe au XVIIᵉ s :* on y retrouve *Louis XIV franchit le Rhin* (superbe tableau du Roi-Soleil en majesté de Testelin, 1685) dont l'objectif est d'étendre le territoire de la France par des conquêtes à l'Est et au Nord, tout en limitant le pouvoir des Habsbourg. Tableau du *Siège de Valenza del Po* par Peter Snayers. Portraits de Richelieu et Mazarin.

– *La tente turque de Vienne :* encore un de nos coups de cœur dans ce merveilleux musée. Tandis que Louis XIV se bat pour l'expansion française, l'Empire ottoman atteint son apogée en absorbant l'Europe du Sud-Est. En 1683, les Ottomans campent aux portes de Vienne (Autriche) où ils sont vaincus par Jean Sobieski, roi de Pologne. La tente exposée vient de là. Et en 1686, les chrétiens parviennent à prendre Buda (Hongrie) aux Ottomans. Eugène de Savoie entre dans la légende.

– *Ascension du Brandebourg et de la Prusse :* victoires sur les Suédois, militarisation de la société avec Frédéric Iᵉʳ, mais aussi accueil des immigrés protestants de toute l'Europe. Luxe à la cour d'Auguste le Fort en Saxe, guerres de Silésie avec Frédéric II. Siècle des Lumières, absolutisme, faste des cours et classicisme en Allemagne, première édition de *Critique de la raison pure* de Kant, publié à... Riga. Déclaration d'indépendance américaine en allemand, et rencontre du pouvoir et de la raison avec les monarques « éclairés ». Choc de la Révolution française.

– *Napoléon Iᵉʳ, la fin du Saint Empire et la Confédération du Rhin :* quelle surprise que ces salles napoléoniennes ! Des codes Napoléon, une bannière de l'infanterie autrichienne avec l'aigle bicéphale, l'arrivée de l'empereur à Berlin, incendie de Moscou, mais surtout des pièces rares comme le chapeau et l'épée de Napoléon à Waterloo, des reliques de guerre retrouvées en juin 1815 par les Prussiens sur le champ de bataille dans un carrosse rempli de bijoux, de pierres précieuses à côté d'une table en argent. Dans sa fuite, Napoléon les avait abandonnées. Blücher salue Wellington. Congrès de Vienne, Metternich fait valser le continent.

– *Émergence de la bourgeoisie :* style Biedermeier, bâtiments de Schinkel, poètes et musiciens, Goethe, Schiller, Mendelssohn. Débuts de l'industrialisation, aspirations nationales et révolution de 1848. Annexion du Schleswig-Holstein. Mécanisation du travail. Vagues d'émigration vers le Nouveau Monde : entre 1830 et 1913, 6 millions d'Allemands quittent leur pays.

– *L'empire de Bismarck :* 1871, le IIᵉ Reich est proclamé par l'empereur Guillaume Iᵉʳ dans la galerie des Glaces de Versailles (tout un symbole !). Belle brochette de casques à pointe. L'industrie lourde allemande impose son label *made in Germany*. Foires et expos. Éducation des masses. Marx publie le *Manifeste du parti communiste.* Sous Guillaume II, prestige de l'uniforme : les vêtements des petits garçons copient le style militaire. Hygiénisme et santé. L'Allemagne veut se doter de colonies.

– *La Première Guerre mondiale :* Triple-Alliance contre Triple-Entente, les grandes puissances sont au bord de l'affrontement. L'étincelle de Sarajevo embrase la poudrière Europe. Plongée dans les ténèbres, propagande chauvine. Gueules cassées, chirurgie réparatrice, prothèses. Année 1918 : l'Allemagne est ruinée, la France exsangue, l'Autriche démantelée et la Russie aux prises avec la Révolution.

– *L'entre-deux-guerres :* les spartakistes, les erreurs du traité de Versailles, les Années folles, la créativité artistique (affiche de *Métropolis*), la république de Weimar et la crise. Clivage des extrêmes : chemises brunes contre faucons rouges.

– *Le régime national-socialiste :* 1933, nazification de la société, ostracisme, persécution et terreur. Autodafés et processions aux flambeaux. Lois de Nuremberg. Persécution des juifs. Négation du genre humain au profit d'une « race supérieure ». Réarmement massif. Maquette de *Germania,* bureau d'Hitler à la chancellerie. Légion Condor en Espagne. Premiers camps de concentration.

MITTE

– *La Seconde Guerre mondiale :* le *blitzkrieg,* Hitler au Trocadéro. Guerre des sables en Afrique. Opération Barbarossa. Génocides à l'Est. Catastrophe de Stalingrad. L'Allemagne sous les bombes, attentat contre Hitler, guerre totale et défaite, le crépuscule des dieux. La capitulation. Berlin en ruine, 55 millions de morts pour la folie de quelques-uns. L'Allemagne sous occupation des Alliés.

– *Les deux Allemagne, RFA versus RDA :* rideau de fer, dénazification, blocus de Berlin, grèves à Berlin-Est, érection du Mur, fuite des *Ossies* ; VW contre Trabant, Vopos et Stasi. 1989 : fin du communisme, chute du Mur de Berlin. 1990 : réunification de l'Allemagne.

Une magistrale leçon d'histoire...

➤ En franchissant le *Schlossbrücke (pont du Château),* orné de statues, on passe dans l'ancienne ville-sœur, Cölln, sans vraiment se rendre compte que l'on est sur une île.

L'île aux Musées *(Museumsinsel)*

Ⓞ Un des plus grands programmes de rénovation de la ville : recréer sur l'île aux Musées, à la pointe de l'île de la Spree, un ensemble de cinq musées renouant avec la prestigieuse tradition culturelle de la capitale allemande. En effet, le site abritait auparavant la quasi-totalité des musées de Berlin, avant d'être détruit partiellement en 1945. On ne devrait pas voir l'aboutissement de ce projet de restructuration des collections avant 2015 ; les travaux prennent du temps et s'effectuent par phases. L'île aux Musées a été inscrite en 1999 au Patrimoine mondial de l'Unesco. En attendant leur rassemblement thématique, on peut contempler quelques pièces maîtresses du patrimoine berlinois sans trop de désagrément.

– Les lieux sont décrits du nord au sud. Pour mieux s'orienter, consulter le *zoom 2.* Pour 14 € la journée, on peut visiter tous les musées (carte valable jusqu'à 18h seulement).

– *Bon à savoir :* les travaux sont monnaie courante dans ces musées. Donc, avant de les visiter, allez faire un tour des ouvertures et fermetures de salles sur le site ● *museumsinsel-berlin.de* ●

🎭 **Bode Museum** *(zoom 2, F2, 353)* : Monbijoubrücke, Museuminsel. ☎ 20-90-55-77. ● *smb.museum* ● *À la pointe nord de l'île ; entrée par le pont de Monbijoustr. S-bahn : Hackescher Markt. Tlj 10h-18h (22h jeu). Entrée : 8 € ; gratuit le jeu à partir de 18h.*

À la pointe de l'île aux Musées se dresse le musée de Bode, que l'on reconnaît à sa coupole couronnée. Inauguré en 1904 sous le nom de Kaiser Freidrich Museum, fortement endommagé pendant la Seconde Guerre mondiale, il a été restauré et a rouvert ses portes en 2006. Un musée d'une grande richesse. Les œuvres couvrent la période du haut Moyen Âge jusqu'à la fin du XVIIIe s.

Collection d'art paléochrétien et byzantin

Couvrant une période qui va de l'Antiquité tardive à l'époque byzantine, ces collections font découvrir l'art de l'Empire romain d'Occident et de l'Empire byzantin, soit du IIIe au XVe s. Ces collections sont si riches qu'elles rivalisent avec celles du musée d'archéologie d'Istanbul, ce n'est pas peu dire !

Les pièces viennent d'Italie, du Proche-Orient, de Russie, de Grèce et d'Égypte. Malgré leur diversité géographique, on peut leur reconnaître une inspiration commune, tirée des modèles de l'Antiquité. Dans la section byzantine, très belle reconstitution d'une mosaïque de Ravenne *(Apsismosaik).*

– Remarquables *ivoires,* parmi lesquelles figure la *Große Berliner Pyxis* (400 apr. J.-C.) ; le ciboire est orné d'une frise représentant le Christ et les Apôtres, ainsi que le sacrifice d'Abraham.

– La section consacrée à l'*art copte* éclaire bien les rites de l'art funéraire des chrétiens d'Orient, notamment à l'aide de statues, de sculptures en bois, de textiles et de céramiques.

– La **collection d'icônes** possède des pièces d'Égypte datant des VIe et VIIe s. La peinture sacrée russe est représentée par une sélection d'icônes de l'*école de Novgorod* (1400) jusqu'aux réalisations du XIXe s.

– **Collection de sculptures :** les sculptures italiennes sont particulièrement abondantes avec, entre autres, la *Madone du presbytère Martinus*, le *Martyre de Giovanni Pisano*, les terres cuites vernissées de Luca della Robbia, les *Pazzi-Madonna* de Donatello et les bustes de Desiderio da Settignano et Mino da Fiesole. De Jan Van Eyck, une délicate *Vierge à la fontaine* avec profusion de détails végétaux. L'autre point fort de la visite est la collection de sculptures gothiques tardives allemandes. La Renaissance et le baroque allemands sont représentés par des statuettes en albâtre et ivoire. Remarquer aussi les statues monumentales et martiales de saint Florian et saint Sébastien *(Ritterheiligen)* datant de la guerre de Trente Ans. Les groupes sculptés provenant de monuments sont également à l'honneur avec la *Gröninger Empore*, chef-d'œuvre de l'art roman. Étonnante *Marie de l'Annonciation* d'un artiste siennois et dont la tunique sculptée est peinte d'un orange flashy. Les styles rococo et classique français et allemand sont illustrés par des œuvres d'Ignaz Günther, Joseph-Anton Feuchtmayer, Bouchardon, Pierre Puget et les bustes de Jean-Antoine Houdon. Magnifiques *Ruines de Nîmes* d'Hubert Robert.

– **Cabinet des Médailles :** elles proviennent des collections privées des princes Électeurs de Brandebourg. Avec plus de 500 000 pièces (très bien présentées), c'est un des cabinets les plus riches du monde. On peut ainsi admirer des monnaies grecques du Ve s av. J.-C., des monnaies européennes du Moyen Âge, des deniers français.

%%% **Pergamonmuseum** *(musée de Pergame ; plan général et zoom 2, F2, **351**) : Bodestr 1-3 ; accessible par la passerelle du quai Kupfergraben.* ☎ 20-90-55-77. *Tours guidés :* ☎ 266-36-66. ● *smb.museum* ● *S-bahn :* Hackescher Markt. *Tlj 10h-18h (22h jeu). Modification possible des horaires d'ouverture en fonction des expos temporaires. Entrée : 10 € ; réduc. Audioguide gratuit en français, slt pour les collections permanentes. Il propose une visite de 30 mn qui ne reprend que les œuvres importantes.*

Le musée le plus célèbre de la ville. L'immense bâtiment en « U » renferme trois musées distincts répartis dans un dédale de salles.

– **Antikensammlung** *(collection des Antiquités) :* l'une des plus importantes du monde. Des trésors d'une rareté inestimable, exposés dans l'aile centrale. Parmi eux (dans le hall d'entrée), *L'Autel de Pergame (Pergamonaltar),* reconstitué grandeur nature, donne son nom au musée. Ce gigantesque monument élevé à Zeus et découvert en Asie Mineure fut érigé entre 180 et 160 av. J.-C. La frise de 125 m de long, reconstituée par fragments sur les murs de la salle, est considérée comme un chef-d'œuvre de l'art hellénistique et illustre les thèmes récurrents de la tradition grecque (combat des géants contre les dieux...). La maquette de l'autel donne une idée précise sur son aspect d'origine. Dans la salle de droite, autre splendeur, la *Porte romaine du marché de Milet* (IIe s apr. J.-C.), haute de 17 m. La ville fut détruite vers l'an 1100 apr. J.-C. C'est une mission archéologique allemande qui dégagea la porte en 1903. Au sol, un carrelage de mosaïques antiques ornait certainement jadis la salle à manger d'une élégante villa romaine d'Ostie. L'aile gauche abrite des sculptures grecques, gréco-romaines et un cabinet de monnaies. Après tant de splendeur, on comprend pourquoi l'Europe de la Renaissance a considéré le retour à l'Antiquité comme un retour à la civilisation !

– **Vorderasiatisches Museum** *(musée du Proche-Orient) :* à ne pas manquer bien sûr ! Un très riche panorama de 4 000 ans d'art, dû aux recherches archéologiques allemandes menées au début du XXe s en Mésopotamie et en Assyrie. Encore une monumentale reconstitution qui ne passe pas inaperçue : la *Porte d'Ishtar* (assez peu de recul pour l'admirer) et la *Voie des processions de Babylone* (VIe s av. J.-C.), démesurées et somptueuses avec leurs animaux en émail sur fond de céramique turquoise. Longue ici de 30 m, cette voie des Processions mesurait 250 m de long et 24 m de large, sous le règne de Nabuchodonosor II (604-562 av. J.-C.).

Riches *salles assyriennes* (les n°s 10, 11, 12 et 13) où l'on peut admirer les bas-reliefs du *palais de Ninive* (704-689 av. J.-C.), des bijoux et vestiges de petits bronzes, outils, poteries, pierres, avec inscriptions cunéiformes. Dans les vitrines, nombreuses jolies statuettes et objets. Au centre, un réservoir d'eau aux parois sculptées (dieux et prêtres portant de petits seaux pour purifier le « dieu Eau »). D'autres bas-reliefs provenant d'un palais assyrien et couverts d'écriture cunéiforme. Statues votives qu'on posait sur de petits autels représentant la demeure du défunt. Dans les salles en face, vestiges du site de *Habuba Kabira* entre 3000 et 4000 av. J.-C. Maquette du *temple de Marduk* à Babylone. Là encore, grande richesse des vitrines regorgeant de centaines de statuettes, figurines et de délicats objets, miroirs, petits bronzes de la période sumérienne... Dans la salle du fond, les célèbres lions et une orgie de bas-reliefs et d'impressionnantes bases de colonnes.
– *Museum für Islamische Kunst (le Musée islamique) :* au 1er étage. Moins impressionnant que ce qui précède, mais belles collections de tapis, miniatures et photos relatant l'histoire de l'art islamique depuis l'empire des Sassanides. Dès le départ, on découvre de merveilleuses enluminures et de beaux tapis des XVIe et XVIIe s, dont ceux du khan mongol Babur, qui avait fondé une dynastie en Inde. Ce genre de bijou était commandé à des artistes triés sur le volet. Ravissante *chambre d'Aleppo,* d'influence persane, mais trouvée en Syrie, avec ses arabesques, ses médaillons et ses panneaux de bois ciselé... En fait, c'était la salle à manger d'un riche commerçant chrétien.
Salle du califat de Damas (661-750) : porcelaine peinte, terres cuites, bas-reliefs de pierre sculptés, cuivres, boîtes ou peignes en os ou ivoire ciselés. Niche de minbar de *Kashan* (Iran), belles portes sculptées d'Anatolie, niche en céramique de *Konya* (XIIIe s). Splendide coupole mongole ciselée.
Magnifique et imposante *façade du château omeyyade de Mschatta* (661-750), découverte près d'Amman. Intéressant décalage entre la monumentalité des murs et la délicatesse du décor. Un dessin reconstitue l'ensemble du site.
Puis à nouveau une riche section d'enluminures, suivie d'une non moins riche collection de tapis. Notamment, on en découvre un, immense, venant de Lahore (Pakistan) et datant de 1610. Admirer ce remarquable décor floral d'une joyeuse exubérance, agrémenté de panthères dévorant des chèvres. Belles faïences, entre autres celles d'Iznik (1530) en Turquie, plus quelques armures.

ᕪᕪᕪ *Alte Nationalgalerie* (Ancienne Galerie nationale ; zoom 2, F2, *352*) : *entrée sur Bodestr 1-3.* ☎ *209-05-577.* ● *smb.museum* ● *Tlj sf lun 10h-18h (22h jeu). Entrée : 8 € ; réduc ; gratuit jeu à partir de 18h. Audioguide en français : 2 €.*
Les esthètes ont longtemps attendu cette réouverture chargée de symboles. Achevé en 1876 dans le dessein de réunir la fine fleur des artistes allemands (en plus de la phrase « À l'art allemand », la date de 1871 inscrite sur la façade rappelle la consécration de l'unité politique du pays), l'édifice devait également symboliser, par son architecture, la puissance du Reich. Au-dessus du monumental escalier et de l'imposante façade à colonnes trônent les statues des trois arts : la *Peinture,* la *Sculpture* et l'*Architecture.* Bien sûr, l'Ancienne Galerie nationale a souffert de la Seconde Guerre mondiale, mais les œuvres éparpillées ont retrouvé cependant leur place initiale. La réouverture en 2001 a été l'occasion de resserrer les rangs derrière un thème fort : celui de l'unité allemande à travers l'art.
Désormais, le XXe s est exposé à la *Neue Nationalgalerie* (que Mies van der Rohe avait opportunément appelée ainsi avant la réunification) et le XIXe s à l'*Alte Nationalgalerie.* Les visiteurs redécouvrent donc avec plaisir les chefs-d'œuvre de la peinture et de la sculpture du XIXe s, comme les portraits de Max Liebermann, Lovis Corinth ou les paysages troublants de Caspar David Friedrich... Mais la collection comprend également de nombreux impressionnistes français, acquis pour la plupart à la barbe de l'empereur par le directeur du musée Hugo von Tschudi entre 1896 et 1909.
– *Rez-de-chaussée :* œuvres de Max Beckmann, Maurice Denis, Bonnard, statues de Maillol et Camille Claudel. De Lovis Corinth, *Portrait de la mère du critique d'art*

Hans Rosenhagen. Peinture de la vieillesse sans complaisance. Quelques toiles de Max Liebermann d'un réalisme remarquable comme *Les Fileuses de lin* (1887). Ici, Liebermann ne dénonce pas les conditions de travail des enfants sur leur rouet, ni celles des femmes contraintes de filer debout. Non, ce qui l'intéresse, c'est d'exprimer la durée dans un mouvement, toujours le même et éternellement répété. D'ailleurs, les couleurs elles-mêmes manquent de contrastes dramatiques, sans cesse retenues et froides. L'artiste aimait d'ailleurs les Pays-Bas pour cette lumière claire et gris argenté. Les fileuses semblent comme des statues dans l'espace ! Dans *L'Échoppe du cordonnier* (1881), beau travail sur la lumière également. En revanche, le sombre *Plumeuses d'oies,* première œuvre exposée de Liebermann (à 25 ans), n'eut à l'époque aucun succès, à cause, disaient ses critiques, de la « pauvreté » du sujet. Clin d'œil à Renoir dans *Café à Nikolskoe*. Voir aussi l'autoportrait de Fantin-Latour et la lascive *Mademoiselle Rose* (1820), de Delacroix. Également quelques sculptures allemandes classiques.

– *Salle Adolph Menzel :* à ce précurseur de l'impressionnisme on doit des œuvres innovantes, au moment même où triomphaient surtout en Europe l'ultraclassicisme, le style pompier et le romantisme. La *Chambre au balcon* de 1845 se révèle d'une modernité incroyable pour l'époque. Pièce quasi vide, place désordonnée du mobilier, détails visibles uniquement grâce à la glace de l'armoire. Superbe lumière presque apportée par le coup de vent qui soulève le délicat rideau blanc. Quant au *Laminoir* (1872), c'est notre préféré ! La vision dantesque de l'atelier est extraordinairement bien rendue. Combat de cyclopes modernes dans les fumées et les lumières vacillantes du métal en fusion. Il ne s'agit même pas de critique sociale, c'est la représentation de la révolution industrielle exprimée ici avec une puissance plastique sans pareil...

MITTE

Dans un autre genre, s'attarder sur *Le Cantonnement à côté de Paris* d'Anton von Werner. Dans un château réquisitionné pendant la guerre franco-prussienne de 1870, des soldats allemands improvisent un petit concert. Le contraste se révèle malgré tout grand entre cette soldatesque cultivée aux bottes boueuses et le raffinement du décor du salon. Cet hommage à l'armée allemande est semble-t-il raté... En effet, finalement, on ne retient que le côté incongru de ces soldats mélomanes dans un tel lieu.

– *Salle des impressionnistes :* grâce aux ruses de Hugo von Tschudi (qui combattait au XIXe s le nationalisme étriqué de ses compatriotes), voici quelques chefs-d'œuvre de l'art français. Entre autres, des Renoir, Cézanne et une étrange *Conversation* de Degas ; dans cette toile, les trois femmes se taisent, elles n'ont plus rien à se dire, et les tonalités ternes de la toile renforcent cette impression. Dans une autre salle, on trouve le *Printemps* de Daubigny, *Vue de Vétheuil* de Monet. Dans le *Jardin d'hiver* de Manet, sous le froideur des couleurs et des personnages, on perçoit une certaine tension, une attente... Mais l'une des œuvres les plus fascinantes, c'est la *Vague* de Courbet, d'une force inégalée, et dont Cézanne disait : « On dirait qu'elle arrive sur vous et l'on recule effrayé, toute la salle est remplie d'embruns. » Puis encore, *Nu assis* de Delacroix, Corot, Pissarro, et un superbe et lugubre *Don Quichotte* par Daumier.

– *Salles ovales :* entièrement consacrées aux toiles de Menzel. Portraits, scènes d'intérieur, paysages, scènes de guerre... D'un grand éclectisme.

– *3e étage :* la peinture allemande du XIXe s. Quelques coups de cœur : F. G. Waldmüller, peintre « rural », quelque peu académique, mais qui, dans le *Retour de la Kermesse* (1859), sait fort bien rendre joie et mouvements des enfants. Eduard Gaertner, un bon peintre urbain qui travaille dans la veine du Canaletto. Puis des naturalistes : J.-M. von Rodhen, Carl Blechen, Karl F. Schinkel. Ce dernier était non seulement un génial architecte, mais aussi un grand peintre. Pour preuve, ces paysages étonnants habités de cathédrales imaginaires. Caspar David Friedrich enchante avec ses paysages grandioses pleins de brume et d'une mystérieuse poésie. On adore le *Moine au bord de mer* (1808), pour le malaise qu'il provoque, une sorte d'angoisse devant les espaces vides, fermés et infinis tout à la fois, dont toute vie, malgré quelques mouettes anecdotiques, semble absente... Une absence évoquant peut-être notre insignifiance, notre petitesse devant ce vide de la nature et plus sûrement devant la mort ! Sans oublier bien sûr une des cinq versions de la fascinante *Île des morts* du Suisse Arnold Böcklin, une des œuvres majeures du symbolisme. Enfin, aller ensuite admirer les fresques de la Casa Bartholdy.

⚒⚒⚒ **Neues Museum** *(Nouveau musée ; zoom 2, F2, **393**) : entrée sur Bodest. 1-3.* ☎ 266-42-42-42. ● smb.museum ● Tlj 10h-18h (20h jeu-sam). Entrée : 10 € ; réduc. *Audioguide en français gratuit.*

Le bâtiment a rouvert ses portes en octobre 2009 après 6 ans de restauration. L'architecte David Chipperfield a relevé le défi de conserver le style classique de l'édifice tout en lui donnant une touche de modernité et en laissant visibles les traces de l'histoire agitée de ce musée anéanti par les bombes en 1945 et laissé à l'abandon par les 40 ans de régime communiste.

Aujourd'hui le **Neues Museum** abrite non seulement les collections égyptiennes de Berlin enfin réunies mais aussi le musée de pré et proto-histoire ainsi qu'une collection d'antiquités, offrant aux visiteurs un regard croisés sur ses œuvres venues de différents horizons.

Rez-de-chaussée (niveau 1)

Présentation du musée, sculptures, peintures murales et architecture égyptiennes. Une aile est consacrée aux travaux sur Chypre et Troie comme point de rencontre des cultures. Magnifique collection d'antiquités troyennes de Heinrich Schliemann, le découvreur de la cité légendaire.

La seconde aile présente les collections égyptiennes, l'une des plus importantes au monde après celles du musée du Caire, du musée du Louvre à Paris et du Metropolitan à New York, Elle débute à partir de la fascination des Européens pour l'Égypte à travers les récits d'explorateurs et les découvertes des archéologues. La sculpture est divisée en deux salles, celle de la représentation divine et celle de la représentation humaine. Remarquable entre toutes par son coloris, le Berliner Grüner Kopf, un exceptionnel portrait avant-gardiste, sculpté en 400 av. J.-C.

Sous-sol (niveau 0)

La majorité des œuvres égyptiennes sont présentées ici sous les thèmes de la vie quotidienne, de l'habitat mais aussi du rapport entretenu par les Égyptiens avec les dieux et la mort à travers une large collection de sarcophages. Ne manquez pas de marquer l'arrêt devant les émouvantes momies au portrait peint du Fayoum. À découvrir aussi, le résultat des fouilles au temple de Naga au Soudan réalisées entre 2005 et 2008.

Niveau 2

Pour y accéder, on emprunte le majestueux escalier où l'étonnant travail architectural sur la combinaison des styles, des époques et des matériaux ressort pleinement. Une première grande salle expose la sculpture égyptienne et la symbolique des différentes attitudes représentées. Le regard est ensuite irrésistiblement attiré vers le sanctuaire réservé au **buste de Néfertiti,** la reine dont le nom signifie « la beauté est arrivée » : une salle octogonale où la lumière se focalise uniquement sur le célèbre buste. Un puits de lumière au dessus d'elle accentue l'impression de lieu sacré, les murs reprennent les teintes utilisées pour peindre le buste. Cet extraordinaire modèle de travail, utilisé pour la finition des nombreuses représentations de la reine a été retrouvé en 1912 dans les fouilles de l'atelier de *Touthmosis*, sculpteur de la cour. Loin d'être isolée, celle qui, avec Akhenaton, avait instauré le culte du dieu solaire *Aton*, regarde en direction de l'occident (si l'on peut dire) puisque dans l'alvéole opposée se trouve la statue d'Hélios, le dieu grec du soleil.

Entre les deux rotondes se trouve la salle des papyrus, une des plus importantes collections au monde. Le musée en abrite près de 5 000. Sur le mur, admirable papyrus de plusieurs mètres de long, appelé **Livre des morts de Neferini**. Il raconte la transformation de l'homme en créature divine et éternelle. Concrètement, ces hiéroglyphes narrent la confession d'un « Homme juste » devant Osiris, dieu des Morts. Pour les Égyptiens, la vraie vie commence après la mort. Les papyrus sont entourés des bustes des plus grands penseurs grecs. Une transition par le savoir pour entrer dans les collections d'antiquités gréco-romaines qui occupent la deuxième partie de l'étage. Rome et son Empire, mais

aussi les relations avec les peuples d'Europe, la christianisation et les grandes migrations, et ce, jusqu'à Charlemagne.

Niveau 3

En montant d'un étage on remonte dans le temps pour découvrir les collections du *Musée de la préhistoire et de la protohistoire*. Un labyrinthe de vitrines illustre l'évolution de l'homme à travers les âges, depuis celui de la pierre, jusqu'à celui du fer en passant par le bronze ainsi que les inventions qui en sont les plus représentatives. La *Salle des étoiles* est consacrée à la religion et à l'astrologie, au milieu trône le célèbre « chapeau d'or » de près de 1 m de haut qui devait servir aux cérémonies entre le XIIᵉ et le IXᵉ s av. J.-C. La visite s'achève sur des résultats de fouilles sur le sol de Berlin.

🍴🏛 **Altes Museum** (Vieux Musée ; zoom 2, F2-3, **354**) : entrée par le Lustgarten, face à la Schlossplatz. ☎ 20-90-55-66 ou 20-90-52-44. • smb.museum • Tlj 10h-18h (22h jeu). Entrée : 8 € ; réduc. Quartier en reconstruction en 2008, mais le site est accessible. Un conseil : appeler avt de vous déplacer afin de connaître exactement les sections ouvertes.

Le plus vieux musée de Berlin, chef-d'œuvre de l'architecte Schinkel, était en 1830 l'un des premiers d'Europe à avoir été spécialement conçu dans le dessein d'initier le grand public à l'art. Austère façade classique aux colonnades ioniennes, égayée d'une maxime en néon.

Il abrite au rez-de-chaussée une collection d'antiquités grecques et romaines couvrant principalement la période comprise entre la civilisation cycladique et la fin de l'époque hellénistique. Elle comprend notamment une magnifique série de céramiques attiques, corinthiennes et crétoises. Observez bien les scènes peintes : elles sont le reflet de la vie quotidienne antique. On découvre ici un athlète occupé à s'enduire le corps d'huile, là une partie de chasse, ailleurs une porteuse d'eau... Au centre, l'impressionnante rotonde inspirée du Panthéon de Rome regroupe les statues des anciens dieux. Superbe collection d'argenterie romaine trouvée à Hildesheim.

– Sur le *Lustgarten,* on est surtout frappé par la beauté de la cathédrale de Berlin sur la gauche, le *Dom* (voir ci-dessous), qui contraste de façon saisissante avec, en face, le terrain vague laissé par le démantèlement de l'ancien *Palast der Republik.*

🍴 **Berliner Dom** (cathédrale ; zoom 2, F2-3, **365**) : Am Lustgarten. • berliner-dom. de • Avr-sept, tlj sf dim mat 9h-20h ; oct-mars, ferme à 19h. Pour la coupole

(270 marches), mêmes heures, mais fermé dès 17h en hiver. Dernier accès 1h avt la fermeture. Entrée : 5 € (chère !) ; 8 € avec un audioguide ; réduc. Pas de visites pdt les services religieux. Concerts organisés souvent entre 18h et 21h lun, ven et sam (☎ 202-69-136). Consulter le site pour le programme. Visites guidées (☎ 202-69-119) en allemand 10h30-15h ; dim 12h-14h. Imposant et austère édifice à la gloire de l'Église luthérienne et de la Prusse, construit entre 1894 et 1905, à l'initiative du Kaiser Guillaume II et de son épouse Augusta. Admirer les lumineuses peintures, la chaire et l'orgue. Sur la droite, juste à l'entrée de la chapelle, imposants tombeaux de la reine Sophie-Charlotte et du roi Friedrich Ier. La crypte abrite 94 cercueils en marbre, en étain ou en bois, dans lesquels reposent la plupart des Hohenzollern. Pour les fans de généalogie ! Toutes les explications sont en allemand.

🛠 *Palast der Republik (palais de la République ; zoom 2, F3, 366) :* Museum Insel, entre les Schlossbrücke et Liebnechtbrücke. ● pa lastschaustelle.de ● *Les travaux de démantèlement étant terminés, il ne reste aujourd'hui qu'un grand espace vert en attendant la reconstruction du château.*

L'ancien Parlement est-allemand a subi jusqu'en 2002 des travaux d'assainissement et de désamiantage. Construit sur l'ancien emplacement du château baroque des Hohenzollern, le palais de la République a été définitivement condamné au démantèlement par le Bundestag en 2006. Fini donc le palais « monstrueux » (dixit Schröder !), symbole fort de

> ## UN PALAIS DE L'EX-RDA DEVIENT UN CENTRE CULTUREL
>
> *La reconstruction « à l'identique » du château des Hohenzollern, symbole de feu la monarchie prussienne, à la place de l'édifice phare de l'ex-RDA, a suscité de vives controverses en Allemagne. Certains y ont vu un geste idéologique, motivé par la nostalgie de l'Allemagne éternelle et, surtout, le souci de liquider au plus vite les vestiges de l'ère communiste qui a pourtant fait partie de l'histoire du pays. En attendant, il a fallu déblayer les 56 000 t de béton, les 20 000 t de fer et autres 500 t de verre. Un peu cher pour substituer le symbole de l'impérialisme prussien à celui de la dictature stalinienne !*

l'ex-RDA (appelé aussi « palais de la non-République » par ses détracteurs). On va le remplacer par une reconstruction copie conforme du palais des Hohenzollern (l'extérieur sera une reconstitution à l'ancienne, mais l'intérieur sera moderne). Curieux saut de carpe de l'histoire !

Une fois terminé (en 2020, si les financements sont trouvés...), le nouveau monument abritera le *Humboldt Forum,* un grand centre culturel qui rassemblera des collections du Musée ethnologique, du musée d'Art asiatique de Berlin et de l'université Humboldt. On y trouvera aussi des auditoriums, des salles de cinéma, des restaurants et des boutiques.

🛠 Au fond de la Schlossplatz, à droite et battant pavillon or, rouge et noir, l'*ancien Staatsrat (Conseil d'État ; zoom 2, F3, 367).* Essayez de trouver, incorporé dans le long bâtiment, le portail du château d'où Karl Liebknecht a proclamé en novembre 1918 la République socialiste. Au cours de l'été 1999, le bâtiment est devenu provisoirement le siège de la Chancellerie. Jusqu'en mai 2001, lors de son installation dans la nouvelle chancellerie du Tiergarten, le chancelier Schröder a eu son bureau dans l'ancien palais de la présidence de la RDA communiste, là où Erich Honecker recevait ses hôtes ! La presse a beaucoup glosé sur la taille du bureau du chancelier, d'une largeur de 3,50 m.

Derrière, en longeant le *Ribbeckhaus* et la *bibliothèque des archives municipales (zoom 2, F3, 368),* on peut accéder à l'*île aux Pêcheurs (Fischerinsel),* qui n'est pas vraiment une île en elle-même, mais qui se trouve être le véritable cœur du vieux Berlin. Quelques façades restaurées et une promenade dans un quartier plutôt triste, délaissé d'ailleurs par la majorité des touristes...

Autour du Gendarmenmarkt *(zoom 2, E-F3)*

🐾🐾🐾 Au sud d'*Unter den Linden*, à l'origine la place du marché de la ville de Friedrichstadt, c'est un des ensembles monumentaux les plus harmonieux de Berlin.
Elle doit son nom au régiment de Gens d'Armes qui y avait ses quartiers en 1736.

🐾🐾 *Französischer Dom – Hugenottenmuseum* *(église française et musée des
Huguenots ; zoom 2, E-F3, 369) :* ☎ 229-17-60. ● franzoesische-kirche.de ●
Église : tlj sf lun 9h-19h. Musée : tlj sf lun 12h (11h dim)-17h. Entrée : 2 €.
Construite en 1701-1705 par Jean Cayart et Abraham Quesney à l'intention des
protestants français, cette église perdit son dôme pendant la guerre 1939-1945 !
Reconstruite en 1983, elle a retrouvé sa splendeur d'antan. Si son emplacement
face au *Deutscher Dom* fut, à l'origine, décidé pour des raisons esthétiques, il constitue rétrospectivement un beau symbole d'entente franco-allemande ! L'église
abrite un très beau musée consacré à l'histoire des huguenots en France, à Berlin
et dans le Brandebourg. Textes explicatifs sous-titrés en français.
– *Hugenottenmusem* *(musée des Huguenots) :* évocation détaillée des persécutions subies en France par les protestants, et leur fuite vers Berlin après la révocation de l'édit de Nantes par Louis XIV en 1685. Accueillis comme réfugiés par les
Hohenzollern, les réformés français, nommés huguenots, formèrent une colonie
active dans le Brandebourg, qui, avec les ans, devint très influente dans tous les
domaines (politique, économique, culturel). La mère de l'explorateur et savant
Alexandre de Humboldt était Marie Colomb (de Nîmes), une descendante de huguenots français.
Pas mal de documents intéressants dont, *salle 9,* les réfugiés « notables », et
notamment le cas de Theodor Fontane (1819-1898), descendant lui aussi de huguenots. La *salle 13* expose une copie de l'édit de Nantes et un fac-similé de l'acte de
révocation (1685) qui placèrent les protestants devant un choix douloureux : abju-
rer leur foi et revenir au catholicisme pour avoir la vie sauve. Dans le cas contraire,
ils risquaient les galères pour les hommes et la prison pour les femmes. Parmi ceux
qui refusèrent, les *camisards* qui prirent les armes contre les dragons du roi dans
les Cévennes, et les autres (les plus jeunes) qui s'enfuirent et cherchèrent refuge
vers les pays réformés (Suisse, Hollande, Grande-Bretagne et Prusse). L'origine du
mot huguenot reste vague.
Nombreux livres anciens, plans et gravures. Gravures de Prenzlau, village où s'installa la colonie huguenote, église de Schwedt, maisons des « colonisateurs » à la
campagne. Pour le roi de Prusse, le terme « colonisateur », loin d'être une offense,
est un signe de renaissance et d'expansion économique d'une région dépeuplée
suite aux guerres.
– *Le clocher :* on y accède par un bel escalier de 254 marches. De la balustrade,
très belle vue sur la ville. À ne pas manquer, sous la coupole, le magnifique carillon :
une grappe de 60 cloches coulées dans 30 t de bronze. Les marteaux mobiles
situés à l'intérieur des cloches sont reliés aux touches d'un clavier contrôlable par
ordinateur ! Déclenchement automatique à 10h, 12h, 15h et 18h. Concerts d'orgue
organisés régulièrement ; voir programme sur le site.

🐾🐾 *Deutscher Dom* *(église allemande ; zoom 2, E3, 370) :* Gendarmenmarkt ; on
entre par la Markgrafenstr. ☎ 22-73-04-31. *Tlj sf lun 10h-19h (18h oct-avr). Entrée
gratuite. Visites guidées tlj à 11h, 13h et 16h et petits textes en français (avec indi-
cations bibliographiques !).*
À côté du *Französischer Dom,* l'église allemande a été construite pour les protestants en 1780-1785. L'architecte s'est inspiré des églises Santa Maria in Monte-
santo et Santa Maria dei Miracoli à Rome. Endommagée pendant la guerre, la
Deutscher Dom a rouvert ses portes en 1996 après une longue restauration.
Elle abrite une exposition permanente sur l'histoire du système parlementaire allemand depuis 1848 jusqu'à nos jours. Au 3e étage de la tour, le IIIe Reich et la fin
de l'État de droit. Photos éloquentes, comme ces juristes effectuant le salut nazi.

Archives vidéo et audio, dont le célèbre discours de Goebbels, la « guerre totale », qui, en 1943, annonce le sacrifice à venir de la population berlinoise. Intéressante section sur le régime est-allemand. Au 5e étage, série de maquettes de parlements, et notamment le projet délirant d'Albert Speer, l'architecte d'Hitler, qui rêvait d'un Reichstag de style néoclassique plus grand que tous les parlements existant au monde.

🎥🎥 **Friedrichstadtpassagen** *(passages de Friedrichstadt ; zoom 2, E3)* **:** entre Gendarmenmarkt et Friedrichstrasse, un ensemble d'immeubles conçus au début des années 1980 abrite la galerie marchande des *Friedrichstadtpassagen.* C'était le dernier programme immobilier d'envergure de la RDA. Interrompu à la chute du Mur, le projet fut remanié par la suite, et l'on fit appel à des architectes de renom pour le réaliser. En lieu et place de l'immeuble monolithique et inachevé de l'ex-RDA, trois blocs d'immeubles distincts furent dessinés, reliés entre eux par une galerie commerçante, longue de 300 m. Chaque bloc, appelé « quartier », a été conçu dans un style architectural différent dans le but d'offrir une diversité urbanistique.
– Le bâtiment emblématique, au **quartier 207,** est incontestablement le magasin des **Galeries Lafayette** *(zoom 2, E3, 403),* créé par Jean Nouvel autour d'un atrium doté d'une sorte de double cône lumineux de verre à la manière d'un sablier. Il se réfère au style berlinois des années 1920, tout en intégrant des nuances résolument contemporaines. L'angle arrondi de l'immeuble met particulièrement en valeur l'édifice dans un quartier où les rues sont toutes perpendiculaires et tirées au cordeau.
– Le **quartier 206** *(Friedrichstr 71-74),* imaginé par Ming Pei, s'inspire du courant expressionniste des années 1920 et de l'Art déco. La façade de l'immeuble est rythmée par des séries de saillies, créant un effet d'ondulation. La nuit, les lamelles de couleur claire recouvrant les parois de l'édifice s'illuminent pour donner un effet similaire à celui produit par un projecteur de cinéma. L'atrium, les escaliers et le carrelage polychrome au sol sont d'inspiration Art déco.
– Le **quartier 205** *(Friedrichstr 66-70),* conçu par Oswald Matthias Ungers, est le plus grand des *Friedrichstadtpassagen.* L'architecte a décliné en la combinant une forme géométrique de base – le carré – sur l'ensemble du volume de l'édifice. Avec huit étages, il se décompose en six blocs de six étages qui s'élèvent sur les arcades, abritant restaurants et magasins. L'alternance chromatique – blanc, noir, ocre – égaie les façades, tandis que le décrochage des volumes permet d'alléger l'aspect massif de l'ensemble.

🎥🎥 **Friedrichstrasse** *(zoom 2, E2-3) :* tracée au XVIIe s, cette artère constituait le principal axe nord-sud de la ville, traversant les faubourgs de Dorotheenstadt et de Friedrichstadt. Elle reliait sur une longueur de 3,3 km les portes d'Oranienburger Tor et de Hallesches Tor, aujourd'hui disparues.
Vers la fin du XIXe s, la Friedrichstrasse voit s'installer de nombreux cafés, restaurants, magasins et autres cabarets, pour devenir lors de la Belle Époque l'un des centres de plaisirs de la capitale. Dans l'entre-deux-guerres, le Kurfürstendamm détrône la Friedrichstrasse comme pôle de la vie nocturne berlinoise. Les derniers combats de rue d'avril 1945 l'ont complètement anéantie.
Après la division de Berlin, la Friedrichstrasse reste une artère vivante de Berlin-Est, avec ses théâtres et ses cabarets, même si elle bute au sud sur le tristement célèbre Checkpoint Charlie. Après 1990, le sénat de Berlin décide d'en poursuivre la réhabilitation déjà amorcée par les autorités de RDA. La Friedrichstrasse a été le second grand chantier après celui de la Potsdamer Platz, voyant éclore des édifices avant-gardistes, mais c'est surtout devenu une adresse incontournable du Berlin chic, avec ses magasins, ses hôtels et ses restaurants de luxe.

➢ En empruntant la Leipziger Strasse (vers Potsdamer Platz), puis la Mauer Strasse, on accède à l'arrière du quartier 200, appelé **Philip Johnson Haus,** siège de l'*American Business Centre.* L'architecte américain Philip Johnson, influencé par Mies van der Rohe, réalisa là un complexe à l'architecture rationnelle : une façade imposante, recouverte de granit, qui alterne baies vitrées et piliers percés de fenêtres. Une rotonde en pierre, située au-dessus du 6e étage, couronne les parois de verre et de granit en donnant à l'ensemble sa cohésion esthétique.

Vers le sud, la Mauer Strasse rejoint la Friedrichstrasse, juste avant son intersection avec la Zimmerstrasse. Au carrefour de la Friedrichstrasse et de la Kochstrasse se trouve l'ancien point de contrôle *Checkpoint Charlie* (voir plus loin le quartier de Kreuzberg).

🎥🎥 🚶 **Museum für Kommunikation** *(zoom 2, E3, 388)* : *Leipziger Str 16.* ☎ 20-29-40. ● *museumsstiftung.de* ● *U-bahn : Kochstr ; bus n°s 129 et 148. Tlj sf lun 9h-17h (10h-18h w-e et j. fériés). Entrée : 3 € ; gratuit moins de 15 ans.*

Installé dans un superbe édifice de style Wilhelmine, rénové récemment. Très intéressant musée sur l'histoire de la communication à travers les siècles, dans un cadre, vous l'avez compris, particulièrement séduisant. Visite fort recommandée avec des enfants. Impossible de tout décrire, en voici les points forts :

– D'abord, sympathiser et s'amuser avec les trois robots évoluant dans le *hall principal*. Ensuite, se précipiter au *sous-sol* pour une expo de témoignages, d'objets et d'exemples exceptionnels liés à la communication à travers le temps et présentés dans une muséographie remarquable (et presque mystérieuse). Dans une douce pénombre, découvrez dans un bel inventaire à la Prévert le célèbre *Mauritius bleu* (le plus vieux timbre du monde), le premier timbre bavarois, d'autres lettres et émouvantes missives (comme une lettre de Samuel Morse, ou celle d'une rescapée de l'incendie du zeppelin en 1937), le premier téléphone, l'évocation des vieilles techniques (lampes radio, le pneumatique...), etc.

– *1er étage* : là aussi, en une muséographie moderne et plaisante, expo de bornes postales, « télégraphe en valise », antiques boîtes à lettres, enseignes, vénérables sacoches de facteur et les timbres, bien sûr. Salle avec accessoires de la poste (tampons, pèse-lettres, sceaux, écritoires...), maquettes, vieux standards téléphoniques, antiques téléphones, matériels électriques divers, etc.

– *2e étage* : les techniques de communication en temps de conflit (guerre des ondes pendant la guerre Froide, « l'affrontement » des haut-parleurs entre l'Ouest et l'Est). Puis le premier poste télé, la première caméra, la première radio... Possibilité pour les enfants de surfer sur Internet. Intéressantes expos temporaires.

Autour de la Fernsehturm
(tour de Télévision ; zoom 2, F2-3)

🎥🎥 **Alexanderplatz :** surnommée « Alex » par les autochtones et immortalisée par le chef-d'œuvre du romancier Alfred Döblin (on peut en lire une monumentale citation sur un immeuble mitoyen), la place historique de Berlin a pour origine un marché à bestiaux, puis aux laines, l'*Ochsenmarkt*. En 1805, on lui donne le nom du tsar Alexandre Ier, à l'occasion de la visite de celui-ci au monarque prussien.

Il s'ensuit une série de transformations durant plus d'un siècle : les immeubles, les ateliers et les commerces s'établissent autour d'un nœud de communications où convergent plusieurs lignes de métro, tramway et bus, ainsi que neuf rues. Avant-guerre, elle est réputée pour être un lieu de distraction où les ouvriers des quartiers nord et est de Berlin viennent grossir la clientèle des innombrables commerces et bistrots qui l'entourent.

Un projet d'urbanisme adopté en 1929 ne se concrétise que par la construction de deux immeubles de bureaux, et la crise économique met rapidement un terme à tout réaménagement. Les pilonnages d'avril 1945 réduisent l'esplanade à un tas de ruines.

Au cours des années 1960, un malheur n'arrivant jamais seul, sa reconstruction est confiée à des architectes un peu trop inspirés par l'esthétique stalinienne : l'esplanade aux dimensions inhumaines (sa surface multipliée par trois) censée constituer

MITTE

le cœur de la ville socialiste est encerclée de buildings à l'architecture fonctionnaliste tous plus ternes les uns que les autres.

En novembre 1989, l'Alexanderplatz est le théâtre d'une gigantesque manifestation contre le régime communiste vacillant.

À la réunification de l'Allemagne, on décide de remédier dans la mesure du possible aux erreurs urbanistiques de la RDA : la place va être bordée par des tours de 150 m et clôturée par des blocs de 10 étages. Pour le moment, ce chantier, très controversé, n'a pas réellement démarré, puisqu'il a été en partie repoussé vers 2020 !

En attendant, elle est devenue le rendez-vous des adeptes des *party-hotels* conçus plus pour se divertir que pour dormir.

La frise de mosaïques de la **maison de l'Enseignant** (*Haus des Lehrers* ; plan général G2, **374**) de 125 m de long n'arrive même pas à leur insuffler la moindre étincelle de vie !

Au centre de la place se dressent le grand magasin *Kaufhof*, qui a remplacé l'ancien *Konsum am Alex*, et l'hôtel *Forum*, haut de 123 m.

L'**horloge universelle Urania** (*Weltzeituhr*) permet de lire les fuseaux horaires des principales villes du monde. Et toujours dans le style socialiste : la *Fontaine de l'amitié entre les peuples*. C'est un lieu de rendez-vous très usité des Berlinois. Si on vous dit « à 16h sous l'horloge », vous saurez immédiatement où vous rendre.

🕯 ***Fernsehturm*** (tour de Télévision ; zoom 2, F2, **373**) : Alexanderplatz, Panoramastr 1a, mais est-ce bien utile de donner son adresse ? ● tv-turm.de ● S-bahn et U-bahn : Alexanderplatz. Mars-oct, tlj 9h-minuit ; nov-fév, tlj 10h-minuit ; arriver 30 mn avt la fermeture. Entrée : 10 € ; réduc.

Les Berlinois l'appellent « l'Asperge » (*Telespargel*). Ses 365 m de haut sont visibles de n'importe quel point de la ville. Inaugurée en 1969, cette immense flèche est vite devenue le monument le plus visité de la capitale (45 millions de visiteurs depuis sa création !). Pour gagner du temps, un écran indique les numéros des billets qui peuvent rentrer (comme à la poste !). Le soir, en revanche, c'est beaucoup plus calme...

Pour son 30e anniversaire, elle a eu droit à un « petit » coup de peinture. Pas moins de 50 t de peinture pour un lifting sur 9 000 m². Commencée en 1991, la rénovation complète du bâtiment a coûté la bagatelle de 50 millions d'euros. Avec la nouvelle antenne, la demoiselle a gagné 3 m. Quant au café, également situé dans la boule d'acier de 32 m de diamètre (près de 5 000 t !), il est monté sur une partie mobile effectuant un tour complet en 30 mn. Deux fois plus vite qu'au temps du Socialisme, rentabilité capitaliste oblige ! La vue porte jusqu'à 40 km. L'hiver, il n'y a personne, et c'est même tristounet à certaines heures. Dans le hall d'entrée, panorama avec les tours de TV du monde entier.

🕯 ***Marienkirche*** (église Sainte-Marie ou Notre-Dame ; zoom 2, F2, **371**) : au pied de la tour de Télévision. Tlj 10h (12h dim)-21h (18h en hiver). Petits fascicules en français. Encore un contraste saisissant entre cette petite église gothique en brique rouge, de la seconde moitié du XIIIe s, et ce monstre de béton qui semble transpercer les nuages. C'était la deuxième église de Berlin après l'église Saint-Nicolas. L'intérieur sobre et clair se pare de nombreuses ogives aux voûtes. À noter, le tombeau en marbre du maréchal von Sparr, la chaire sculptée dans l'albâtre et les fonts baptismaux en bronze portés par quatre dragons. Mais l'église est surtout connue pour sa fresque gothique de 22 m de long, *La Danse macabre* (1484). On en voit les restes derrière les vitres du vestibule. Un petit dessin permet de restituer ses différents éléments car, sur la fresque, on ne discerne pas grand-chose. Accès sous la tour. On y donne des concerts.

🕯🕯 ***Rotes Rathaus*** (zoom 2, F3, **372**) : le bel hôtel de ville tire son nom autant de la couleur de ses briques que des opinions politiques de ses anciens conseillers municipaux. Construit à la fin du XIXe s, il est orné d'une frise évoquant l'histoire de la cité depuis sa fondation. Devant l'entrée, les statues de la *Déblayeuse* de décombres et du *Volontaire à la reconstruction (sic)* furent érigées à la mémoire des Berlinois qui relevèrent la ville de ses ruines. Et devant l'hôtel de ville, n'oubliez pas d'admirer, outre Neptune, *Les Quatre Grâces* (symbolisant le Rhin, la Vistule, l'Elbe et l'Oder), impressionnantes de monumentalité. Certaines salles se visitent. Se renseigner sur place car il n'y a que quelques visites par mois.

🍴 *Marx-Engels Forum (zoom 2, F2-3) :* place spacieuse et joliment arborée, au centre de laquelle trônent sagement les deux papys barbus. En attendant d'être déboulonnés à leur tour ?

🍴🍴 *DDR Museum – Musée de la RDA (zoom 2, F2, 394) :* Spree-promenade an der Liebknecht-brücke, Karl-Liebknecht Str 1. ☎ 847-123-731. ● ddr-museum. de ● Tlj 10h-20h (22h sam). Entrée : 5,50 € ; réduc.

Un superbe musée, intelligent et bien fait ! Un seul bémol, le bruit en cas d'affluence. Bienvenue dans un monde disparu et pourtant pas si vieux que cela ! Sur les bords de la Spree, en face du *Berliner Dom*, non loin de l'ex-*Palast der Republik*

> ## PARANOÏA SOUS LA RDA
>
> *Le régime de l'Allemagne « démocratique » était tombé dans un tel état de névrose sécuritaire obsessionnelle que, sur les miradors jalonnant le tracé du Mur, les gardes frontières (les Vopos) se trouvaient toujours en service par trois. On partait du principe qu'à deux on pouvait se mettre d'accord pour favoriser une évasion, mais qu'à trois, la chose était impossible.*

(chantier), voici le premier musée privé consacré à la vie quotidienne en Allemagne de l'Est au temps du communisme. Tous les aspects de l'existence sont abordés : le travail, les loisirs, les vacances, les médias, la politique, la sécurité... Par un système de tiroirs ouvrant dans des blocs qui rappellent l'architecture des cités-dortoirs, comme à Rostock, on revit le quotidien des *Ossies*, on tâte des costumes en synthétique avec le prix encore accroché.

Il y a même un appartement modèle avec son salon (on teste le moelleux des fauteuils), ses toilettes et sa cuisine. Des uniformes bleus des Jeunesses Socialistes à la Trabant (deux ans d'attente pour être livré !), du guide de voyage dans les « pays frères » aux boîtes de petits pois Globus, remises à la mode par le film *Goodbye Lenin*, en passant par les médailles olympiques trustées par des athlètes survitaminés, les pochettes de disques bariolées des groupes discos de l'époque, les films naturistes sur les plages de la Baltique et le cagibi-bureau d'écoute de la Stasi : rien ne manque pour faire revivre le cadre de vie de la société socialiste disparue à la chute du Mur.

Nikolaiviertel *(quartier Saint-Nicolas, zoom 2, F3)*

Le quartier Saint-Nicolas, quartier du vieux Berlin, est un quadrilatère de 4 ha délimité par la *Rathaus*, le *forum Marx-Engels* et la rivière. C'est l'une des attractions touristiques de Berlin. Très touristique même ; ne vous étonnez pas d'y croiser beaucoup de monde. Intégralement rasé lors de la dernière guerre, la RDA décida de le reconstruire pierre par pierre à l'occasion du 750e anniversaire de la ville pour être une vitrine de l'Allemagne communiste ! Cela constituait un revirement d'attitude par rapport à la préservation du patrimoine prussien, bien souvent blackboulé pour des raisons idéologiques.

Véritable prouesse, ce petit village brillant comme un sou neuf semble tout droit sorti du feuilleton télé *Le Prisonnier*, tant l'atmosphère qui y règne (petites maisons toutes propres, minuscules restaurants, absence totale de néons, de voitures, de fils électriques...) peut paraître irréelle !

Faisant office de cerise sur le gâteau, l'adorable *église Saint-Nicolas (zoom 2, F3, 375)* est reconnaissable de loin à son clocher en forme de bonnet d'âne ! La splendide nef de la plus vieille église de Berlin (les fondations datent de 1230) abrite désormais un musée. Fermée pour reconstruction, elle devrait rouvrir début 2010. Juste à côté, sur la placette ombragée, belle fontaine gothique surmontée de l'ours, la mascotte de la ville, qui enserre le blason de Berlin.

Au 7, place Sankt Nikolaiviertel, maison de l'écrivain Lessing de 1765, reconstruite à l'identique.

Ce quartier, au-delà des quais de la Spree et de ses sucreries baroques, constitue, passé le pont Mühlendamm, le cœur historique de la sœur jumelle de Berlin : Cölln.

Le *palais Ephraim* (zoom 2, F3, **376**), un joyau rococo, est destiné à accueillir des expositions temporaires et variées : peinture, décoration de théâtre ou costumes historiques (tlj sf lun 10h-18h – mer 12h-20h ; entrée : 5 € ; gratuit chaque 1er mer du mois).

LE RETOUR DES PETITS BONSHOMMES VERTS (ET ROUGES)

Créé en 1961 par Karl Peglau, un psychologue spécialisé dans la circulation, l'Ampelmann, ces petites silhouettes avec chapeaux, rythmait les passages pour piétons dans Berlin-Est. Elles ont été remplacées à la réunification. Mais leur survie a été assurée en devenant un symbole culte de l'Ostalgie et en donnant le jour à une multitude de produits dérivés. Des boutiques les commercialisent à présent un peu partout.

🍴 *Hanf Museum* (zoom 2, F3, **349**) : Mühlendamm 5. ☎ 242-48-27. ● hanfmuseum.de ● U-bahn : Kloster Str ; bus n° 148. Tlj sf lun 10h (12h le w-e)-20h. Entrée : 3 €. C'est certainement un musée unique dans son genre (enfin, le troisième avec ceux de Bologne et d'Amsterdam), et que l'on menace de fermeture... depuis son ouverture en 1994 : ce musée traite en effet d'une plante très ancienne, la *Cannabis Sativa* ! Original et très instructif. On y découvre l'ensemble des vertus de cette plante. Tous les sujets sont abordés, largement commentés et expérimentés. Utilisation du chanvre pour la fabrication de vêtements et de toiles de bateau dans la Russie et l'Italie du début du XXe s, instruments de travail. Salle consacrée à l'utilisation psychotrope du cannabis. Voir le petit tableau *L'Homme à la pipe,* dont le personnage, grisé, rappelle celui du *Buveur d'absinthe,* de Manet. Et à propos de pipes, avez-vous vu celles à l'effigie de Bismarck ? Inévitable section rastafari, hachisch du monde entier et affiches anti-marijuana.

Petite boutique et café sympa au sous-sol, rythmé soul-reggae. Le musée est par ailleurs le siège social de l'association *Hanfparade* qui organise chaque été au mois d'août un défilé (de type corso fleuri !) dans les rues de Berlin.

🍴 Tout près de là, parmi les rares édifices du Nikolaiviertel à avoir survécu aux destructions de la guerre, figure la **Knoblauchhaus,** construite en 1759. La maison patricienne abrite à présent une *Weinstube* historique (magnifique petite salle au plancher qui craque) ainsi qu'une exposition permanente à l'étage (entrée gratuite), consacrée à l'histoire berlinoise du XIXe s et à celle de la famille Knoblauch, illustres représentants de la haute bourgeoisie juive de Berlin et propriétaire des lieux jusqu'en 1928. Le musée permet de restituer le cadre de vie de cette famille d'architectes, mais aussi de grands brasseurs, qui s'exilera aux États-Unis avec l'arrivée des nazis. Magnifique plancher en bois aux motifs en losanges, secrétaire en forme de temple antique, jouets d'enfant... Au 2e étage, costumes d'époque et objets de la vie quotidienne. Remarquez le petit nécessaire à coudre, qui s'ouvre comme une maisonnette. Voir aussi les affiches de publicité de la *bömisches Brauhaus* familiale, qui produisait le *Berliner Pils* d'après les procédés réputés de la tradition tchèque.

Laissez-vous aller à flâner ensuite dans les *Breite* ou *Bruderstrassen* de l'île aux Pêcheurs, au-delà du Muhlendammbrücke...

🍴 *Märkisches Museum* (musée de la Marche de Brandebourg ; zoom 2, F3, **350**) : Am Köllnischen Platz 5. ☎ 30-86-62-15. ● stadtmuseum.de ● U-bahn : Märki-

sches Museum. Accès par le parc. Tlj sf lun 10h-18h (12h-20h mer). Entrée : 6 € ; gratuit chaque 1ᵉʳ mer du mois. Visite guidée en allemand mer à 15h (3 €). Dans un édifice néogothique inspiré par l'architecture des monastères, l'histoire de Berlin et de ses environs proches depuis la préhistoire. Au 1ᵉʳ étage, armes et armures (c'est vrai qu'ils étaient plus petits à l'époque, les Allemands !). Au 2ᵉ étage, collection d'instruments de musique mécaniques. Vieux phonographes, pianos pneumatiques et un Polyphon de 1905, avec disque en fer troué. Démonstrations le dimanche à 15h. Voir aussi la salle de la chapelle gothique, qui présente de belles pièces de l'art religieux (magnifique autel de la Passion de 1520). Les ours hébergés dans le parc de derrière sont les mascottes officielles de la ville...

🎥 Juste à côté du *Märkisches Museum*, quelques **segments du Mur** exposent le célèbre dessin effectué par Kiddy Citny en 1985, *Königskopf* (tête de roi). Il s'intégrait à une longue frise qui courait sur le mur à Waldemarstrasse.

Autour du Scheunenviertel et du quartier juif
(quartier des Granges ; zoom 2, F2)

Son vrai nom est le *Spandauervorstadt* (faubourg de Spandau), mais on l'appelle communément le *Scheunenviertel*. C'est en fait un triangle compris entre Oranienburger Strasse, Auguststrasse et Rosenthalerstrasse. S'il fallait élire le quartier de l'animation nocturne, ce serait ici, au cœur de Mitte, depuis que des artistes se sont emparés de bâtiments en ruine pour les transformer en temple de l'inventivité alternative. On débute par son extrémité ouest.

🎥 **Tacheles** (zoom 2, E2, **377**) : *Oranienburger Str 54-56a.* ☎ *282-61-85.* ● *offi ce@tacheles.de* ● *U-bahn : Oranienburger Tor.*
En yiddish, le mot *Tacheles* signifie : « parler sans détour ». Un lieu étonnant, en plein centre-ville. Ce grand immeuble, un ancien grand magasin, en très mauvais état (euphémisme), reste l'une des grandes curiosités du Berlin branché. En 1990, menacé par les pelleteuses, il fut squatté par de jeunes artistes, puis transformé en galerie d'art et d'exposition. Depuis, il devint le *Kunsthaus Tacheles.* Après 20 ans d'existence, il est aujourd'hui menacé de privatisation...
De nombreuses cartes postales le représentaient avec des carcasses de voitures dans la cour intérieure ; bref, c'était une zone incroyable ! L'ensemble garde encore aujourd'hui un look bien destroy. Centre culturel établi, donc, dans un ancien grand magasin, c'est un des symboles de la culture alternative. Ce lieu, vieux de près d'un siècle, a donc beaucoup souffert, mais il porte fièrement les cicatrices de l'histoire. Il est désormais « loué » symboliquement pour 0,50 € par les artistes à son propriétaire, une entreprise de Cologne. Ce projet artistique est aujourd'hui une véritable attraction touristique, une vitrine de la culture alternative en quelque sorte... Les projets immobiliers, présentés en 1996, prévoient la construction de nouveaux immeubles. Fin 1998, un accord entre les occupants du *Tacheles* et les promoteurs put être conclu, prévoyant la sauvegarde du centre culturel de la scène *off* au sein d'un nouvel ensemble. Comme un monument public destroy, en quelque sorte. Le lieu compte toujours plusieurs salles de théâtre, de concerts, un cinéma, ainsi qu'entre autres un café-restaurant au rez-de-chaussée, le *Zapata.* Les intérieurs se visitent comme les dédales d'une cathédrale de l'art alternatif ; pas un centimètre carré d'espace libre sur les murs !
Des grands travaux d'aménagement des quartiers *Johannis* et *Tacheles* devraient bientôt débuter. Près de 40 nouveaux immeubles de bureaux, de logements et de commerces devraient voir le jour.

🎥 *Dans la même rue, sur le trottoir d'en face, la* **Neue Synagogue** *(nouvelle synagogue ; zoom 2, F2, **378**) : Oranienburger Str 28-30.* ☎ *88-02-83-16 ou 00.* ● *cjudaicum.de* ● *Tlj sf sam et fêtes juives dès 10h ; ferme à 18h mar-jeu, 17h ven*

MITTE

(14h oct-mars), 20h dim-lun (18h nov-fév) ; dernière admission 30 mn avt la ferme-ture. Visite guidée mer à 16h (slt mars-oct), dim à 14h et 16h. Prévoyez 3,50 € pour visiter les lieux.

Synagogue typique de l'Europe centrale du XIXe s, ses dimensions monumentales et ses tours octogonales évoquent celles de Plzen (Bohême) ou de Budapest. La façade, tout juste restaurée, rappelle qu'avant la guerre une importante commu-nauté juive vivait là. Une exposition raconte l'histoire de ce magnifique bâtiment. S'il a été rénové, l'intérieur n'est que partiellement conservé. Des policiers montent la garde devant ce lieu qui fut dévasté par les nazis au cours de la nuit de Cristal et servit d'entrepôt de textile pendant la guerre. Fouille des sacs à l'entrée et vestiaire obligatoire.

Au rez-de-chaussée, dans la première salle, photos de la vie des juifs berlinois avant-guerre : journaux, clubs de foot (avec une étoile jaune sur le maillot dès 1934 !). Dans la deuxième salle, elles sont plus intimistes et émouvantes. Les motifs néo-mauresques sur les arcades donnent une vague idée de la splendeur d'origine de l'édifice. On monte aussi à la coupole, dont il ne reste rien à l'intérieur mais qui permet d'admirer de près les tours latérales et leurs dorures en forme de motifs végétaux. Avec son système de jointures fines, ce dôme a inspiré de nombreux architectes !

🍴🍴 Vous êtes ici aux portes du quartier juif, le ***Scheunenviertel,*** dont le surnom signifie le « quartier des Granges ». On l'appela ainsi à la fin du XIXe s, quand de nombreux juifs d'Europe orientale s'installèrent dans ses logements pauvres. Avant-guerre, 160 000 juifs vivaient à Berlin, qui participaient à son rayonnement économique et intellectuel. Si la majeure partie parvint à s'exiler, près de 60 000 furent exterminés par les nazis. Aujourd'hui, la communauté juive compte environ 12 000 membres, principalement originaires d'Europe de l'Est.

– Dans la Grosse Hamburger Strasse se trouve le ***vieux cimetière juif*** *(Alter Jüdis-cher Friedhof),* dont il ne reste pratiquement rien. Avant sa destruction par les nazis, ses plus anciennes tombes remontaient jusqu'à 1672. Le philosophe Moses Men-delssohn, père de la *Haskalah* (les Lumières juives) y fut enterré et sa stèle a été reconstruite.

– De l'autre côté de la rue, on peut voir l'installation de Christian Boltanski, ***The Missing House.*** Un immeuble bombardé en 1945 laisse un espace vide : sur les parois des immeubles mitoyens, des plaques commémoratives indiquent l'identité des personnes (pour la plupart des juifs) qui ont habité ici.

– Si vous baissez les yeux, vous ne pourrez pas rater les petits pavés en cuivre, ces ***Stolpersteine*** (pierres d'achoppement), disséminés dans de nombreuses rues. Ils sont posés devant chaque maison où des juifs furent déportés. Noms, âges, dates et lieux de déportation sont précisés et on constate souvent que les membres d'une même famille ont pu être déportés à des dates et pour des destinations différentes (Riga, Auschwitz...). On en trouve par exemple plusieurs dans la Rosenthaler Strasse (au n° 40-41 et à côté), mais également au-delà du quartier juif, comme dans la rue Köpenicker.

🍴🍴 ***Anne Frank Zentrum*** *(zoom 2, F2,* **396***) :* Rosenthaler Str 39, au fond du pas-sage, au *2e étage.* ☎ 288-86-56-00. ● *annefrank.de* ● S-bahn : Hackescher Markt. *Tlj sf lun 10h-18h. Entrée : 4 € ; réduc. Commentaires en anglais.* Un petit musée où l'on peut passer du temps ! On le sait peu, mais Anne Frank est née à Francfort, avant que sa famille n'émigre à Amsterdam en 1933. Elle fuit ainsi le péril nazi, qui la rattrapera cruellement. L'expo est très bien faite. Sont mis en perspective et en vis-à-vis, année par année, la vie d'Anne Frank et l'évolution du IIIe Reich. Photos centrées autour de l'enrôlement des jeunes par le parti, dont celle, en couleur, figurant un couple sur la plage, entouré de fanions nazis. Voir, sur une autre photo, la bibliothèque amovible, qui servait de porte d'entrée à la cachette des Frank. Extraits manuscrits d'Anne, où la calligraphie traduit l'équilibre malgré la peur d'être découvert. On connaît la suite : après une dénonciation, la famille sera déportée et Anne mourra au camp de Bergen-Belsen début 1945, quelques mois seulement avant la fin de la guerre. Elle avait 15 ans. Le centre élabore des programmes éducatifs contre le racisme, destinés aux jeunes.

🎐 Dans le même passage, le **Museum Blindenwerkstatt** *(tlj 10h-20h ; entrée gratuite)* retrace l'histoire de M. Otto Weidt : pendant la Seconde Guerre mondiale, son atelier employait principalement des juifs aveugles ou sourds qu'il cherchait à sauver de la déportation.

🎐 Admirez également le style baroque délirant de **Sophienkirche.** Elle s'élève en retrait de la Grosse Hamburger Strasse, derrière un pittoresque portail en fer forgé, qui marque le début d'un étroit passage entre de vieux immeubles. L'église Sainte-Sophie est la seule des églises de Berlin à n'avoir subi aucun dommage pendant la Seconde Guerre mondiale.

🎐🎐 Dans la courbe de Rosenthalerstrasse, les **Hackesche Höfe** *(zoom 2, F2, **379**)* forment une enfilade de huit cours construites au début du XXe s avec des façades Jugendstil décorées de brique vernissée polychrome. Bel exemple de *Mietskaserne* (immeubles de rapport du XIXe s), leur rénovation très réussie fut achevée après 3 ans de travaux. Elles ont alors attiré magasins design, galeries et cinémas, mais aussi des bars et une intense vie nocturne. L'entrée principale est située sur la Rosenthalerstrasse.
Dans le Scheunenviertel, autres nombreuses cours intérieures où fleurissent les toutes dernières boutiques de design, des ateliers d'artistes, des galeries ou des clubs. N'hésitez pas à franchir l'ensemble des porches pour découvrir tous les aspects de la créativité berlinoise. Quelques adresses : cour des *Kunstwerke* (œuvres d'art), Auguststrasse 69 ; *Sophie Gips Höfe*, Sophienstrasse 21 ; *Heckmann-Höfe*, Oranienburger Strasse 32. Dans le Hof 5, une boutique s'est spécialisée dans la déclinaison des *Ampfelman,* la petite silhouette des feux rouges de la DDR.
Pour visiter les galeries d'art contemporain, il suffit de parcourir les rues du quartier, dans la Auguststrasse par exemple, ou la Linienstrasse, pour ne citer que les plus connues. À partir de là, prenez un programme actuel dans la première galerie que vous trouverez et continuez la visite selon votre humeur.

Sur les pas de Brecht... et de Marcuse

🎐 **Brechthaus** *(maison de Brecht ; zoom 2, E2, **142**)* : Chausseestr 125. ☎ 283-05-70-44. ● lfbrecht.de ● *U-bahn : Oranienburger Tor ou Zinnowitzer ; bus n° 157. Vers le nord, dans le prolongement de la Friedrichstr. Attention, on peut facilement manquer le grand portail d'entrée ; il ne faut pas dépasser le cimetière. Mar 10h-12h, 14h-16h ; mer et ven 10h-12h ; jeu 10h-12h, 17h-19h ; sam 10h-16h ; dim 11h-18h. Fermé lun et j. fériés. Visite guidée ttes les 30 mn (ttes les heures le dim). Entrée : 5 €.* Pas prétentieuse pour quatre sous (!), la maison où vécut Brecht jusqu'à sa mort en 1956 abrite désormais un centre culturel, les archives du dramaturge, une cave-restaurant très agréable et pas si chère que ça (voir « Où manger ? »). Les inconditionnels iront visiter (seulement avec guide) les pièces de travail et d'habitation qu'il occupait avec sa femme (voir sa biographie dans la rubrique « Personnages » des généralités).

🎐 **Berliner Ensemble** *(zoom 2, E2, **381**)* : Bertolt-Brecht Platz 1. Rens : ☎ 28-40-80. Résas : ☎ 28-40-81-55. *S-bahn et U-bahn : Friedrichstr. Derrière la gare de Friedrichstr, le long du fleuve.* Reconnaissable à son enseigne tournante, le théâtre le plus célèbre d'Allemagne est encore en activité. On y joue les pièces de Brecht, évidemment. Mais depuis la mort de son directeur charismatique, Heiner Müller, le *Berliner Ensemble* traverse une crise d'identité.

🎐🎐 **Dorotheenstädtischer Friedhof** *(cimetière de Dorotheenstadt)* et **Kirchof der Französisch Reformierten Gemeinde zu Berlin** *(cimetière de la communauté française réformée de Berlin ; zoom 2, E2, **382**)* : Chausseestr 126 et 127.

U-bahn : Oranienburger Tor. Mai-août, 8h-20h ; 1h de moins chaque mois jusqu'en déc-janv, puis 1h de plus fév-avr.

– **Cimetière de Dorotheenstadt :** pour accéder aux tombes des philosophes **Hegel** (1770-1831) et **Fichte** (1762-1814 ; promoteur de l'unité allemande) enterrés côte à côte, il faut prendre une petite allée sur la gauche, au niveau des toilettes et du plan détaillé du cimetière (quand on vient de la rue Chaussee). Dans une allée transversale, à gauche de l'entrée, un mur de brique rouge abrite la tombe de **Bertolt Brecht** et d'Hélène Weigel. Tombe d'une grande sobriété, couverte de végétation. Elle fut profanée en mai 1990. « Le ventre est encore fécond d'où est sortie la bête immonde ! », écrivait déjà Brecht. Continuer vers la gauche jusqu'au mur du fond, pour la modeste tombe d'un autre géant : **Herbert Marcuse,** philosophe, l'un des inspirateurs de la grande révolte étudiante de 1968. C'est une histoire insolite d'ailleurs que ce retour au bercail. Marcuse, né à Berlin en 1898, quitta l'Allemagne pour les États-Unis en 1933, fuyant les persécutions nazies contre les juifs. Par un curieux hasard, il mourut d'une crise cardiaque en Allemagne en 1979, lors d'une visite.

– **Cimetière de la communauté française réformée de Berlin :** petit et émouvant cimetière où a été enterrée une partie des protestants français de Berlin dont l'histoire est exposée en détail au musée des Huguenots du Gendarmenmarkt. On y trouve notamment les tombes d'Ancillon (1767-1837), Mme du Titre (1748-1827), Peter Louis Ravené (1793-1861) et Daniel Chodowiecki (1726-1801).

🎭🏃 **Museum für Naturkunde** (zoom 2, E2, **395**) : *Invalidenstr 43, dans une annexe de l'université Humboldt.* ☎ 209-38-591. ● *naturkundemuseum-berlin.de ● U-bahn : Zinnowitzer Str. Tlj sf lun 9h30-17h (18h le w-e) ; dernière visite 30 mn avt la fermeture. Entrée : 6 € ; réduc.* Le musée des Sciences naturelles expose le plus grand dinosaure retrouvé à ce jour. Le squelette de ce *Brachiosaurus brachai* se déploie sur 13 m de hauteur et 15 m de longueur. La bestiole pesait 50 t mais elle était dotée d'un grand cœur : environ 400 kg ! On trouve aussi le fossile de l'oiseau le plus ancien que l'on connaisse : l'*archéoptéryx*. Sont également exposés quelques autres spécimens un peu plus modestes. L'expo est très bien faite. Des jumelles interactives reconstituent, par images de synthèse, organes et muscles des dinos et les font revivre en direct. On sent même les tremblements du sol ! Enfants et adultes conquis d'avance...

Achats

🛍 **Galeries Lafayette** (zoom 2, E3, **403**) : *Französische Str 23.* ● *lafayette-berlin.de ● U-bahn : Französische Str. Tlj sf dim 10h-20h.* L'immeuble de verre conçu par l'architecte français Jean Nouvel est devenu, dès son ouverture en février 1996, l'une des adresses chic pour faire ses achats. Les prix élevés ont malheureusement fait fuir les clients.

Au sous-sol, espace « Gourmet ». Dégustation de vins, fromages, poissons et pâtisseries. La galerie mène au quartier 206, vitrine du nouveau chic berlinois, où les grandes marques mondiales viennent installer leurs enseignes. Librairie française dans la galerie souterraine : mêmes heures d'ouverture que le magasin.

LE QUARTIER DE KREUZBERG
(plan général E-F-G3-4)

Kreuzberg se situe au centre de Berlin et au sud de la Spree. Son nom vient de la petite colline que l'on trouve dans le *Viktoriapark,* d'où l'on jouit d'un beau point de vue sur ce quartier cosmopolite.

Ce faubourg ouvrier s'est développé à la fin du XIXe s. Situé dans Berlin-Ouest durant la période du Mur, Kreuzberg était enfermé sur trois côtés, et seuls les habitants qui en avaient les moyens ont déménagé. Grâce à sa situation centrale, après avoir accueilli beaucoup d'immigrés et de marginaux, Kreuzberg-Ouest devient alors un quartier chic lors de la réunification. La partie ouest est la plus cotée, alors que l'est et le sud-est (quartier de Neukölln), habité par de nombreux Turcs, se démarque par sa mixité. À vos pieds, c'est le *Kreuzberg 61,* alternatif de la *Bergmannstrasse* à la *Marheinekeplatz* : on peut pratiquement tout y trouver ou simplement s'y promener ; animations garanties de jour comme de nuit.

Les nuits de Kreuzberg sont-elles toujours les plus longues ? Au bord de la Spree, de nouveaux lieux nocturnes s'ouvrent chaque mois. Depuis la chute du Mur, le *quartier SO36,* terre d'accueil de la bohème contestataire et de l'immigration pauvre du Kurdistan turc, n'est plus en effervescence que pour les manifestations du 1er Mai. La vie des différentes communautés s'organise autour du *Kotti* et du *Görli* : rencontres exotiques de toutes natures dans les rues adjacentes à *Kottbusser Tor,* une sorte de Belleville turc, alternatif et touristique, ou sur les pelouses usées du *Görlitzer Park.*

Où dormir ?

Bon marché

🛏 **Three Little Pigs** *(plan général E4, 55)* : Stresemanstr 66. ☎ 32-66-29-55. ● three-little-pigs.de ● *À 5 mn à pied de la Potsdamer Platz. En dortoir, nuitée 13-18 €/pers selon nombre d'occupants ; double env 31 € (pour 2 pers, la nuit). Draps 2,50 € pour le séjour.* Grand bâtiment en brique, restauré et aménagé en AJ pour petits budgets. Réception aimable et efficace. Ouverte à tous les routards, sans limite d'âge. Bonne ambiance. Dortoirs propres et calmes de 2 à 8 lits (prix en fonction du nombre de lits). Facilités : cuisine à disposition, Internet, parking intérieur vélos, location de bicyclettes *(12 €/j.).*

🛏 **BaxPax Hostel** *(plan général G4, 51)* : Skalitzer Str 104, 10997. ☎ 69-51-83-22. ● reservation@baxpax.de ● baxpax.de ● *U-bahn : Görlitzer Bahnhof. Proche du métro. En dortoir, nuitée 12-18 €/pers ; doubles avec ou sans douche env 23-30 €/pers.* Il vous faut grimper 2 étages, mais une fois la porte poussée, la salle commune, chaleureuse avec son billard et ses fresques, rassure sur la qualité de l'hébergement. Calme également assuré. Les chambres sont irréprochables, tout comme l'accueil. Curieusement, les Suisses possèdent leur propre dortoir et, dans un autre, on peut même dormir dans une coccinelle dans le dortoir allemand.

Cuisine équipée avec une petite terrasse, TV, Internet café, bar et location de vélos. En conclusion, une de nos meilleures AJ.

🛏 **Meininger Hostel** *(plan général E4, 56)* : Hallesches Ufer 30. ☎ 66-63-61-00. ● welcome@meininger-hostels.com ● meininger-hostels.com ● U-bahn : Möckernbrücke ; S-bahn : Anhalter Bahnof. Nuitée 15-26 €/pers selon saison et taille du dortoir ; doubles 27-34 € ; petit déj-buffet inclus. Fait partie d'une chaîne d'AJ privées, très bien tenues et recommandables pour leur rapport qualité-prix. Tous les dortoirs (certains sont réservés aux jeunes femmes) et les chambres ont leur salle de toilette (douche et w-c) et leur armoire à bagages. Ensemble impeccable, propre et fonctionnel. Draps fournis, Internet, bar, terrasse ensoleillée sur le toit avec vue sur Potsdamer Platz.

🛏 **Hotel Transit** *(plan général E4, 53)* : Hagelberger Str 53-54, 10965. ☎ 789-04-70. ● welcome@hotel-transit.de ● hotel-transit.de ● U-bahn : Mehringdamm ou Hallesches Tor. Situé dans une ancienne manufacture de tabac. Au fond d'une 2e cour, au 4e étage. Ouv 24h/24. Double 72 € ; 21 €/pers en dortoir. Chèques de voyage acceptés. Chaque chambre possède une douche, mais w-c à l'étage pour les moins chères. Un ascenseur décoré de néons colorés conduit directement à la salle commune. Dès la réception, le ton est donné : bar en guise de bureau d'accueil, musique d'ambiance rock,

mobilier moderne et métallique. Très propre. Atmosphère routarde. Copieux buffet au petit déj, inclus dans le prix de la chambre. Une partie du personnel parle le français.

De prix moyens à plus chic

🛏 **Pension Kreuzberg** (plan général E4, **54**) : Grossbeerenstr 64, 10963. ☎ 251-13-62. • info@pension-kreuzberg.de • pension-kreuzberg.de • U-bahn : Mehringdamm ou Möckernbrücke. Ouv 8h-21h ; arrivée possible jusqu'à 14h et départ avt 11h. Doubles 58-72 € avec sdb à partager ou privée, petit déj compris. CB refusées. Parking payant. Dans le quartier de Kreuzberg, un coin tranquille, point de chute idéal, pas loin de l'animation. Installée dans une maison début XXᵉ s, une pension typique du Gründerzeit. Chambres hautes de plafond, claires et à la déco moderne. C'est modeste, mais clean, tout compte fait un fort bon rapport qualité-prix. Tenancière serviable.

🛏 **Hotel Angleterre** (plan général E3, **39**) : Friedrichstr 31. ☎ 213-777. • gold-inn.de/angleterre • U-bahn : Kochstr. À deux pas du musée du Mur. Doubles 80-150 € (plus cher le w-e et lors des grands événements) ; petit déj 16 €. Fitness. Connexion Internet dans les chambres (payant). Un hall d'entrée très british avec ses fauteuils en cuir noir, ses lustres et, pour ceux qui n'auraient pas encore compris, ses vieilles cartes de l'Angleterre au mur. Accueil pro et tapis rouge (si, si) donnent tout de suite le ton. Chambres à la déco mi-design, mi-classique. Seules les salles de bains sont un peu décevantes (douche au sol). Au final, un bon rapport qualité-prix dans un quartier chic et cher.

Où manger ?

Bon marché

|●| **Türkisches Restaurant Hasir** (plan général G4, **158**) : Adalbertstr 10. ☎ 614-23-73. U-bahn : Kottbusser Tor. À l'angle de l'Oranienstr, dans le quartier dénommé SO36. Ouv 24h/24. Excellent döner kebab 6,50 € l'assiette ; sinon, 2 € à emporter. Le plat le plus cher (8 €) est à base d'agneau. Fait partie d'une petite chaîne ayant bonne réputation. Ici, on fait la queue pour déguster des döner kebab, des entrées froides ou chaudes, des brochettes ou des aubergines farcies. Dans la salle du fond, nombreux sont les Turcs qui vien-

nent prendre leur repas. C'est la rue des restos turcs, très animée en soirée. Bon accueil. Très propre.
|●| **Rissani** (plan général G4, **139**) : Spreewaldplatz 4. ☎ 61-62-94-33. U-bahn : Görlitzer Bahnhof. Tlj 11h-3h. Sandwichs 2 €, plat 5 €. La carte annonce des spécialités marocaines (couscous), mais ce sont surtout les kebabs et les falafels qui sont proposés. Copieux, en formule sandwich ou assiette, servis avec sourire et efficacité. En été, bancs en terrasse en bordure du parc.

Prix moyens

|●| **Max und Moritz** (plan général F4, **162**) : Orianenstr 162. ☎ 69-51-59-11. • mikuhlmann@gmx.net • Tlj 17h-1h. Plat env 7,50 €. Depuis 1902, l'un des plus vieux bistrots (ancienne cantine d'ouvriers) au sud de la Spree, dont il a gardé le décor de charme avec cérami-

ques anciennes aux murs, grosses tables de bois et chaises sculptées. Bon accueil et, surtout, une des rares occasions de déguster de bonnes vieilles recettes traditionnelles berlinoises. Pour les amateurs, le goûteux Berliner Eisbein (énorme jarret de porc au chou et purée de pois) et le *Rippenspeer Nachart des Fluishers Cassel* (porc fumé au jus de viande), sans oublier les *flammenküches*. Choucroute finement amère et parfumée. Bon rapport qualité-prix-ambiance.

|●| *Café Rix* (hors plan général par G5, **165**) : *Karl-Marx Str 141, 12043 Neukölln.* ☎ 686-90-20. ● info@caferix.de ● *U-bahn : Karl-Marx Str. Tlj 10h-minuit. Plats env 7-12 €. Brunch dim 8 €.* On est encore à l'ouest, non loin de l'emplacement où se trouvait le Mur. Dans une ancienne salle de bal construite en 1876 mais bombardée en 1942 avec moulures rehaussées par la peinture dorée et par l'éclairage doux. L'endroit est devenu un resto depuis 1990. Plats du jour bien fignolés, copieux, d'inspiration allemande ou italienne. Petit déj en version italienne, anglaise, végétarienne ou 5 fromages.

|●| *Villa Rixdorf* (hors plan général par G5, **107**) : *Richardplatz 6, 12055 Rixdorf.* ☎ 68-08-60-00. ● info@villa-rixdorf.com ● *Tlj 12h-1h. S-bahn : Neukölln. Plats env 6-15 €.* Le quartier est certes excentré, mais quel bonheur que de retrouver la vieille place du village, le *Weingarten* et la belle cour installée dans les écuries... un vrai trip rétro sur le Berlin impérial ! On aime ce bric-à-brac composé de vieilles affiches et cette carte avec la bonne vieille cuisine

Plus chic

|●| *Sale e Tabacchi* (plan général E3, **163**) : *Rudi-Dutschke Str 23.* ☎ 252-11-55. ● mail@sale-e-tabacchi.de ● *U-bahn : Kochstr. Proche de la Friedrichstr. Ouv tlj 9h (10h le w-e)-18h. Pâtes env 10 €, plat env 19 €.* Ex-cantine du *TAZ (Tageszeitung)*, journal qui reste coûte que coûte fidèle à son style irrévérencieux forgé dans la mouvance du mouvement alternatif des années 1970. La cantine s'est reconvertie en café-restaurant, proposant une cuisine à l'italienne de bonne qualité dans un cadre élégant sans être guindé. Bon choix à la carte. Excellent canard aux épinards, avec petits légumes au carré. À midi, employés et patrons du quartier forment le gros de la clientèle. Très prisé pour ses menus du déjeuner (33 €). Patio couvert derrière, bien

locale avec escalopes panées et rösti. Les plats italiens sont aussi un bon choix, laissez-vous guider par vos envies.

|●| *Foodorama* (plan général E5, **128**) : *Bergmannstr 94.* ☎ 69-00-11-00. ● contact@foodorama.de ● *Menus déj 7-10 €, plats env 8-12 €. Brunch dim 9,50 €.* Happy hours *tlj 20h-minuit.* Murs noirs et mobilier aux lignes droites, presque coupantes, en bois scandinave. Jolie vaisselle, couverts en inox lourd pour asseoir le côté resto confirmé bien qu'il s'agisse de l'une des nouvelles adresses à la mode. Dans le tout bio, ce qui ne veut pas forcément dire végétarien, petite carte « fusion » et menus qui sonnent juste. Pour les saveurs... eh bien, on reste persuadés que les légumes qui poussent au soleil ont plus de panache. Clientèle gay et hétéro mélangée.

|●| *Il Casolare* (plan général F-G4, **161**) : *Grimmstr 30 (Ecke Planufer).* ☎ 69-50-66-10. *Tlj midi et soir jusqu'à minuit. Plats 8-20 €. Vin à partir de 11 €.* Un vrai resto italien qui fait le plein été comme hiver, malgré le nombre de tables dehors. On y sert une des meilleures pizzas (carte longue comme le bras) du sud de Berlin (pas usurpé) et les portions sont généreuses. Toutefois, on paye aussi un peu le cadre en bordure du canal.

agréable en été.

|●| *Jolesch Café* (plan général G4, **169**) : *Muskauerstr 1.* ☎ 612-35-81. *U-bahn : Görlitzer Bahnhof. Tlj 10h-1h. Plats 8-18 € ; soir, menu env 23 €.* Quartier résidentiel agréable. Cuisine d'inspiration autrichienne, plats bien mitonnés. C'est l'adresse du bon goulasch, du délicieux *Schnitzel* et du *Tafelspitz*. Avec ses murs vert bouteille et ses lustres, ce resto attire une clientèle variée à la recherche d'une atmosphère calme, élégante, dans un cadre un poil austère. Service souriant.

|●| *Joe Peña's* (plan général F5, **170**) : *Marheinekeplatz 3.* ☎ 693-60-44. *U-bahn : Gneisenaustr. À côté de l'église. Tlj 17h-1h.* Happy hours *17h-20h. Plats 10-15 €.* Joe Peña fut le premier joueur d'origine mexicaine

KREUZBERG

KREUZBERG

sélectionné dans l'équipe nationale américaine de base-ball, dans les années 1940. Réputé comme l'un des meilleurs mexicains de Berlin, ce resto chaleureux abrite une grande salle de type brasserie animée lors des soirées musicales live du mardi. Spécialité de *margarita fajita* (filet de bœuf mariné orange et tequila) et de *huachinango* (rouget à la mexicaine). *Fajitas* à volonté le dimanche soir. Grande terrasse.

|●| **Osteria n° 1** *(plan général E5, 171)* : Kreuzbergstr 71. ☎ 786-91-62. U-bahn : Mehringdamm. Tlj 12h-1h *(plus tard le w-e et terrasse ouverte dès 20h)*. Plats 7-12 € ; repas complet min 30 €. Une table italienne fort réputée, prolongée à l'arrière par un jardin d'été. Cadre d'une élégante sobriété, où l'on célèbre, sur les murs, Fellini et la Magnani, Egon Schiele et Tina Modotti. Clientèle assez chic mais décontractée. On y a vu l'ex-chancelier Schröder, Wim Wenders et Nastassja Kinski.

Où prendre le *frühstück* ?
Où faire un brunch ?

|●| 🍴 **Senti** *(hors plan général par G4, 164)* : Paul-Lincke Ufer 4. ☎ 618-86-06. U-bahn : Görlitzer Bahnhof. Tlj 10h-1h. Petit déj et brunch 4-8 €. Ce bistrot-biergarten, très agréablement situé sur les bords du *Landwehrkanal*, est réputé et attire toutes sortes de Berlinois qui consacrent quelques heures le week-end à son buffet ou en semaine à sa carte faisant référence à des noms de pays. À vous de choisir entre le petit déj anglais, italien, français...

|●| 🍴 **Morgenland** *(plan général G4, 166)* : Skalitzer Str 35. ☎ 61-132-91. U-bahn : Görlitzer Bahnhof. Tlj 9h (10h le w-e)-1h. Petit déj 5-8 € ; buffet 9 € le w-e jusqu'à 15h. Le *Morgenland*, ou « pays de l'Aurore » (tout un programme !), traverse les années, joyeux et coloré, et le succès de ses brunchs copieux ne se dément pas. Une référence dans le domaine du *frühstück*.

|●| 🍴 **Morena** *(plan général G4, 167)* : Wienerstr 60. ☎ 611-47-16. ● andreas-morena@gmx.net ● U-bahn : Görlitzer Bahnhof. Frühstück 9h-17h ; cuisine 17h-22h ; bar ouvert tard dans la nuit. Entre 2,50 et 8 €. Style bar à tapas avec son comptoir de marbre et ses murs tapissés de céramiques arabo-andalouses. Spacieux et ventilé. Petits déj internationaux, très copieux ; l'« espagnol » est un délice et cale pour un moment !

|●| 🍴 **Monsieur Ibrahim** *(plan général F4, 262)* : Körtestr 8. ☎ 69-50-46-86. Lun-sam 8h30-20h, dim 10h-18h. M. Ibrahim n'est pas francophone, mais il aime le bon café. En vrai Oriental, il en sert différents types avec quelques pâtisseries. Petite terrasse donnant sur une rue calme aux trottoirs larges, verdoyants et peu fréquentés.

Où boire un verre ?

🍸 **Ankerklause** *(plan général G4, 260)* : Kottbusser Damm 104. ☎ 693-56-49. U-bahn : Schönleinstr. Sur le bord du *Landwehrkanal*, au niveau du pont. Tlj 10h-3h (lun dès 16h). Café en forme de bateau, avec une terrasse jetée au-dessus de l'eau. À l'intérieur, décor de marine (comptoir à hublots, poissons en plastique, etc.). Salle de style « vieillot-populo », avec ses banquettes de moleskine rouge et les tables en formica avec nappes à petits pois. Atmosphère de guinguette ou de bar de mar-

ché (les jours de marché, bien sûr). Possibilité de grignoter sandwichs et snacks divers, boulettes, saucisses, chili, tortillas, etc. Nombreuses propositions pour le petit déj.

🍸 **Golgatha** *(plan général E5, 265)* : Dudenstr 48. ● golgatha_berlin@web.de ● En bordure du parc Viktoria. Entrée par la Katzbacherstr. Tlj 10h-6h. Fermé oct-mars. Biergarten fréquenté aux beaux jours par les familles du quartier, servant toutes les bières allemandes, quelques saucisses et salades de pommes de terre.

Raumfahrer *(plan général G4,* **273***) : Hobrechtstr 54. U-bahn : Schönleinstr. Tlj sf dim, à partir de 19h.* Bar à la déco alternative très berlinoise : morceaux de mur décollés, tables dépareillées et peintures graphiques sur une dominante de rouges. Deux proprios, un Allemand et un Français ; puis une clientèle mélangée en âge, sexe et condition sociale. Musique soul et *Motown* qui permet de dialoguer.

Madame Claude *(plan général G4,* **270***) : Lübbenerstr 19.* ☎ *84-11-08-59. U-bahn : Schlesisches Tor. Tlj à partir de 19h.* Tout un programme que ce bar tenu par Jean-Christophe, un *Frenchy* qui contribue au brassage culturel de Kreuzberg. Il faut passer d'abord par un souterrain pour accéder à ce « bar à l'envers » (on vous laisse découvrir par vous-même) installé dans un ancien bordel (d'où ce nom... en allemand, on appelle ça *pouff*, drôle de caramboulage comme diraient nos amis d'*Arte* !). La communauté francophone de Berlin en a fait son QG nocturne. À part la programmation des DJs, il y a de la musique live et une table de ping-pong.

Heroes *(plan général G5,* **271***) : Friedelstr 49. U-bahn : Hermannplatz.* Un petit bar tout neuf dans ce quartier créatif en pleine émergence. Aucun effet de déco et pour tout gimmick une pochothèque dans la 2ᵉ salle avec un bon répertoire de romans en français. C'est aussi la tanière des lapins techno, les trois complices qui connaissent tous les bons plans des soirées...

Bateau Ivre *(plan général G4,* **261***) : Oranienstr 18.* ☎ *61-40-36-59. U-bahn : Kottbusser Tor. Tlj 9h-2h (4h le w-e).* Bar à tapas amical, bruyant et survolté. Au mur, le poème de Rimbaud. Les serveurs slaloment du matin au soir et du soir au matin entre les grosses tables de bois rugueux toujours prises d'assaut (surtout le trottoir, aux beaux jours). On peut aussi s'y restaurer de bonnes salades, gaspacho, pâtes, fromages, etc. Menu à la craie au tableau noir. La nuit, le bateau est souvent ivre mort...

Francken *(plan général G4,* **261***) : Oranienstr ; à côté du* Bateau Ivre. *Ouvtte la nuit.* Petit troquet à bière marginal, plein comme un œuf à 3h du mat, et la terrasse est encore plus fréquentée. Le binôme idéal avec la *Pizzeria Oregano*, à côté. Excellentes pizzas à la croûte légère et craquante (nous vous recommandons la délicieuse *Vegetaria*, aux légumes saisis dans un wok).

Yorckschlösschen *(plan général E4,* **263***) : Yorckstr 15.* ☎ *215-80-70.* ● *info@yorckschloesschen.de* ● *U-bahn : Mehringdamm. Tlj 9h-3h ; terrasse 9h-minuit.* Pour sa riche programmation, une de nos adresses préférées. Bar musical (« maison du jazz et du blues ») des années 1900 (c'est une institution) patiné par les ans, marqué par l'histoire, et qui a su s'adapter à la nouveauté en gardant son âme. S'il fait froid, on entre dans la salle digne d'un musée du jazz tellement elle est remplie de trophées, de souvenirs et d'objets chers aux musiciens. S'il fait chaud, alors on s'installe en terrasse dehors, sous les arbres. Un endroit idéal pour siroter un petit blanc, s'adonner à une partie de billard ou flipper, ou écouter un concert live. Plats bon marché.

KREUZBERG

Où écouter de la musique ? Où danser ?

Junction Bar *(plan général E4,* **269***) : Gneisenaustr 18.* ☎ *694-66-02.* ● *info@junction-bar.de* ● *junction-bar. de* ● *U-bahn : Gneisenaustr. Tlj 17h-5h. Programme des concerts sur le site. Entrée 3-6 €(50 % de réduc sur présentation de ce guide).* Le saxo qui trône dès l'entrée annonce la couleur : ici, c'est ambiance jazz live au sous-sol, le tout dans une atmosphère presque feutrée. Accueille aussi parfois des concerts de rock, blues, funk. Au-dessus, au café du même nom, des DJs de hip-hop, *black music* et funky viennent mixer à partir de 23h30. Un éclectisme réussi.

SO 36 *(plan général G4,* **272***) : Oranienstr 190.* ☎ *61-40-13-06.* ● *post@ so36.de* ● *U-bahn : Kottbusser Tor ou Görlitzer Bahnhof. Lun dès 18h, mer, ven et sam dès 22h, dim dès 19h. Entrée 3-8 € selon soirées.* Boîte légendaire de

Kreuzberg, fréquentée à ses débuts par la scène punk, aujourd'hui par un public gay et hétéro. Une salle de concert pour les fans de reggae, hardcore ou pop orientale. Le vendredi est consacré aux soirées techno *Electric Ballroom* (dès 23h), le dimanche est « Café fatal »...

À voir

🍴 ***Martin-Gropius-Bau*** *(plan général E3) :* Niederkirchnerstr 7. ☎ 25-48-60. *U-bahn et S-bahn : Potsdamer Platz. Tlj (sf mar oct-mars) 10h-20h. Prix d'entrée selon expos.* C'est un élégant bâtiment en pierre et brique rouge, avec des sculptures et de superbes mosaïques en façade. Les frises sculptées présentent les arts et les sciences. Sous la corniche, hauts-reliefs en céramique. Ancien musée des Arts décoratifs, construit en 1877 par Martin Gropius (l'oncle de Walter Gropius, pape du Bauhaus) et Schmieden, c'est le seul rescapé d'un quartier qui, à la fin du XIXᵉ s, vit fleurir de nombreux chefs-d'œuvre architecturaux. Il accueille aujourd'hui des expositions temporaires.

🍴🍴 ***Topographie des Terrors*** *(topographie de la Terreur ; plan général E3) :* Niederkirchner Str 8. ☎ 25-45-09-50. ● *topographie.de* ● *U-bahn et S-bahn : Potsdamer Platz ; S-bahn : Anhalter Bahnhof. À côté du* Martin-Gropius-Bau. *Tlj 10h-20h (18h oct-avr). Entrée gratuite.* Expo permanente qui se situait sur l'ancien centre nazi de la répression et qui a été provisoirement réaménagée en plein air, le long des vestiges de l'ancien bâtiment annexe de la Gestapo et d'une importante section du Mur. On attend toujours la construction d'un musée, mais les caisses sont vides... On y apprend beaucoup sur l'histoire du développement des organes de répression. Plans d'ensemble des bâtiments qui abritaient la Gestapo, les SS, le Sicherheitsdienst (SD)... autour de ce qui fut le jardin du palais Prinz-Albrecht.

🍴 De l'autre côté de la rue, en face de la portion du Mur subsistante, remarquer l'architecture nazie typique du ***ministère de l'Air du Reich,*** bizarrement toujours debout. C'est l'un des seuls vestiges architecturaux du IIIᵉ Reich absolument intact après les bombardements de 1945. Siège, aujourd'hui, du ministère fédéral des Finances, l'édifice fut construit en 1935 sur ordre de Göring, afin d'abriter ses immenses locaux (près de 2 000 salles). Il porte la marque d'Ernst Sägebiel, l'architecte de l'aéroport de Tempelhof. C'est ici que fut décidé le massacre de millions de civils dans le cadre des projets d'expansion à l'Est. C'est aussi dans l'actuelle « salle de l'Europe » que le régime exigea des Juifs allemands plusieurs millions de deutsche marks pour les dommages... liés à la Nuit de Cristal ! L'aspect impersonnel, froid et démesuré de l'ensemble, traduit bien la folie hitlérienne. C'est aussi là, en 1949, que fut proclamée la DDR et que se déroulèrent en partie les émeutes de juin 1953 (des panneaux le rappellent). Le 15 juin 1961, Walter Ulbricht y donna une conférence de presse pour mettre fin aux rumeurs... sur la construction du Mur ! Vers *Checkpoint Charlie,* une ligne de pavés marque l'emplacement de l'ancien Mur.

🍴🍴 ***Mauermuseum*** *(musée du Mur ; plan général E3, **385**) :* Haus Am Checkpoint Charlie, Friedrichstr 43-45. ☎ 253-72-50. ● *mauer-museum.de* ● *U-bahn : Kochstr et Stadtmitte ; bus nº 129. Tlj 9h-22h. Entrée : 12,50 € ; réduc. Brochure en français ; en outre, ts les panneaux explicatifs sont traduits en français (assez rare pour être signalé). Audioguide en français : 3,50 €. Vestiaire gratuit, mais prévoir une pièce de 2 € pour laisser comme consigne obligatoire.*
Quelques considérations sur ce musée à l'occasion des 20 ans de la chute du Mur : sachez tout d'abord qu'il est situé dans un immeuble à appartements et agencé de manière telle que le contenu (affiches, photos, anecdotes), un peu fourre-tout et répétitif, est à priori intéressant, mais il n'y a pas de continuité chronologique ni aucun ordre logique pour la visite. D'où ces quelques explications que nous vous

donnons ci-après. Par ailleurs, faites en sorte de le visiter aux heures creuses (après 20h par exemple) car il y a toujours grande affluence. On regrette l'état pitoyable des toilettes.

Un peu d'histoire : le Mur de Berlin

Au matin du 13 août 1961, les Berlinois se réveillent en se frottant les yeux d'incrédulité : un réseau de barbelés et chevaux de frise sépare dorénavant les secteurs occidentaux et soviétique.

L'opération « Muraille de Chine », décidée par Walter Ulbricht et Erich Honecker, a pour but d'endiguer l'exode des habitants de la RDA vers la RFA.

Dès l'aube, 25 000 miliciens se postent à la frontière, les chars de l'Armée rouge contrôlent les axes stratégiques, les transports en commun sont interrompus : la nasse vient de se refermer.

La tension monte entre l'OTAN et le pacte de Varsovie. Les Alliés mobilisent leurs forces le long du *no man's land*. Chacun s'observe en chien de faïence, mais les Occidentaux assistent impuissants à l'érection du dernier maillon de ce Rideau de fer annoncé par Churchill. Des failles subsistent pourtant encore et des Allemands de l'Est se hâtent de profiter des faiblesses du dispositif pour fuir à l'Ouest. Kennedy s'y rend le 27 juin 1963 pour constater la fracture.

Au cours des années qui suivent, les *Vopos* du régime est-allemand ne cessent d'améliorer l'organisation de la surveillance de la frontière. Le Mur coupe la ville en deux sur 45 km et sépare l'enclave occidentale de la RDA sur 120 km. À partir de 1972, le Mur devient infranchissable : l'ouvrage principal est rehaussé et recouvert d'un socle arrondi, un second mur est édifié, renforcé par des pièges et surveillé par des rondes incessantes de *Vopos*.

Les seuls points de passage entre l'Est et l'Ouest se résument à ceux du *Checkpoint Charlie* et celui situé à proximité de la gare de Friedrichstrasse. À cette époque, à l'Ouest, le Mur était recouvert de tags, de graffitis et autres messages de révolte, tandis qu'à l'Est il restait désespérément gris pour faciliter le boulot des *Vopos*, en cas de tentative d'évasion.

En 1989, la population de la RDA réclame davantage de libertés et de réformes, et se heurte au mutisme d'un régime post-stalinien sur la défensive. Le 9 novembre 1989, le conseil des ministres de la RDA rend public un projet de loi sur la liberté de voyager. Dans l'euphorie générale, des milliers de Berlinois de l'Est et de l'Ouest se retrouvent sur le Mur pour fêter la fin de 28 années de séparation. Les *Vopos*, qui n'avaient reçu aucun ordre officiel, sont contraints de laisser passer la foule sans contrôle d'identité. Rostropovitch grimpe sur le mur avec son violoncelle, et les télévisions du monde entier retransmettent ce moment historique qui marque la fin de l'après-guerre.

Le mur de Berlin en chiffres

Longueur totale de la ceinture autour de Berlin-Ouest : 155 km.
Hauteur : 3,60 m.
Nombre de tours d'observation : 302.
Nombre de bunkers : 20.
Fossé de blocage de véhicules : sur 105,5 km.
Évasions réussies : 5 075.
Victimes du Mur : 178 morts.
Victimes du Rideau de fer (1948-1989) entre la RDA et la RFA : 1 008 morts.

Visite du musée du Mur

Rez-de-chaussée
– *Blocus de Berlin :* il dura du 1er avril 1948 au 12 mai 1949. Chaque minute, deux avions atterrissaient pour apporter le ravitaillement. Soixante-dix personnes périrent dans les opérations. Puis, explications sur la grande révolte des ouvriers du

KREUZBERG

bâtiment de 1953, écrasée dans le sang. Témoignages sur la guerre Froide. Photos et documents exceptionnels.

Premier étage

Tout sur le *Mauer,* depuis la sinistre nuit du 13 août 1961 jusqu'au 9 novembre 1989. L'aspect le plus fou de ce musée passionnant est la présentation de tous les moyens imaginés pour s'évader à l'Ouest : ULM, montgolfière, kayak, égouts, etc. Que de trésors d'imagination pour fuir ! Ici, c'est une voiture blindée avec portières bétonnées contre les balles, plus loin a été conservé l'appareil à souder qui servit à des passages clandestins. Huit cents personnes prirent la fuite avec un passeport des Nations unies, passeport qui, en réalité, n'existait pas. Photos vraiment étonnantes. De même, spectaculaires témoignages sur le système de verrouillage du Mur (appareillages et machines de tirs automatiques), etc. Triste histoire que celle de *Peter Fechter* qui, abattu devant le Mur, perdit tout son sang et agonisa des heures durant sans que les *Vopos* n'interviennent. Dans une autre salle, l'histoire non moins spectaculaire du tunnel « 57 ». Belle histoire de Reinhard Fürrer, « passeur » devenu astronaute qui permit à 57 personnes de fuir par ce tunnel en 1964. Vidéo incroyable sur le percement d'un autre tunnel (le « 28 »). Salle suivante, les œuvres d'art liées au Mur, puis d'autres exemples de moyens ingénieux de fuite (kayak, landau, aile de parapente, etc.). Vidéo sur la chute du Mur (le 9 novembre 1989), dessins d'enfants, et aussi la fameuse Mini-Cooper qui servit à une évasion. Fin de la visite au rez-de-chaussée par une boutique bien pourvue en souvenirs et gadgets divers.

🚶🚶 ***Checkpoint Charlie*** *(plan général E3, **385**) : à l'angle de Kochstr et de Friedrichstr.* Ce fut quasiment le seul lieu de passage entre Berlin-Ouest et Berlin-Est du temps de la division de la ville, et certainement le plus célèbre poste-frontière entre l'Est et l'Ouest. Tant de romans et de films d'espionnage ont parlé de *Checkpoint Charlie* ! Des engins l'ont démantelé après la chute du Mur le 22 juin 1990, mais, à la demande générale, on l'a replacé au milieu de la rue. Un poste de contrôle avec sacs de sable a donc été réaménagé devant (à l'angle de la Friedrichstrasse et de la Zimmerstrasse). À l'emplacement de l'ancien

> ## LA RÉALITÉ SURPASSE LA FICTION !
>
> *Ironie du sort : Checkpoint Charlie, l'ex-point allié qui symbolisa tant la guerre Froide, fut construit à l'emplacement d'un cinéma qui, le 13 août 1961, pendant l'érection du Mur, projetait À l'Ouest rien de nouveau... d'après le roman d'Erich-Maria Remarque. Et pourquoi Charlie ? Tout simplement, parce que c'était le troisième sur la liste des check-points, selon l'alphabet en vigueur à l'OTAN : Alpha, Bravo, Charlie....*

point de passage se trouvent aujourd'hui deux énormes portraits du photographe berlinois Frank Thiel : celui d'un soldat russe, tourné vers l'Ouest, et celui d'un de ses homologues américains, qui regarde vers l'Est. De faux soldats avec uniformes et drapeaux représentant les deux camps s'y font photographier. Un vrai attrape-touristes.

🚶 ***Berlinische Galerie*** *(plan général F4, **398**) : Alte Jakobstr 124-128.* ☎ *78-90-26-00.* ● *berlinischegalerie.de* ● *U-bahn : Hallesches Tor et Kochstr. Tlj sf mar 10h-18h. Entrée : 6 € ; réduc.* Après avoir occupé le Martin-Gropius-Bau, le Musée national d'Art moderne et contemporain a ouvert ses portes en 2004 dans de nouveaux locaux. Les collections permanentes rassemblent les œuvres de peintres tels Lovis Corinth, Otto Dix, George Grosz ou Georg Baselitz, des photographes tels Erich Salomon, mais aussi quelques figures de proue de l'architecture. L'ambition de ce musée est à la fois internationale et locale : les expositions temporaires présentent particulièrement les artistes et les courants qui ont marqué l'histoire de la création berlinoise, de 1870 à nos jours.

🚶🚶🚶 ***Jüdisches Museum*** *(Musée juif ; plan général F4) : Lindenstr 9-14 ; entrée par le Berlin Museum.* ☎ *25-99-33-00.* ● *jmberlin.de* ● *U-bahn : Hallesches Tor et*

Kochstr ; bus n°s 129, 240 et 341. Tlj 10h-20h (22h lun) ; dernière entrée 1h avt fermeture. Fermé pdt les fêtes religieuses juives. Entrée : 5 € ; réduc. Expos temporaires. Audioguide recommandé.

Extension du *Berlin Museum,* achevé fin 2001, ce bâtiment, en rupture totale avec le corps primitif de l'édifice néoclassique, adopte, vu du ciel, la forme d'un éclair. L'interprétation de ce zigzag, souvent présenté comme une étoile de David brisée, n'a jamais été revendiquée par l'architecte américain Daniel Libeskind (chargé de la reconstruction de *Ground Zero* à New York). Le bâtiment, nommé *Between the Lines* par l'artiste, se compose de trois routes : la « route de l'exclusion », qui mène à *l'Holocaust Tower,* une tour vide de 24 m, sombre et glaciale (avec, tout en haut, une petite lumière, signe d'espérance) ; la « route de l'exil », qui conduit au *jardin de l'exil E. T. A. Hoffmann,* 49 colonnes en béton inclinées destinées à désorienter (et à donner soi-disant un peu mal au cœur) ; et l'axe principal du musée, symbolisant la vie et la relation germano-juive. Ces routes ne cessent de se croiser pour que l'on n'oublie jamais. Tout au long de ces chemins sont égrenés des objets et souvenirs de la vie quotidienne de ces familles ayant subi la Shoah. Des pièces vides entourées de murs noirs et destinées à rester vierges, appelées *Voids,* évoquent quant à elles le vide laissé par la destruction de la culture juive.

Le bâtiment, à la fois froid et lumineux, est transpercé par 280 fenêtres-meurtrières incisées dans les murs blancs. Son contenu prête toujours à discussion. Encensée par certains critiques, taxée de « non-musée » par ses détracteurs, cette œuvre atypique fascine le public. L'exposition permanente, considérée à juste titre comme la plus grande d'Europe, ambitionne de décrypter les rapports entre les communautés juive et allemande depuis 2 000 ans.

Prévoir une large plage horaire pour la visite ! L'exposition, à la fois ludique et pédagogique, dévoile l'histoire et l'héritage culturel juif. Elle évoque l'originalité de certains rites, mais invite à la

LES JUIFS BERLINOIS DEPUIS LA GUERRE

Sur les 160 000 Juifs qui vivaient à Berlin avant 1939, 1 500 ont survécu. Pendant la guerre Froide, les Juifs de Berlin-Est habitent le Spandauer Vorstadt, mais en 1958, les autorités font dynamiter la principale synagogue. À la chute du communisme, le nombre de Juifs à l'Est est tombé à 200 ! Depuis la fin des années 1980, le dialogue n'a cessé de se renforcer. Outre les différents mémoriaux, un beau symbole : la réouverture d'un théâtre juif à Berlin en 2001, le dernier avait été fermé... 60 ans plus tôt. 12 000 Juifs vivent aujourd'hui dans la capitale allemande.

KREUZBERG

tolérance en présentant le quotidien ordinaire des familles. Ne sommes-nous pas tous fils d'Abraham ? Elle indique également le rôle important joué par les juifs de Berlin, comme les mécènes qui permirent d'étoffer les collections de l'*Alte Nationalgalerie,* ou plus largement de toute l'Allemagne.

La visite

Prendre le grand escalier et grimper jusqu'au dernier étage.

– Histoire du peuple juif à travers livres sacrés, enluminures, architecture, écriture, médecine, premières persécutions... Noter la reproduction des deux célèbres statues de la cathédrale de Strasbourg et de celle de Bamberg : l'Église catholique triomphante et... la synagogue aveugle et déchue (pas de couronne ni de lance brisée). Histoire des préjugés. Sur la mezzanine, l'intéressante vie de Joseph Süss Oppenheimer qui, au XVIIIe s, fut le ministre des Finances du duc de Württemberg et mit fin aux privilèges de l'aristocratie.

– La vie sociale, la vie religieuse, les synagogues, les *success-stories* (Levis Strauss), évolution de la société, les personnalités juives de l'époque (Mendelssohn), les traditions, etc.

– Histoire des familles juives de la moyenne bourgeoisie de 1850 à 1933 et les professions typiques (avocats, banquiers, médecins).

– À l'étage inférieur, les juifs dans la révolution, l'émancipation et la détresse des juifs patriotes (comme Walter Rathenau), exprimant leur déception d'être toujours considérés comme des citoyens de deuxième classe. On y apprend notamment que les citoyens juifs furent nombreux à mourir sous le drapeau impérial pendant la Première Guerre mondiale. Il s'agissait, de leur part, d'une tentative désespérée de s'intégrer et de prouver leur attachement à l'Allemagne. Origines du sionisme, vidéos, etc.

– Maquettes de synagogues, de l'école, l'éducation, galerie de portraits de gens célèbres (acteurs, journalistes, musiciens, scientifiques, etc.).

– Histoire de l'après-guerre 1914-1918, la république de Weimar, l'antisémitisme. Et puis les années terribles de la montée du nazisme par tranches d'histoire (la nuit de Cristal, les premières déportations, les camps d'extermination, la Résistance, le retour en Palestine), etc. Puis espace de mémoire, au bout duquel on parvient au *Shalechet,* œuvre de l'artiste israélien *Menashe Kadishman.*

🎒🎒 🕴️ **Deutsches Technikmuseum Berlin** (*Musée allemand de la Technique ; plan général E4, 386*) : *Trebbiner Str 9.* ☎ *90-25-40.* ● *dtmb.de* ● *U-bahn : Möckernbrücke, Gleisdreieck ou Anhalter Bahnhof ; bus n°s 129 et 248. Tlj sf lun 9h-17h30 (10h-19h le w-e). Entrée : 4,50 € ; réduc.*

Il occupe des bâtiments répartis sur le site de l'ancienne gare de marchandises d'Anhalt, en bordure du Landwehrkanal, et regroupe l'histoire des transports, de l'imprimerie, de l'informatique, etc. Reconnaissable à l'avion qui semble s'élancer depuis la façade (l'un des gros transporteurs héroïques qui forcèrent le blocus de 1948).

Dans la partie ancienne, extraordinaire collection de locomotives. On en trouve de toutes les tailles, certaines désossées, des origines jusqu'à nos jours. Un « monstre » de 1860 qui roulait à 45 km/h, la fameuse *Kiel* de 1872 et l'impressionnante *S10* de 1911 (démonstration à 10h30, parfois à 12h30, se renseigner).

Une nouvelle aile est consacrée, sur plusieurs étages, à des collections sur le thème de l'air et

> ### DES BONBONS VENUS DU CIEL
>
> *Lors du blocus en 1948, Gail Halvorsen, pilote d'un avion de transport, attend sur le tarmac le débarquement des marchandises destinées au ravitaillement de la ville. Interpellé par des gosses derrière la clôture, il sympathise avec eux et leur donne des friandises. Rentré à sa base, il a l'idée de bricoler de petits parachutes auxquels il accroche des paquets de bonbons qu'il largue au passage suivant. Son initiative est relayée par les radios américaines, et aux États-Unis des milliers d'enfants confectionnent des parachutes que le groupement de la confiserie va garnir de douceurs. Dès lors, chaque avion (rebaptisés Rosinenbomber) en approche arrose la ville de ces cadeaux très attendus par les gamins berlinois.*

l'espace, ainsi qu'aux transports maritimes. Dans les deux derniers étages, les premiers trucs qui volèrent, les ancêtres du deltaplane, les premiers avions de guerre de 1917 (et les exploits des aviateurs allemands, ça va de soi !), divers moteurs, hélices et épaves d'avions crashés (notamment un *Henschel HS16* de la dernière guerre), etc. Aux étages inférieurs, techniques de construction des bateaux, vénérable cabine de 1910, réplique du blason arrière du célèbre *Vasa,* petit sous-marin de 1944, collections d'instruments de navigation, etc. Belle collection de maquettes de bateaux dans une agréable pénombre. Bateaux divers grandeur nature. Au rez-de-chaussée, énormes turbines de *steamer,* remorqueur en retraite, machines antiques, etc. N'oubliez pas la brasserie, dissimulée dans le *muséo-parc,* détaillant les techniques du brassage.

Le *Spectrum,* annexe du musée, présente 250 expériences, dont le pendule de Foucault. Idéal pour les gamins : des démonstrations et des manipulations à faire soi-même ! Pour s'y rendre, aller jusqu'au canal, suivre la rive Tempelhofer et tourner à droite dans la Möckernstrasse.

🏃 **Viktoriapark** *(plan général E5) : S-bahn : Yorckstr ; U-bahn : Platz der Luftbrücke.* Petit parc dominé par le Kreuzberg, éminence naturelle la plus élevée de la partie ouest de la ville (66 m). Le monument et la croix de fer surmontant cette colline sont à l'origine du nom du quartier (« montagne de la Croix »). De là-haut, jolie vue sur Berlin et, tout près, sur l'ancienne brasserie *Schulteiss*, à l'architecture bizarroïde.

🏃 **Bergmannstrasse** *(plan général E-F5) :* c'est l'un des points forts de « Kreuzberg 61 ». Grosse animation (bars, restos), et pas très touristique. Beaux immeubles, entre autres au n° 17 de la Bergmannstrasse. Dans le coin, nombreux ateliers d'artiste, artisans divers, cafés branchés, antiquaires et brocanteurs.

🏃 Une sympathique *balade* consiste à parcourir l'espace compris entre la Manteuffelstrasse, la Skalitzerstrasse et la Prinzessinenstrasse *(plan général F-G4 et plan Friedrichshain ; U-bahn : Kottbusser Tor ou Görlitzer Bahnhof).* Ne pas oublier de visiter les arrière-cours de l'Oranienstrasse. Entre autres, on adore le coin du **Landwehrkanal,** à l'intersection avec Kottbusser Damm. On y trouve le *Ankerklause* (un de nos bistrots favoris) et d'intéressantes architectures locales. Juste à côté, départ des bateaux-mouches. Notez, au *42-43 Paul-Lincke Ufer,* de l'autre côté du Ankerklause, ce bel immeuble 1900 tout en verticalité, avec sa façade éclectique, un joli fronton avec un « WH » encadré de loups. Terrasse à balustres. Remarquez comme les deux corbeaux se révèlent particulièrement patients !
Continuer la balade le long du canal vers l'ouest, par *Frankel Ufer.* L'été, nombre de gens se prélassent au bord du canal, sous les saules, sur des carrés d'herbe. Davantage encore sur les pelouses accueillantes du petit parc, plus loin. Au passage, au *Frankel Ufer 38-44,* de pittoresques façades aux teintes pimpantes, avec leurs balcons élaborés et lucarnes pointues (édifice de 1987), attirent l'œil. Tout le quartier s'est nettement embourgeoisé et se révèle l'un des plus résidentiels de Kreuzberg. On s'en aperçoit en redescendant *Grimmstrasse* (au passage, le *Il Casolare,* la meilleure pizza de Kreuzberg, et le *Rizz,* café très branché), puis *Dieffenstrasse.* Nombre d'immeubles de standing et boutiques tendance. Vers l'ouest, de l'autre côté du canal, on remonte la *Segitzdamm,* oasis verdoyante, jusqu'à la *Wassertorplatz...* En remontant vers le nord en revanche, le paysage urbain se révèle tout différent. On entre dans le quartier « turco-bohême ».
Si vous comprenez l'allemand, une petite visite s'impose au **Kreuzberg Museum** *(plan général G4, 387 ; Adalbertstr 95a ;* ● *kreuzbergmuseum.de* ● *; mer-dim 12h-18h ; entrée gratuite).* Histoire et sociologie du quartier bien expliquées et illustrées.
Sur *Oranienstrass,* nombreux commerces et agences de voyages turcs. Vie nocturne active autour de la *Henrichplatz.*

Achats

◉ **Blindenanstalt Berlin** *(plan général G4, 405) : Oranienstr 26.* ☎ *25-88-66-21.* ● *blindenanstalt.de* ● *U-bahn : Kottbusser Tor.* Un lieu assez insolite et intemporel, la « manufacture imaginaire » : si vous souhaitez rapporter de Berlin un cadeau original, pourquoi ne pas l'acheter ici où, depuis plus de 125 ans, des ouvriers exceptionnels et non-voyants fabriquent des chaises, des balais et des brosses, ainsi que des pinceaux... Petit café et gâteaux pour une pause gourmande.
– **Marché turc en plein air** *(plan général G4) :* sur le quai Maybachufer, le long du côté sud du Landwehrkanal. *U-bahn : Schönleinstr.* Mar et ven 12h-18h30. Excellents fruits et légumes à prix raisonnables. Beaucoup d'ambiance dans ce coin que l'on surnomme « la petite Istanbul ».

LE QUARTIER DE PRENZLAUERBERG
(plan général F-G1-2)

C'est le quartier le plus en vue de l'ancien Berlin-Est. Longtemps repaire de punks, de babas, d'artistes marginaux qui le rendaient vivant et désormais fief de trentenaires *wessis* devenus jeunes parents soucieux de bien-être (le leur, surtout !), adeptes de consommation tendance.

Prenzlauerberg était l'un des symboles de la faillite communiste : plus de 40 000 appartements vétustes, de superbes façades dans un état de total délabrement, des HLM insalubres, des terrains vagues, des squats, des rénovations interrompues, etc. Devant un tel abandon, la jeunesse berlinoise en avait fait son terrain de prédilection : on y ouvrait tous les jours un nouveau café, une boîte délirante, un lieu de concerts, un club alternatif... Eh bien, tout ça a drôlement changé ! Ces dernières années, le virus de la rénovation a contaminé le quartier, au grand regret des habitants du « Kieze » (entendez par là l'endroit où l'on est né et où l'on a toujours vécu). Et pour cause, ils ont vu leurs loyers doubler. Des ravalements bigarrés aux couleurs souvent éclatantes ont recouvert les façades balafrées par les blessures du temps. Certaines existent encore en l'état (mais de moins en moins nombreuses), le contraste est saisissant. Comme partout à Berlin, on cherche à effacer les traces de ce passé. Les petits épiciers du coin ont disparu les uns après les autres pour laisser place à des boutiques et autres restos branchouilles à la déco mondialisée et aux cartes copiées-collées. Une lourde ambiance commerciale a submergé le côté (jadis) bohème et populo du quartier ; phénomène connu que l'on observe de plus en plus souvent dans d'autres grandes villes du monde. Certains lieux ont encore gardé un petit mètre carré significatif de leur ancienne façade ou à l'intérieur (souvent un morceau d'enseigne de l'activité précédente, en tristes lettres noires sur un vestige de mur patiné et craquelé) comme autant de clins d'œil nostalgiques à un passé révolu...

Une virée dans ce quartier s'avère pourtant bien profitable, entre autres parce qu'on peut le parcourir à pied sans s'éreinter. On trouvera un large choix de bars, cafés et restaurants autour de la *Kollwitzplatz*, sur la *Schönhauser Allee* et dans les rues perpendiculaires, telles que *Stargarder Strasse*, *Raumer Strasse* ou *Pappelallee*. Autour de *Helmholtzplatz* se situe le petit quartier dénommé *L.S.D.* ; pas de crainte, le nom est simplement formé par les initiales des rues *Lychener Strasse*, *Schliemannstrasse* et *Duncker Strasse*. Le coin homo se situe le long de la *Greifenhagener Strasse* et de la *Gleimstrasse*. Prenez également le temps de flâner dans la *Kastanienallee*, que l'on appelle ici la *Casting Allee* car fréquentée par les *fashionists* de tout poil. Et le soir, allez jeter un œil à la programmation musicale de la *Kulturbrauerei*.

Adresse utile

⭐ Centre d'information de Prenzlauerberg (plan général F1, 5) : Kulturbrauerei, Sredzkistr 1 (une autre entrée au nº 97 de la Knaackstr). ☎ 44-31-51-52. • tic-berlin.de • U-bahn : Eberswalder Str. Mar-sam 12h-20h, dim-lun 12h-18h. Toutes infos sur les activités et événements artistiques de cette « brasserie culturelle ». Cinémas, salles de concerts, boutiques, cafés et restos, supermarché... Une vraie cité culturelle dans la ville !

Où dormir ?

Bon marché

▣ **Lette'M Sleep** (plan général G1, **82**) : Lettestr 7, 10437. ☎ 447-33-623. ● info@backpackers.de ● backpackers. de ● S-bahn : Schönhauser Allee. Dans une grande bâtisse au cœur du quartier de Prenzlauerberg. Résa conseillée (peu de chambres). Nuitée en dortoir (3-7 lits) 14-21 €. Situé le long d'un parc verdoyant et calme. Nombreux services : wifi, cuisine en self-service, café et thé à disposition. On peut aussi louer des bicyclettes. Bon accueil dans un anglais parfait, pour ceux qui ne parlent pas le deutsch.

▣ **Pfefferbett** (plan général F1, **79**) : Schönhauser Allee 176, 10119. ☎ 93-93-58-58. ● info@pfefferbett.de ● pfefferbett.de ● U-bahn : Senefelderplatz. À partir de 12 €/pers en dortoir ; double 32 €/pers. Petit déj 4 €. Internet gratuit dans le lobby. Installé dans une ancienne brasserie, cet hostel a gardé tout le charme des briques apparentes en le parant d'un design épuré sans négliger le confort. Les dortoirs ont une capacité de 8, 6 ou 4 personnes (ce dernier est plus cher) et les chambres doubles sont équipées d'une télé. Biergarten où se produisent des musiciens. Accueil assuré par une joyeuse équipe. On aime bien.

▣ **East Seven Berlin Hostel** (plan general F1-2, **57**) : Schwedter Str 7. ☎ 93-62-22-40. ● eastseven.de ● U-bahn : Senefelderplatz. Dans une rue calme de Prenzlauerberg, à 5 mn à pied de Kollwitz Platz. Réception 24h/24. Nuitée en dortoir 12-24 €/pers ; doubles 42-50 €. Wifi. C'est une petite AJ privée à taille humaine, de 60 lits, presque familiale, avec un jardin à l'arrière.

Dortoirs propres et bien tenus, jusqu'à 8 lits. Chambres simples et doubles. Cuisine à disposition des hôtes, casiers à clé dans les chambres, laverie, location de vélos. Une des meilleures adresses dans sa catégorie.

▣ **Hotel Transit Loft** (plan général G2, **83**) : Greifswalder Str 219, 10405 ; attention, l'entrée se fait par une rue perpendiculaire : Immanuelkirchstr 14. ☎ 48-49-37-73. ● loft@hotel-transit. de ● transit-loft.de ● Tram M4 : Hufelandstr. Nuitée en dortoir (3-6 lits) 21 € ; double 72 € ; petit déj inclus. Très bien située à deux pas d'un quartier très animé, cette AJ est installée dans une ancienne fabrique de la fin du XIXe s. Dortoirs bien arrangés, chambres lumineuses et calmes qui possèdent toutes douche et w-c. Une adresse accueillante, surtout lorsqu'on veut profiter des nombreuses sorties offertes aux alentours. Copieux buffet au petit déj servi jusqu'à midi (pratique pour les fêtards !).

▣ **Alcatraz Backpacker Hostel** (plan général F1, **81**) : Schönhauser Allee 133a, 10437. ☎ 48-49-68-15. ● info@alcatraz-backpacker.de ● alcatraz-backpacker.de ● U-bahn : Eberswalder Str. Tte l'année, 24h/24. À partir de 13 €/pers en dortoir ; doubles 21-25 €/pers (plus 2 € pour les draps). Au cœur même du quartier, à deux pas de Kastanienallee, donc hyper bien situé. Au fond d'une cour pleine de plantes vertes, admirer d'abord la superbe fresque qui orne la façade. Bien tenu, chambres agréables. Internet, cuisine, location de vélos, etc.

Prix moyens

▣ **Eastside Pension** (plan général F1, **85**) : Schönhauser Allee 41, 10435. ☎ 43-73-54-84. ● info@eastside-pension.de ● eastside-pension.de ● U-bahn : Eberswalder Str. Doubles 62-72 € avec douche et w-c, petit déj inclus. Ne ratez pas la réception, qui se trouve dans un café. Déco éclectique,

très berlinoise, mélangeant baroque et moderne fonctionnel. Chambres dépouillées mais confortables, non loin du quartier des bars et restos de Prenzlauerberg.

▣ **Hotel Greifswald** (plan général G2, **86**) : Greifswalder Str 211, 10405. ☎ 442-78-88. ● info@hotel-greifswald.

de ● hotel-greifswald.de ● Tram M4 : Hufelandstr. Au fond de la 2e cour. Fermé à Noël. Doubles (avec douche et w-c) 65-75 € selon période. Petit déj-buffet copieux 7,50 €. Quelques places de parking gratuites. 10 % de réduc sur présentation de ce guide. Sympathique hôtel refait avec goût, mélange d'austé-rité et de design, aux formes élégantes. En été, le petit déj (servi jusqu'à 13h) se prend dans une charmante cour. Idéal pour ceux qui cherchent un endroit chic sans en payer le prix fort.

🛏 **Schall und Rauch** (plan général F1, **80**) : Gleim Str 23, 10437. ☎ 443-39-70. ● info@schall-und-rauch.de ● schall-und-rauch.de ● U-bahn : Eberswalder

Str. Doubles 70-83 € selon nombre de nuitées, petit déj inclus. L'un des pre-miers hôtels gay friendly de l'Est dis-pose de chambres à l'arrière de l'immeuble, toutes calmes et donnant sur une cour. L'établissement a fait peau neuve et affiche désormais une déco clean, tout en blanc et brique appa-rente. Chambres aux volumes varia-bles, mais le confort y est partout. Le bar-resto est l'un des points forts ; on peut grignoter à toute heure, y boire un cocktail ou simplement se contenter du petit déj, copieux et varié, surtout le week-end pour un brunch. Accueil sym-pathique.

De prix moyens à plus chic

🛏 **Malzcafe Hotel** (plan général F2, **71**) : Veteranenstr 10. ☎ 70-22-13-56. ● malzcafe.de ● U-bahn : Rosenthaler Platz. Double 109 € ; triple familiale 149 €. Wifi. Un petit hôtel très bien situé, au bord du Volkspark am Wein-bergsweg. Au rez-de-chaussée, un café prolongé par une terrasse enso-leillée et calme, pour boire un verre ou manger des plats végétariens (7-8 €). Dans les étages, chambres avec dou-che et w-c, claires, lumineuses et tran-quilles car ne donnant pas sur la rue. Bon accueil.

🛏 **Hotel-pension Kastanienhof** (plan général F1, **87**) : Kastanienallee 65. ☎ 44-30-50. ● info@kastanienhof.biz ● kastanienhof.biz ● U-bahn : Senefel-der Platz ou Eberswalder (ligne U2) ou Rosenthaler Platz (ligne U8) ; trams M1 et M12. Doubles 105-140 € selon confort, petit déj-buffet compris. Par-king payant. Au bas de la rue la plus ani-mée du quartier, petit hôtel distillant un certain charme. Chambres claires, mobilier de bois blanc, belles salles de bains et double vitrage. Bon accueil.

Location de vélos.

🛏 **Acksel Haus et Blue Home** (plan général G2, **88**) : Belforter Str 21, 10405. ☎ 44-33-76-33 ou 44-31-26-03. ● info@acksel haus.de ● ackselhaus.de ● U-bahn : Senefelder Platz ; tram M2 : Prenzlauer Allee/Metzer Str. 2 hôtels dans des immeubles différents, l'un aux tons ocre, l'autre bleu. Hôtellerie de charme, apparts pour 2 pers avec sdb et cuisine à partager ; d'autres compre-nant sdb et kitchenette, pour 3-4 pers, pour familles avec 2 chambres indépen-dantes. Compter 110-190 € selon sai-son et catégorie, petit déj en sus (15 €). Des appartements meublés avec beau-coup de goût à l'Acksel Haus, avec dif-férentes thématiques : les films, la mer, la lune de miel... Cet hôtel est un vrai îlot de sérénité, avec ses tons ocre et une ambiance chic voguant entre Toscane et côte est américaine. Le Blue Home joue la carte du sobre chic, et la Médi-terranée se prolonge cette fois-ci vers l'Orient... Avec tout le confort (Internet, etc.), cela va de soi, et de l'électromé-nager high-tech. Accueil courtois.

Où manger ?

Bon marché

🍴 **Konnopkes Imbiss** (plan géné-ral F1, **173**) : Schönhauser Allee 44a. ☎ 442-77-65. U-bahn : Eberswalder

Str. Sous le métro aérien, sur le terre-plein. Tlj sf w-e 5h30-20h. On y trouve son bonheur pour 2-3 €. C'est l'Imbiss culte de Berlin, là où ouvriers, étudiants et hommes d'affaires se croisent pour dévorer une *Currywurst*.

⬛ Zum Schusterjungen *(plan général F1, 177)* : Danziger Str 9. ☎ 442-76-54. *U-bahn : Eberswalder. Tlj 11h-minuit. Plats 5-9 €.* Un des derniers survivants de ces petites brasseries familiales aux murs crépis de Berlin-Est. Généreuse cuisine populaire berlinoise. En particulier, de consistantes soupes, les goûteux *Heringsfilet in Sahnesauce,* des goulaschs, des pieds de porc... Belle carte de bières, dont on a testé l'excellente *Bernauer Schwarzbier.* Service gentil.

⬛ Der Imbiss W *(plan général F1, 174)* : Kastanienallee 49. ☎ 48-49-26-57. *U-bahn : Senefelder Platz. Tlj 12h-minuit. Menus 6-10 €.* Attention, ne pas confondre avec le café du coin (leurs terrasses se mélangent, les tons orangés aussi). Vous le reconnaîtrez à son sigle ironique (le W de *McDo* à l'envers !). Un fast-food très populaire pour ses petits plats assez originaux à des prix d'avant guerre Froide. Plats végétariens *fusion* et poissons bien cuits et pas ruineux, le tout servi avec des sauces d'influence asiatique. La boisson fétiche est l'*apple high* (jus de pomme fraîchement pressé aux herbes). Pour couronner le tout, patron canadien amateur de tango... c'est ça Berlin et son multiculturalisme !

⬛ Babel *(plan général F1, 175)* : Kastanienallee 33. ☎ 440-31-318. *U-bahn :*

Eberswalder Str. Tlj 11h-2h. Plats 3-7 €. Thé offert sur présentation de ce guide. Un des restaurants pas chers incontournables de la rue. Toujours plein. Un des favoris des étudiants. Cuisine libanaise servie généreusement mais pas d'une colossale finesse. On va chercher son plat au comptoir, puis on s'installe sur l'une des grosses tables dehors. Là aussi, ça tourne assez vite, mais on a quand même le temps de faire connaissance avec ses voisins. Cuisine libanaise classique : taboulé (celui où il y a beaucoup de verdure), *hoummous, kofte,* etc. Les grosses faims commanderont le *babel teller,* arrosé d'un *labnan* (lait caillé salé).

⬛ Naan *(plan général F1, 176)* : Oderberger Str 49. ☎ 55-95-43-84. *U-bahn : Eberswalder Str. Tlj 12h-minuit. Faim normale comblée pour 6 €, boisson comprise.* Dans cette rue très large qui fut l'un des symboles du Mur (elle était coupée au bout, des familles furent séparées, la solidarité et l'unité des habitants à l'Est n'y était pas un vain mot), le *Naan* rassemble à nouveau jeunes et familles autour d'une bonne cuisine indienne à des prix défiant toute concurrence. Au moins 77 plats proposés (dont une vingtaine de façons d'accommoder le poulet). Leur grande force, ce sont bien sûr les *curries* (goûter à celui aux aubergines), les *byriani* et les *daal* (lentilles) qu'on déguste, ça va de soi, sur de longues tables conviviales.

Prix moyens

⬛ Café November *(plan général G1, 180)* : Husemanntrasse 15. ☎ 442-84-25. ● info@cafe-november.de ● *U-bahn : Eberswalder Str. Tlj 10h (9h le w-e)-2h. Plats 5-10 €.* Style bistrot et vaste terrasse à l'angle ; voici une adresse de bon ton plébiscitée par les habitants du quartier. Une des cuisines les plus sérieuses du circuit branché. Petits plats de brasserie fort bien exécutés. Plats au tableau noir. Et le weekend, un bon brunch salé-sucré avec la *Rührei,* une omelette à la crème fraîche bien consistante.

⬛ Metzer Eck *(plan général G2, 183)* : Metzer Str 33. ☎ 442-76-56. ● info@metzer-eck.de ● *U-bahn : Senefelder Platz.*

Tlj 16h (18h le w-e)-1h. Plats 4-8 €. Cette auberge, qui appartient à la même famille depuis 1913, est la plus ancienne de Prenzlauerberg. Quartier plaisant et tranquille, environnement verdoyant. Intérieur en bois, murs et plafonds bien patinés et jaunis par des décennies de tabac. Une petite halte s'avère utile pour découvrir la base de la cuisine allemande, comme les *Bratkartoffeln* (pommes de terre sautées), les différentes variétés de *Wurst,* ou les côtes de porc façon *Kasseler* (salées et fumées) dans une ambiance rustique à souhait, égayée par quelques Berlinois gouailleurs, qui ont ici leur *Stammtisch* (table d'habitués).

PRENZLAUERBERG

|●| *Restauration 1900* *(plan général G1, **181**) :* Husemannstr 1. ☎ 442-24-94. ● *restauration1900@t-online. de* ● *U-bahn : Senefelder Platz. À l'angle avec Kollwitzplatz. Tlj dès 10h. Plats principaux 8-17 €. Le w-e, brunch réputé 9 € (10h-16h).* Peu de temps avant la chute du Mur, le couple de patrons décide de mettre fin à la sinistrose ambiante et d'insuffler un peu d'air frais dans la vie nocturne de Berlin-Est. Le *1900* (jadis, le *Kneipe* du coin) devient alors le point de rencontre des jeunes Berlinois artistes et avantgardistes de tout poil. L'ambiance a évolué vers le bistro classique avec une clientèle plutôt chicos. Une déco Belle Époque sur fond de jazz et une cuisine internationale et régionale en font une étape incontournable. Belles expos de photos. Terrasse.

|●| *Istoria* *(plan général G1, **185**) :* Kollwitzstr 64. ☎ 44-05-02-08. ● *info@ istoria-berlin.de* ● *U-bahn : Senefelder Platz. Ouv tlj de 9h (10h le w-e) jusqu'au dernier client. Plats 5-15 €. Brunch-buffet 9 € le w-e (10h-16h).* C'est un des grands classiques du quartier, avec son décor théâtral et ses copies de fresques au plafond. Les assiettes et le buffet en semaine sont généreusement assortis de spécialités d'inspiration italienne. Agréable terrasse, l'une des plus fréquentées, car profitant du soleil jusqu'au crépuscule. Brunch le week-end (11h-16h).

|●| *Miro* *(plan général G1, **178**) :* Raumer Str 28-29. ☎ 44-73-30-13. *U-bahn : Eberswalder Str. Tlj 10h-minuit. Plats 9-14 €.* Ce resto turc, avec son ambiance intimiste, ses murs en brique rouge, son plancher en bois et son coin salon avec coussins et tables basses, constitue l'une des bonnes surprises du quartier. Les *mezze* de *tzatziki, hoummous* et légumes frits, ainsi que les poêlées de viande sont tous servis dans des assiettes bien garnies. Produits très frais, distillant des saveurs variées, d'une qualité jamais prise en défaut ; beaucoup de choix. Service souriant.

|●| 🍷 *Frannz* *(plan général F1, **179**) :* Schönhauser Allee 36. ☎ 72-62-79-30. ● *info@frannz.de* ● *U-bahn : Eberswalder Str. Tlj midi et soir jusqu'à minuit. Intéressant buffet le w-e 10h-17h.* Resto faisant partie du complexe culturel de la brasserie. Cadre intérieur au design sobre. Grande cour-terrasse genre *Biergarten*, avec parasols. La devise de la maison : « *Slow food, fast service* ». Authentique cuisine présentant un remarquable rapport qualité-prix. Plats bien présentés, recettes élaborées, plats du jour goûteux et pas chers. Viandes tendres et vraiment cuites à la demande (notamment le *Rindersteak*). Possibilité de se contenter d'un verre bien sûr, ou de goûter la bonne sélection de thés. Accessoirement, c'est aussi un club et une salle de concert (voir plus loin dans « Où écouter de la musique ? Où danser ? »).

|●| *Massai* *(plan général G1, **187**) :* Lychener Str 12. ☎ 48-62-55-95. ● *info@massai-berlin.de* ● *Tlj 12h-minuit. Plats 7-10 €. Menus 12-24 €.* Jolie déco rustique-graphique très réussie et lumières tamisées. Plats variés d'Éthiopie et de l'Afrique de l'Est, mais aussi de l'Ouest et de la région du Sahara. Des saveurs étonnantes et panafricaines, ça vous change des *Wurst* !

Plus chic

|●| *Pasternak* *(plan général G1, **186**) :* Knaackstr 22-24. ☎ 441-33-99. ● *info@ restaurant-pasternak.de* ● *U-bahn : Senefelder Platz ; tram : Knaackstr. En face du Wasserturm (château d'eau). Tlj 12h-1h. Plats 10-15 € ; à midi, Moskauer lunch 7 €. Brunch, le dim slt, 12,40 €.* Du charme rétro : un cadre plaisant, aménagé avec des sièges en cuir, des boiseries et un plafond stuqué, un plancher vénérable, un vieux comptoir et un piano, mon tout donnant sur l'une des places les plus charmantes de ce quartier. Carte de grands classiques russes et de la *Mitteleuropa* juive, comme le bœuf Strogonoff, le *borchtch* (soupe de betterave), ou le *kreplach* (chausson à la viande). Grande terrasse.

|●| *Gugelhof* *(plan général G1, **182**) :* Kollwitzplatz (et Knaackstr 37). ☎ 442-92-29. ● *gugelhof@t-online.de* ●

U-bahn : Senefelder Platz. Tlj 16h (10h le w-e)-23h. Plats 6-17 € ; menus 19,80-29,50 €. Une auberge alsacienne à Berlin. La déco et le contenu des assiettes sont identiques : chaleureux et copieux. Y venir pour la choucroute, le *baeckeofe* ou les tartes flambées qui seront le prétexte d'un allerretour Allemagne-France. On y croise des politiques.

|●| *Zander (plan général G1, 189) : Kollwitzstr 50.* ☎ *44-05-76-79.* ● *info@zander-restaurant.de* ● *U-bahn : Senefelder Platz. Tlj sf lun 18h-minuit. Résa très conseillée. Plats 7-25 € ; menus à partir de 25 €.* S'il est bien un endroit où il faut déguster un poisson du Brandebourg, c'est ici, au *Zander*. Certes, ce n'est pas donné, mais la qualité des plats savamment préparés justifie les prix de ce restaurant devenu l'un des hauts lieux gastronomiques de Berlin. Comme son nom l'indique, la spécialité de la maison est le filet de sandre *(Zander)*, à accompagner évidemment d'un riesling. Comble du raffinement, on peut aussi y manger une *Currywurst,* sauce maison bien entendu ! Terrasse.

|●| *Sasaya (plan général G1, 188) : Lychener Str 50.* ☎ *44-71-77-21.* ● *isaomina@hotmail.com* ● *U-bahn : Eberswalder Str. Tlj sf mer 12h-14h30, 18h-22h30. Repas env 15-20 €.* Un des restos japonais les plus branchés, donc réservation impérative. Autrement, on vous sert la *miso* à la grimace, voire on vous expédie sous prétexte que la cuisine est fermée ! Salle sans charme particulier, plus tables et banquettes en terrasse. Prisé des trentenaires berlinois et des touristes UE, avec ou sans poussette trois roues. Cela dit, prix encore raisonnables pour de la cuisine nipponne plutôt bien exécutée.

Où prendre le *frühstück* ?
Où faire un brunch ? Où goûter ?

|●| 🍵 *Café Bistro Im Nu (plan général G1, 224) : Lychener Str 41.* ☎ *44-71-88-98. U-bahn : Eberswalder Str. Petits déj 5-8 € ; brunch à volonté 8,50 €.* Entre le salon de thé et le bar-brasserie, une adresse qui sert à manger à toute heure. Tables, banquettes et terrasse, un tiercé très berlinois ! On vient ici surtout pour les petits déj aux accents européens (russe, italien, scandinave...) et bien sûr pour le brunch. On peut aussi casser la croûte avec une baguette, une salade ou une soupe, ou bien jeter son dévolu sur les gâteaux posés sur le comptoir. Service jeune.

|●| *Morgenrot (plan général F1, 280) : Kastanienallee 85 (et Oderberger).* ☎ *44-31-78-44.* ● *cafe-kollektiv@web.de* ● *U-bahn : Eberswalder Str. Tlj sf lun, jusqu'à 2h du mat (plus tard le w-e). Buffet végétarien 4-14 € selon formule, servi jusqu'à 14h.* À côté d'une librairie anar, ce café des in « Matins rouges », de l'« Aurore », annonce la couleur avec sa façade délabrée. Un peu la caution marginale d'une rue en voie de boboïsation avancée. Coloré et militant donc. En plus de la couleur des marmelades pour les toasts, une bonne variété de cafés et de débats auxquels tout le monde peut participer. En dessert, tous les bons plans culturels et les manifs affichés aux murs.

|●| 🍵 *Lass Uns Freunde Bleiben (plan général F2, 292) : Choriner Str 12. U-bahn : Senefelder Platz. Au coin de la Zionskirche. Lun-ven 8h-minuit, sam 10h-jusqu'au dernier client. Petits déj 5-9 €.* On l'indique pour son côté brut de forme et le quartier un peu excentré. Vieil immeuble de l'Est pas encore rénové, avec des vestiges d'enseigne peinte (*Milch-Brot,* une ancienne crémerie visiblement). Style minimaliste, murs nus et mobilier dépareillé pour un intéressant petit déj. Quelques tables sur le trottoir et ambiance amicale, suivant la devise de la maison. Bien aussi pour un verre à toute heure.

|●| 🍵 🍦 *Napoljonska (plan général F1, 225) : Kastanienallee 43.* ☎ *40-30-19-44. U-bahn : Senefelder Platz. Petit déj 5 € ; gâteaux et glaces 2-4 €.* Café-pâtissier-glacier qui décline le rose, du bonbon jusqu'à la glace à la fraise en passant par les murs et les nappes. Une adresse gourmande qui plaira à nos lectrices pour les gaufres accompagnées

d'une boule de glace, les gâteaux (fromage, chocolat), ou encore les petits déj salés ou sucrés servis dans une assiette à 2 niveaux comme chez tante Léonie.

|●| 🏠 *Kaffeehaus Sowohl Als Auch* (plan général G1, *282*) : Kollwitzstr 88. ☎ 442-93-11. ● kaffeehaus@tortenund kuchen.de ● U-bahn : Senefelder Platz. Tlj 9h-2h. Cadre d'une sobriété certaine, seulement égayée par 2 tableaux de Klimt. La spécialité de la maison (outre les spécialités de café et de thé), le *Schweizer Blockschokolade,* avec un morceau de chocolat à peine fondu qu'on va chercher au fond de la tasse et qu'on déguste à la petite cuillère. Excellentes pâtisseries *(strudel, carrot cake)*. Quelques plats chauds. Sur l'addition, vous trouverez la devise de la maison : « Celui qui a goûté le café anglais sait pourquoi les Anglais sont de si fervents buveurs de thé ! » Terrasse.

🍴 Pour les brunchs, voir aussi plus haut *Café November, Pasternak* (le dimanche, une valeur sûre par sa variété et ses plats russes goûteux, avec même un petit déj-caviar !), *Restauration 1900,* ainsi que l'hôtel *Schall und Rauch.*

Où manger une bonne glace ?

🍦 *Il Glaciale* (plan général F-G1, *210*) : Kollwitzstr 59. ☎ 44-05-55-08. U-bahn : Senefelder Platz. Tlj 11h-22h. Fermé en hiver. Petite boutique et grand choix de parfums, dont des mélanges fruits et légumes très réussis. Si vous voulez un cornet, dites *Waffel* ; pour un pot, ce sera *Becher.* Terrasse avec bancs.

🍦 *Kauf Dich Glücklich* (plan général F1, *294*) : Oderberger Str 44. ☎ 44-35-21-82. ● hallo@kaufdichgluecklich.de ● Tlj 11h (10h le w-e)-0h30. Le rendez-vous populaire des familles pour déguster de bonnes et honnêtes glaces. Servent aussi des gaufres. Grande terrasse au mobilier farfelu où courent tous les minots du quartier. Il y règne une atmosphère vraiment conviviale, typique des quartiers de l'ex-Berlin-Est...

Où boire un verre ?

|●| 🍺🎵 *Biergarten Prater* (plan général F1, *286*) : Kastanienallee 7-9. ☎ 448-56-88. U-bahn : Eberswalder Str. À la belle saison tlj 16h (12h le w-e)-minuit. Repas à partir de 18h et dim midi. *Biergarten* a pour traduction littérale « Jardin de la bière » : tout est dit, c'est un jardin dans lequel la bière coule à flots ! Bonne entrée en matière pour approcher les racines de la tradition allemande. C'est le *Biergarten* le plus ancien de Berlin (1837) et c'est en ce lieu qu'August Bebel et Rosa Luxemburg ont fait leurs déclarations. À l'entrée, impressionnant garage à vélos. Aéré, spacieux, divisé en 2 parties : l'immense brasserie où la bière coule à flots, et à côté, le resto qui sert des plats rustiques et consistants. Concerts organisés régulièrement dans le jardin.

🍺 *Café Nemo* (ou *Omen* ; plan général F1, *281*) : Oderberger Str 46. ☎ 448-19-59. U-bahn : Eberswalder Str. Tlj 18h-6h. Le grand rendez-vous des locaux, jeunes ou vieux, et de la bohème de quartier. Un des plus authentiques de Prenzlauerberg. Des fresques partout, vénérable plancher bien usé, billard, baby-foot. Atmosphère torride vers la fin de la semaine, rock le plus souvent à tue-tête...

|●| 🍺 *Café Anita Wronski* (plan général G1, *283*) : Knaackstr 26-28. ☎ 442-84-83. U-bahn : Senefelder Platz. Près du château d'eau. Ouv tlj 9h-2h ; cuisine ouv jusqu'à 23h. Petits plats (salades et pâtes) 6-9 €. Café sur 2 petits étages, à l'ambiance jeune et artiste. Cadre élégant. Service diligent. On peut aussi y dîner à des prix très corrects. Bref, un bar très agréable dans un quartier qui l'est tout autant. La rue donne sur l'un des endroits favoris de la jeunesse berlinoise. Terrasse.

🍺 *Schwarz Sauer* (plan général F1, *285*) : Kastanienallee 13. ☎ 448-56-33. U-bahn : Eberswalder Str. Tlj 8h-3h du *mat (4h le w-e).* Attire les Berlinois de tout poil en quête d'une ambiance animée et décontractée. Cadre et décor sans particulière originalité. C'est pourtant un passage obligé du quartier pour un café ou le petit déj. La nuit, c'est un bar-*Kneipe*. Terrasse.

♟ *Das Wohnzimmer (plan général G1, 287) : Lettestr 6.* ☎ *445-54-58.* ● froehlicherabend@wohnzimmer-bar. de ● *U-bahn : Eberswalder Str. À l'angle avec Helmholtzplatz. Tlj 10h-4h.* Un de ces *Wohnzimmer Bar,* bars-salons qui font fureur à Berlin, un des premiers même (depuis, il s'est quelque peu institutionnalisé !). Salon dans la 2e pièce. Canapés et fauteuils dépareillés, lampes années 1970, vieux rideaux, bref, un joyeux bric-à-brac avec une touche style ancienne RDA. La jeunesse berlinoise vient s'y prélasser, avachie sur ces banquettes élimées. Bonne musique. Terrasse en été.

|●| ♟ *Intersoup (plan général G1, 288) : Schliemannstr 31.* ☎ *40-00-39-49. U-bahn : Eberswalder Str. Ouv jusque tard.* Une bonne alternative au *Das Wohnzimmer.* Cadre vieillot, papier peint délavé années 1970, vieux plancher en bois pour une clientèle habituée un peu bohème, à l'image du quartier. Excellente musique. Concerts réguliers. En cas de p'tite faim, possibilité de grignoter (entre autres, des soupes consistantes et parfumées).

♟ *Scotch und Sofa (plan général F2, 290) : Kollwitzstr 18.* ☎ *44-04-23-71. U-bahn : Senefelder Platz. Tlj de 14h jusqu'au dernier client. Happy hours jusqu'à 21h.* Déco résolument an-

nées 1950 très bien reconstituée, avec TV noir et blanc et tapisserie bien chargée, là aussi, dans le genre *Wohnzimmer Bar.* Attire une clientèle entre 20 et 30 ans. Les vendredi et samedi, DJ. Quelques tables sur le côté, pieds dans le gazon et transats sur le trottoir. Tout l'esprit du quartier y est résumé !

|●| ♟ *Weinerei Frarosa (plan général F1, 291) : Zionskirchestr 40.* ☎ *440-69-83. En face de l'église. Tlj 12h-minuit (plus tard le w-e).* Bar à vins proposant une carte assez complète. Décor plutôt destroy, mobilier dépareillé, fresques sexy... Possibilité de grignoter snacks, salades, soupes et steaks. Quelques tables dehors.

♟ *Zum Schmutzigen Hobby (plan général G1, 293) : Rykestr 45.* ● nina queer@web.de ● *Ouv jusque tard le soir.* Un bar gay déjanté dans ce quartier résidentiel aux superbes immeubles anciens. C'est ici que se produit la cultissime Nina Queer, diva kitsch aux multiples déguisements. On y vient surtout pour s'amuser ; l'ambiance est cocasse et l'humeur communicative, à condition de parler l'allemand. Âmes farouches s'abstenir !

♟ *Café August Fengler (plan général F-G1, 289) : Lychener 11.* ☎ *44-35-66-40.* ● an_jhonny@yahoo.com ● *Tlj 19h-2h.* Un des plus vieux troquets de quartier de Berlin-Est. Là, c'est aussi une alternative possible au voisin d'à côté (le *Zu Mir Oder Zu Dir*), si on trouve ce dernier très tendance... Bar en bois sculpté. Ambiance tamisée, intime et relax. Quelques fresques marrantes. Concerts de rock le week-end (3-4 fois/ sem en été).

Bars à cocktails

♟ *Fluido (plan général G1, 295) : Christburger Str 6.* ☎ *44-04-39-02.* ⓤ *Marienburger. Ouv tlj 20h-2h. Fermé fin déc. Cocktails 5-10 €.* Certainement l'un des meilleurs bars à cocktails, mais une adresse pour les initiés... et maintenant, vous en faites partie ! Ambiance tamisée, quelques canapés et un long bar font la recette de son succès. Un incontournable est le *Ost-West Konflikt* (vodka, calvados, jus de pomme).

♟ *Saphire Bar (plan général G2, 296) : Bötzowstr 31.* ☎ *25-56-21-58.* ● mail@ saphirebar.de ● *Tram M10 : Arnswalder Platz. Tlj 20h-2h (4h ven-sam). Cocktails 4-12 €.* Une nouvelle adresse avec plus de 300 cocktails, dont beaucoup de créations personnelles très réussies ; également un bon choix de whiskies et de rhums. Service impeccable et agréable, avec vestiaire, eau fraîche et cacahuètes, le tout gratuit. Ambiance là aussi très cinéma, mais plutôt genre

James Bond : un salon élégant, bordé d'immenses canapés couleur crème, et un comptoir en métal et bois Zebrano... De l'élégance pure.

Où écouter de la musique ? Où danser ?

♪ ♫ **Knaack-Klub** (plan général G2, **297**) : *Greifswalder Str 226.* ☎ 442-70-60. ● *mail@knaack-berlin.de* ● *Tram M4 : Hufelandstr. Selon les jours, ouv à 18h ou 22h. Entrée payante.* Ancien centre de jeunes du temps de la DDR. Aujourd'hui, la tradition perdure un public assez jeune. Programme à la fois des concerts et des « soirées discothèque ». 3 discothèques avec chacune un style de musique différent : en haut, plutôt rock et dérivés ; en bas, plus *heavy metal* ; dehors, toutes les variétés de pop, soul, funky music, etc. Plusieurs bars, dont un *billard café*, au style américain. Parties de billard tous les soirs.

♫ **Icon** (plan général F1, **298**) : *Cantianstr 15 (Ecke Milastr 4).* ☎ 322-97-05-20. ● *icon@iconberlin.de* ● *U-bahn : Eberswalder Str ; S-bahn : Schönhauser Allee ; tram M1 et M10 ; bus de nuit N2.* Encore une scène installée dans une ancienne brasserie du coin. Et si on n'y produit plus de bière, on en consomme pas mal ! Club-cave avec ses murs de brique, jeux de lumière et écrans, tout en restant assez intime. L'un des clubs berlinois à programmer pour les *Frenchies* (Alex Gopher, Ed

Banger), mais les DJs en résidence et les *guest* réservent d'autres surprises de taille (Africa Bambaata, Nightmares on Wax...).

♪ ♫ **Kulturbrauerei** (plan général F1, **299**) : *on y accède soit par la Schönhauser Allee 36, soit par la Knaackstr 97.* ● *info@kulturbrauerei.de* ● *U-bahn : Eberswalder Str.* Plusieurs lieux, une seule adresse : un public tous âges confondus envahit tous les soirs de la semaine ce grand ensemble de cinémas, restaurants, bars et clubs. Gentiment chaotique et très vivant. Quelques noms s'imposent : concerts au *Kesselhaus, Machinenhaus* et *Frannz*, parties à l'ambiance « boum » dans la *Alte Kantine* (☎ 44-34-19-52, ● *alte-kantine.de* ●), plus sélect au *Soda Club* (☎ 44-31-51-44, ● *soda-berlin. de* ●) qui fait aussi resto.

♪ ♫ **Frannz** (plan général F1, **179**) : *Schönhauser Allee 36.* ☎ 72-62-79-30. ● *info@frannz.de* ● *U-bahn : Eberswalder Str.* Environ 5 jours par semaine, concerts de toutes sortes et *parties* à partir de 20h. Toujours une belle ambiance et l'occasion également de tester son excellent restaurant.

À voir

🚶🚶 Promenez-vous dans **Kastanienallee, Schönhauser Allee, Husemann-strasse** et sur **Kollwitzplatz** (plan général G1), si verte en été, au milieu des étudiants, des jeunes mamans et de leurs cortèges de poussettes et des terrasses des cafés qui pullulent. Une des particularités de ce quartier est d'avoir été relativement épargné pendant la dernière guerre. Certains immeubles portent encore toutes les cicatrices de l'époque de la guerre Froide, ce qui donne cette atmosphère si particulière (mais avec la rénovation régulière des immeubles, un peu moins chaque année...).

🚶 **Le musée de Prenzlauerberg** (plan général G1-2, **391**) : *Prenzlauer Allee 227.* ☎ 902-95-39-17. *U-bahn : Senefelder Platz. Dim-jeu 10h-18h.* Tout petit musée municipal retraçant l'histoire du quartier à travers photos nostalgiques, portraits et témoignages. Expos temporaires thématiques également.

🚶🚶 **Le cimetière juif** (Jüdischer Friedhof ; plan général F1, **392**) : *Schönhauser Allee 23-25. Tlj 8h-16h (13h ven). Dernière entrée 30 mn avt fermeture. Kippa obligatoire pour les hommes (distribuée à l'entrée).* L'un des rares qui aient échappé aux destructions de la guerre. À l'entrée, plan avec emplacements des tombes des personnalités et un lapidarium ; nombreuses stèles, explications de l'évolution de l'art funéraire et des symboles. Sous les arbres, parmi les tombes, on remarque celles du peintre expressionniste *Max Liebermann* et du compositeur *Giacomo Meyerbeer*. Balade émouvante et romantique parmi les carrés encore abandonnés aux herbes et fougères folles, et leurs nombreuses stèles abattues (intempéries, érosion et vandalisme).

🏛 *La synagogue de Rykestrasse :* à 50 m sur la gauche, dans la Rykestr, en venant de Knaackstr. Construite en 1904, la plus grande synagogue d'Allemagne, endommagée pendant la trop célèbre « Nuit de cristal », a rouvert ses portes en septembre 2007 après de longs travaux de rénovation.

🏛🏛 *Dokumentationszentrum Berliner Mauer* (Centre d'information du Mur ; plan général E1-2, **380**) : Bernauer Str 111. ☎ 464-10-30. ● berliner-mauerdokumentationszentrum.de ● S-bahn : Nordbahnhof ; U-bahn : Bernauer Str. Juste à la limite entre Mitte et Prenzlauerberg. Tlj sf lun 9h30-19h (17h mai-nov), mais le mémorial est visible à tt moment. Visite guidée gratuite.

> ## UNE RESCAPÉE DU NAZISME
>
> *Le 9 novembre 1938, le rabbin et les membres de la communauté juive sont déportés au camp de Sachsenhausen. L'intérieur de la synagogue est totalement dévasté, les rouleaux de la Torah détruits. Si la façade sobre en brique est épargnée, c'est grâce au voisinage d'autres immeubles d'habitation. Les nazis redoutent, s'ils y mettent le feu, de provoquer la mort de « bons Allemands ». Le bâtiment est transformé en écurie, puis en entrepôt. Après la guerre, des survivants s'y retrouvent pour la prière du sabbat, en dépit de l'hostilité du régime communiste. 12 000 Juifs vivent de nos jours à Berlin. Un sacré bras d'honneur à Adolf !*

Un « morceau » du Mur, de 300 m de long, a été sauvé par le pasteur Fischer, qui s'est battu pour faire classer Monument historique le pan qui longeait son presbytère sur la Bernauer Strasse, à l'intersection de Gartenstrasse (S-Bahn : Nordbahnhof). Un mémorial a même été inauguré en août 1998. Sven Kohlhoff, un architecte de Stuttgart, a enfermé le tronçon entre deux immenses plaques d'acier perpendiculaires. Le Mur se reflète dans l'acier, comme s'il était infini.

La construction originelle avait été tellement endommagée par les « pics verts » qu'il a fallu le recouvrir de béton frais, lui donnant un curieux air de neuf. Une *tour métallique-observatoire* (avec un petit musée et de nombreux panneaux d'explications) a été édifiée en face (entrée gratuite). Panorama intéressant du sommet. Librairie et boutique de souvenirs au rez-de-chaussée.

De l'autre côté de la rue se trouve la chapelle de la réconciliation qui commémore l'histoire de la *Versöhnungskirche*. Cette église qui rassemblait des croyants des deux parties de la ville s'est trouvée sur le tracé du mur en 1961, condamnée et finalement dynamitée par les autorités de la RDA en 1985. Ensuite, vers Eberswalderstrasse, même si le Mur a disparu, il reste le *no man's land* herbu entre les deux quartiers et on devine le chemin de ronde.

Impressionnant aussi, le *cimetière Invalidenfriedhof* (plan général D-E2), traversé par des vestiges du Mur (Scharnhorststrasse).

Achats

– *Marchés aux puces :* dim 10h-16h. Pour les aficionados du design des années 1950 et 1970, on conseille particulièrement le marché aux puces *Am Arkonaplatz*, en plein quartier de Prenzlauerberg (plan général F1 ; U-bahn : Bernauer Str). Un autre se tient aussi le dimanche pas loin, sur *Bernauer Strasse (entre Oderberger et Brunnen Str).* Pas trop touristique.

– *Marché bio :* jeu 12h-19h. Le plus grand *Bio-Markt* de la ville se tient sur la Kollwitzplatz. On y trouve aussi bien des produits alimentaires de la région

PRENZLAUERBERG

que de l'artisanat.
– *Magasins « Second Hand » :* pas mal de friperies dans le coin, surtout sur Kastanienallee, où l'on peut dénicher une paire de tennis, une veste, voire même des vieux jouets en bon état.

LE QUARTIER DE FRIEDRICHSHAIN
(plan Friedrichshain)

Vieux quartier populaire de Berlin-Est, réinvesti plus tardivement que Prenzlauerberg par la marginalité berlinoise, les artistes, intellos et autres bobos prédateurs, pas vraiment normalisé (mais ça vient doucement, inéluctablement). Friedrichshain est un quartier encore en friche, à découvrir donc. Comme à Prenzlauerberg il y a quelques années, les cafés y poussent comme des champignons.

Préférez l'après-midi ou la soirée pour vous y balader, le matin c'est plutôt désert.

La *Simon-Dach Strasse* (U-Bahn : Warschauer Strasse ; tram M10 : Grünbergerstrasse) est toujours la dernière rue à la mode, au moins pour la jeunesse un peu déjantée. Ici, pas de *Schikimikis* (minets, snobinards, B.C.B.G.), plutôt de vrais

> **TOURNAGE DE *LA VIE DES AUTRES* À FRIEDRICHSHAIN**
>
> *Le film* La Vie des autres (Das Leben der Anderen), *de Florian Henckel von Donnersmark, a été tourné en 2004, presque exclusivement à Berlin. L'appartement du dramaturge Dreyman, personnage principal du film, surveillé par Wiesler, l'agent de la Stasi, se trouve dans la Marchlewskistrasse. D'autres scènes ont été tournées à Frankfurter Tor et dans la Karl-Marx Allee. Le réalisateur a filmé aussi dans les vrais bureaux de la Stasi, dans la Normannenstrasse, à Lichtenberg. L'atmosphère austère de l'Est a été préservée grâce à leurs boiseries caractéristiques qui les associent à une période et à un style bien définis.*

Berlinois de l'Est, simples et décontractés, tous un peu artistes ou bohèmes, au look destroy, limite crado, mais dotés d'une imagination créatrice. Le dimanche, marché aux puces du tonnerre sur la *Boxhagener Platz*, à ne pas rater. À voir également, la majestueuse et célèbre *Karl-Marx Allee*, modèle de l'architecture stalinienne et aujourd'hui classée Monument historique. Prenez-la à partir d'*Alexanderplatz* en direction de *Frankfurter Tor* et vous saurez très rapidement pourquoi... Sachez que son asphalte a été conçu pour résister aux chenilles des chars. Ses immeubles étaient réservés à la nomenklatura de la DDR.

Où dormir ?

Bon marché

🏠 *Globetrotter Hostel Odyssee* (plan Friedrichshain G3, **91**) : Grünberger Str 23, 10243. ☎ 29-00-00-81. N° gratuit en Allemagne : ☎ 0800-bookabed-02. ● odyssee@globetrotterhostel.de ● globetrotterhostel.de ● S-bahn : Warschauer Str ; U-bahn : Frankfurter Tor ; bus n°s 240 ou 147, depuis l'Ost-bahnhof, arrêt Grünberger Str. En saison, nuitée en dortoir 13,50-19,50 € (moins cher en hiver), draps compris ; doubles avec douche 46-54 € selon saison. Petit déj 3 €. Caution pour les draps. AJ indépendante dans un quartier tranquille et une maison en brique rouge. L'ambiance, plutôt jeune, y est

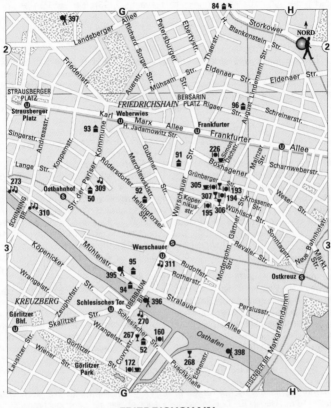

FRIEDRICHSHAIN

🛏 Où dormir ?	
	305 Café 100 Wasser
50 Ostel DDR	
52 Die Fabrik Hostel	🍸 Où boire un verre ?
84 Generator Hostel Berlin	
91 Globetrotter Hostel Odyssee	**267** Barbie Deinhoff's
92 The Sunflower Hostel	**268** Bar de la plage de Badeschiff
93 Pegasus Hostel	**305** Rock Z et Dachkammer
94 Eastern Comfort	**306** Conmux
95 The East-Side Hotel	**307** Paule's Metal Eck
96 Berliner City Pension	
	♪ ♫ Où écouter de la musique ?
🍴 Où manger ?	Où danser ?
160 Freischwimmer	**270** Watergate
193 Meyman	**273** Bar 25
194 Volkswirtschaft	**309** Berghain et Panorama Bar
195 Ristorante Miseria e Nobiltà	**310** Maria am Ostbahnhof
	311 Matrix-Berlin
🍴🍽 Où prendre le *frühstück* ?	
Où faire un brunch ?	🎯 À voir
172 Barcellos Salon sucré-	**395** East-Side Gallery
coiffeur-pâtisserie	et plage locale
226 Kinocafé Intimes	**396** Oberbaumbrücke
	397 Volkspark Friedrichshain
	398 Molecule Man

FRIEDRICHSHAIN

très bonne. Cuisine à disposition. Resto mystico-trash avec sa trilogie sainte-mort-chevalier ! Bar et salle commune très sympa. Souvent des concerts. Internet et location de vélos pas loin.

■ **The Sunflower Hostel** *(plan Friedrichshain G3, 92) : Helsingforser Str 17.* ☎ *44-04-42-50.* ● *hostel@sunflower-hostel.de* ● *sunflower-hostel.de* ● *U-bahn : Warschauer Str. Résa En saison, nuitée 14,50-20,50 €/pers dans chambres de 3 à 8 lits (sanitaires extérieurs) ; doubles 38-48 € selon saison ; appart avec cuisine, sdb et 4 lits 75 € (380 €/sem) ; pour 6 pers : 16,50 €/pers. Draps et lockers gratuits. Petit déj eat as you can eat 3 € (jusqu'à midi, c'est sympa de penser aux fêtards !).* Pas trop bien entretenu, à l'image du quartier ; déco colorée mais qui vieillit mal. Isolation déficiente, pas mal de bruit. Une fois à l'intérieur, ça va mieux : agréables bar et salle commune avec affiches de rock stars emblématiques pour Berlin : Iggy Pop, Bowie et *The Wall* des Floyd. Petit bassin avec des poissons. Dépôt de livres ! Internet, possibilité de laver son linge, location de vélos (plutôt cher)... Pratique pour familles ou bandes de copains.

■ **Die Fabrik Hostel** *(plan Friedrichshain G3, 52) : Schlesischer Str 18, 10997.* ☎ *611-82-54 ou 611-71-16.* ● *info@diefabrik.com* ● *diefabrik.com* ● *U-bahn : Schlesisches Tor. Nuitée en dortoir 18 € ; doubles 52-72 € selon saison et jour (moins cher le dim) avec douche et w-c sur le palier ; petits déj 3-7 €, plus cher le w-e. CB refusées. Parking gratuit.* Une bonne adresse à l'extrême est de Kreuzberg, au sud de Friedrichshain, une ancienne fabrique rénovée et très joliment décorée, à l'ambiance légèrement alternative. Un peu plus cher que les autres AJ indépendantes, mais beaucoup plus de charme, car la déco des chambres est personnalisée. Notre coup de cœur, la n° 411, dite *Atelier*, une véritable chambre d'artiste mansardée, avec un mur en forme de baie vitrée et des tableaux encadrés. Pour y accéder, on passe par un petit couloir privatisé, décoré de chevalets... Agréable cour intérieure aménagée. Petit plus écolo, l'eau chaude est fournie par des panneaux solaires.

■ **Pegasus Hostel** *(plan Friedrichshain G3, 93) : Str der Pariser Kommune 35.* ☎ *29-77-360.* ● *hostel@pegasushostel.de* ● *pegasushostel.de* ● *U-bahn : Weberwiese (U5) ou Ostbahnhof (S) ; bus de nuit n° 5 (Zoo Weberwiese). En dortoir, 13-19 €/pers (moins cher en hiver) ; doubles 49-66 € ; petit déj-buffet 6 €.* Ça fait un peu plus hôtel que les précédents. Dans le passage, dessins marrants vantant le confort de l'établissement qui a ouvert une extension. Cuisine équipée, coin Internet sympa sur la mezzanine-balustrade, jardin, bar, location de vélos.

■ **Eastern Comfort** *(plan Friedrichshain G3, 94) : Mühlenstr 73.* ☎ *66-76-38-06.* ● *captn@eastern-comfort.com* ● *eastern-comfort.com* ● *U-bahn : Warschauer Str. Cabines à ts les prix, du dortoir à celles de 1re classe (16-39 €/pers selon confort).* C'est un confortable bateau-hôtel amarré au bord d'une plage, sur la Spree (si, si !), à deux pas de la plus longue portion du Mur et en face du plus beau pont berlinois. Dortoirs de 3 et 4 personnes (avec ou sans sanitaires) et chambres doubles (avec ou sans sanitaires) avec tapis vert et douche sympa. Les chambres sans sanitaires sont situées sur le *bôtel* de la rive opposée (c'est le même). Cabines de 1re classe spacieuses, avec une grande fenêtre et TV. Copieux petit déj-buffet. Salle commune avec TV, Internet, possibilité de laver et sécher son linge et, bien sûr, pont pour bronzer... On peut apporter son couchage ou louer des draps et des serviettes sur place (5 €) et même dormir sous une tente sur le pont (12 € par personne).

■ **Generator Hostel Berlin** *(hors plan général par G1 ou hors plan Friedrichshain par G2, 84) : Storkower Str 160, 10407 Berlin-Prenzlauerberg.* ☎ *417-24-00.* ● *hello@generatorhostels.com* ● *generatorhostels.com* ● *S-bahn : Landsberger Allee. Au nord de Friedrichshain. Nuitée 18,50-20,50 € en dortoir de 4 à 12 lits ; doubles 26-30,50 €, petit déj inclus.* Située à quelques minutes d'Alexanderplatz, cette AJ se caractérise par sa taille : elle peut accueillir jusqu'à plus de 800 personnes ! Malgré ce gigantisme, une attention particulière a été apportée à la déco du hall, à l'ambiance futuriste. Chambres impeccables. Location de vélos.

De prix moyens à plus chic

🛏 *Berliner City Pension (plan Friedrichshain G3, 96) :* Proskauer Str 13, 10247. ☎ 42-08-16-15. ● info@berliner-city-pension.de ● berliner-city-pension.de ● U-Bahn et tram M10 : Frankfurter Tor. Selon saison, doubles avec lavabo 40-45 €, avec douche et w-c 52-55 € ; simples 23-25 €. Certainement une des pensions les moins chères de Berlin, offrant un bon rapport qualité-prix, au cœur d'un quartier très en vogue.

🛏 *Ostel DDR (plan Friedrichshain G3, 50) :* Wriezener Karree 5, 10243. ☎ 25-76-86-60. ● contact@ostel.eu ● ostel.eu ● S-bahn : Ostbahnhof. Lit en dortoir 9 € ; double 54 € ; petit déj 4,50 €. Situé à proximité de l'Ostbanhof, la gare de l'Est. L'endroit se prête à merveille pour se baigner dans l'*Ostalgie* : confort rustique, mobilier et tissus de l'époque sombre de la RDA... tout est recréé comme dans le vieux temps. Et cela plaît beaucoup aux visiteurs, même sous l'œil vigilant d'Erich Honecker, sourire en coin dans son portrait. Un côté folklo qui peut s'avérer amusant à condition de le prendre au quinzième degré.

🛏 *The East-Side Hotel (plan Friedrichshain G3, 95) :* Mühlenstr 6. ☎ 28-38-34-00 ou 29-38-33. ● info@eastside cityhotel.de ● eastsidehotel.de ● U-bahn : Warschauer Str. Ouv 24h/24. Doubles 70-100 €, copieux petit déj-buffet inclus. Ascenseur (pas si fréquent). Connexion Internet dans les chambres, mais au 3e étage elle ne marche pas très bien. Immeuble bourgeois de la première moitié du XXe s, totalement rénové en 1996 et fort bien placé. Vue superbe sur la Spree et la *East-Side Gallery,* tout en continuant de distiller ce petit charme des quartiers de l'Est. Hall de réception moderne et chambres spacieuses d'une élégante sobriété. Mon tout plaisant, donc, et confortable. Bar et resto.

Où manger ?

Bon marché

🍴 *Meyman (plan Friedrichshain G3, 193) :* Krossener Str 11a. Tlj jusqu'à tard le soir. Pizza cuite au four env 4 € et plat env 6 €. Cuisine éclectique, du *shawarma* à la pizza en passant par les pâtes, *hoummous,* salades et snacks divers. Clientèle locale à petit budget. Excellent couscous au goût et herbes parfumés ; viandes, semoule et légumes servis dans la même assiette mais généreusement. Excellent thé à la menthe. Bon accueil même si la légendaire hospitalité orientale n'est pas ici en application. Petite terrasse.

De prix moyens à plus chic

🍴 *Freischwimmer (plan Friedrichshain, G3, 160) :* Vor dem Schlesisches Tor 2. ☎ 61-07-43-09. ● info@freisch wimmer-berlin.de ● U-bahn : Schlesisches Tor. À l'est de Kreuzberg et au sud de Friedrichshain. Entrer par la station-service Aral et prendre le chemin de terre sur la droite ; il faut ensuite être attentif car c'est à peine indiqué. Tlj jusqu'à 1h env. Plats 8-14 €. On commande au bar en donnant son numéro de table. On y va surtout pour le cadre et l'atmosphère. Situé dans une petite anse du canal, tables au-dessus de l'eau, le long du ponton et dans un environnement fort agréable. Au fond, transats sur la jetée. Un côté guinguette (sauf que dans la boîte en face, c'est plutôt la techno qui domine). Cuisine correcte, mais carte assez limitée. À l'image des énormes *fish and chips,* les plats collent bien à l'endroit. 2 formules : le resto d'un côté et, au bout du ponton, un genre brasserie où l'on va d'ailleurs chercher soi-même sa boisson.

🍴 *Volkswirtschaft (plan Friedrichshain G3, 194) :* Krossener Str 17. ☎ 69-

20-68-61. ● info@volkswirtschaft-berlin. de ● Tlj 19h-22h (23h le w-e). Plats 13-19 €. Wifi. Très populaire chez les étudiants, artistes et habitants du quartier. Petite cuisine assez élaborée, servie dans un cadre coloré orné de tableaux et de petites lampes. Goûter au *Geschnetzeltes « Züricher Art » vom Kalb mit Petersilienkartoffeln* (nom un peu long, certes, tout simplement des filets de veau dans une onctueuse sauce parfumée). Plutôt fin et frais, en plus carte différente chaque jour dont des plats végétariens. Bières pas chères et bio. Tables dehors prises d'assaut.

|●| *Ristorante Miseria e Nobiltà* (plan Friedrichshain G3, **195**) : Kopernikusstr 16. ☎ 29-04-92-49. U-bahn : Warschauer Str. Tlj sf lun 19h30-minuit. Pâtes 11-20 €. Décor de films italiens, assiettes en faïence peinte, atmosphère assez authentique et vraie cuisine familiale italienne. Goûteux *antipasti* maison, raviolis, *risotto alla pescatore*, etc., servis sur de grosses tables de bois. Gouleyant *vino de la casa*. Certes, pas trop bon marché, mais patron sympa, cuisine de qualité régulière et bon moment garanti.

Où prendre le *frühstück* ?
Où faire un brunch ?

|●| ☛ *Barcellos Salon sucré-coiffeur-pâtisserie* (plan Friedrichshain G3, **172**) : Görlitzer Str 32a. ☎ 612-27-13. U-bahn : Görlitzer Bahnhof ou Schlesiches Tor. Près du canal qui marque la limite de Treptow. Jeu-dim 10h-18h (fermé dim juil-oct). À première vue, rien de très exotique : croissants, quiches lorraines, tartes flambées, éclairs et millefeuilles, tous plus appétissants les uns que les autres. Vin alsacien au verre. La salle est petite mais l'endroit très réputé. Eric Müller, toque sur la tête, est aussi volubile que passionné et il confectionne lui-même ses pâtisseries dans son « laboratoire ». Rien ne manque et tout est à emporter ! Mieux vaut prendre son temps et, une fois à l'intérieur, passer dans le salon de coiffure (lui aussi minuscule !) pour une coupe de cheveux digne de ce jour inoubliable et garantie 3 mois... La coupe, pas les gâteaux ! Une adresse alsacienne avec coiffeuse brésilienne, insolite pour tout le monde.

|●| ☛ *Café 100 Wasser* (plan Friedrich-shain G3, **305**) : Simon-Dach Str 39. ☎ 29-00-13-56. ● info@cafe-100-wasser.de ● Tlj 9h-2h (3h ven-sam). Petits déj 7,50-9,50 € ; brunch le w-e 7,90 €. Un café au profil bas où l'on propose plusieurs formules de petit déj, ainsi qu'une petite carte midi et soir. Rien d'exceptionnel dans la déco : murs crépis (avec note de couleur bienvenue), tables de jardin en terrasse et chaises pliantes. Toujours beaucoup de monde car on peut manger à toute heure, tout est bon et le service agréable.

|●| ☛ *Kinocafé Intimes* (plan Friedrichshain G3, **226**) : Boxhagener Str 107. ☎ 29-66-64-57. Tlj, 10h-tard. Brunch dim 7-10 €. Encore une terrasse très berlinoise juste rehaussée par les graffitis, les tags et par l'enseigne du café, très fifties. À l'intérieur, l'ambiance est plus calme (comprenez, moins bruyante !) pour déguster un bon brunch ou des plats du jour. Très copieux. Propose des séances de cinéma quelques soirs. Wifi gratuit. Un bon plan.

Où boire un verre ?

🍷 *Rock Z* (plan Friedrichshain G3, **305**) : Simon-Dach Str 37. ☎ 291-16-24. U-bahn : Frankfurter Tor ; tram : Grünberger Str. Tlj sf dim jusqu'à 2h et plus. À mi-chemin entre bar et club, voici un endroit consacré exclusivement au rock.

Guitares acoustiques et électriques au plafond, murs saturés d'idoles des années 1970-1980. Service un rien bougon, mais ça fait partie du jeu... Babyfoot dans la salle aux palmiers, derrière. 🍷 *Barbie Deinhoff's* (plan Friedrichshain G3, **267**) : Schlesische Str 16. ☎ 61-07-36-16. ● bader-deinhoff@hot mail.de ● U-bahn : Schlesisches Tor. Tout à l'est de Kreuzberg. Tlj 18h (20h dim)-2h. Shows vers 20h30-21h. On aime bien ce café décoré sur le thème de la poupée Barbie. C'est, bien entendu, tout rose et kitsch à souhait. Clientèle gay et straight (les fameux gay friendly !) tout à la fois. Excellente atmosphère. De l'autre côté du carrefour, au n° 35, le **Mysliwska**, plus classique, accueille toute la marge locale sur sa terrasse...

🍸 **Plage et bar de la Badeschiff** (plan Friedrichshain G3, **268**) : Schlesischestr et Am Flutgraben. U-bahn : Schlesisches Tor. À quelques centaines de mètres du café précédent, sur les bords de la Spree. Tlj 8h-minuit. Entrée : 3 €. En activité depuis 2004. L'une des plus grandes plages berlinoises, dans un environnement d'usines transformées en ateliers d'artistes, cabinets d'architectes, boîtes de pub ou de communication, etc. Quasi tout le monde en maillot de bain (moins si affinités), paradoxalement peu de monde dans la piscine. Bar avec un bon choix de bières à prix modérés, stand à brochettes. Vue superbe sur la Spree, le bel alignement d'entrepôts sur l'autre rive et le Molecule Man de l'artiste américain Jonathan Borofsky. Totalement dépaysant !

🍸 **Conmux** (plan Friedrichshain G3, **306**) : Simon-Dach Str 35. ☎ 291-38-63. U-bahn : Frankfurter Tor. Tlj 10h-2h. Plats 3-8 €. La déco est un peu brute. Pour tout mobilier, de l'outillage agricole et industriel en tout genre, presses, roues et autres objets bizarres non identifiés. À croire que les propriétaires ont dévalisé une ancienne ferme d'État de la RDA. Les tableaux, eux, sont carrément incrustés dans le mur. L'ambiance est décontractée. Pour boire un verre le soir ou prendre un brunch (le dimanche dès 10h). Cocktail du jour le moins cher de toute la rue.

🍸 **Paule's Metal Eck** (plan Friedrichshain G3, **307**) : à l'angle de Krossener et de Simon-Dach Str. ☎ 291-16-24. U-bahn : Frankfurter Tor. Tlj à partir de 19h (17h le w-e et en été). Un bar un peu destroy, à l'atmosphère bien sombre. Décor original assez hétéroclite (statues et têtes de monstres). Billard, darts, baby-foot pour les uns et musique très loud, tendance heavy metal, pour les autres !

🍸 **Dachkammer** (plan Friedrichshain G3, **305**) : Simon-Dach Str 39. ☎ 296-16-73. ● dachkammer@aol.com ● U-bahn : Frankfurter Tor. Tlj à partir de 14h. Décor champêtre, mobilier rustique allemand et porte de grange, au rez-de-chaussée tendance grenier, et à l'étage plutôt grenier aménagé. On y déguste des cocktails dans de vieux canapés tout droit venus des puces.

Où écouter de la musique ? Où danser ?

🎵 **Berghain** et **Panorama Bar** (plan Friedrichshain G3, **309**) : Am Wriezener Bahnhof. ● support@berghain.de ● S-bahn : Ostbahnhof ; bus n° 240. Ven-sam dès minuit. Entrée 12 €. Un club de musique électro et techno minimale à l'esthétique un peu froide, mais c'est toujours le club hype de Berlin. Friche industrielle aux murs et colonnes en béton, halles de hauteur impressionnante, le club compte 2 étages et 4 bars (dont le célèbre Panorama Bar). Malgré son esthétique bunker, c'est ici qu'ont lieu les recherches les plus pointues en matière de musique et technologie. Dernière en date : la yellow lounge, avec DJs qui mixent sur de la musique symphonique !

🎵 🎵 **Maria am Ostbahnhof** (plan Friedrichshain G3, **310**) : An der Schinningbrücke (prendre le petit chemin de terre juste avt le pont). ● bettina@club maria.de ● S-bahn : Ostbahnhof. Ven-sam à partir de 23h ; le reste de la semaine, diverses manifestations ou concerts. Entrée payante lors des live : env 15 €. Un endroit pour se faire une idée de la scène électronique actuelle, présentée ici sous toutes ses facettes. Du minimalisme industriel face à la rivière Spree, du pur Berlin by night, que vous connaissez déjà sans le savoir : ce fut le décor d'une pub pour des « créateurs d'automobiles » français ! L'endroit est réputé pour la qualité du son. Près de 600 personnes se rassemblent parfois entre ses murs noirs relevés de fins dessins.

♪ ♫ **Bar 25** (plan Friedrichshain G3, **273**) : Holzmarktstr 25. ● contact@bar25.de ● S-bahn : Ostbahnhof. Mai-oct slt. Entrée 5 €. Un endroit unique dans son genre au bord de la Spree. Le bail étant renouvelable chaque année, rien ne garantit que cette adresse ait la vie longue. Mais à en juger par son succès, elle fait l'unanimité auprès des Berlinois, qui trouvent ici un superbe terrain de jeu (balançoires, taureau de rodéo mécanique), un bar, et même une pizzeria. Musique qui va crescendo au fur et à mesure que la nuit tombe et clientèle qui se fait aussi de plus en plus bariolée. Sans conteste l'un des clubs mythiques de l'Est.

♫ **Watergate** (plan Friedrichshain G3, **270**) : Falckensteinstr 49. ● info@watergate.de ● U-bahn : Schlesiches Tor. Mer-jeu (si événements) et ven dès 23h, sam dès minuit. Entrée env 10 €. La sélection est dure, vous avez intérêt à avoir des filles dans votre groupe pour pouvoir entrer. Pour les puristes, un club aux lignes claires et un public branché ; en plus, superbe vue sur la rivière, tout simplement magique ! L'un des 3 clubs les plus réputés de Berlin côté musique électronique. Drum'n'bass ou beat it (hip-hop et trip-hop, soul-funk) en semaine, house et techno à tendance allemande, voire berlinoise. Très grosses programmations et soirées avec DJs allemands et internationaux.

♫ **Matrix-Berlin** (plan Friedrichshain G3, **311**) : Warschauer Platz 18. ☎ 29-36-99-90. ● hallo@matrix-berlin.de ● U-bahn ou S-bahn : Warschauer Str. Sous le métro de Warschauer Str. Tlj 22h-6h (9h sam). Entrée 3-6 €. Temple surdimensionné de la musique techno, installé sous une station de métro. Les meilleurs DJs du moment viennent souvent y mixer. 2 pistes de danse, sur lesquelles un public plutôt jeune vient user frénétiquement ses baskets jusqu'à plus d'heure.

À voir

🎨🎨 **East-Side Gallery** (plan Friedrichshain G3, **395**) : Mühlenstr. S-bahn et U-bahn : Warschauer Str. Belle fresque graffitée de 1,3 km de long, réalisée en 1990 par 118 artistes venant de 21 pays, rappelant ici que le Mur servait aussi de défouloir pour les artistes et graffeurs. La partie la plus intéressante se trouve au niveau du hôtel Eastern Comfort.

La majorité des fresques se trouvent côté rue, à commencer par ce tranquille moustachu passant de force le poste-frontière devant un douanier incrédule et qui prononce, avec un accent idiot, un « Nu, das gääd ober nüsch ! » (Non, mais ça ne va pas !), pendant que ses collègues cuvent leur vodka. À côté, un dessin reproduit la célèbre photo du Vopo sautant les barbelés pour passer à l'Ouest. Certaines manifestent un humour réjouissant, comme le bisou goulu de Honecker à Brejnev ou la fameuse Trabant défonçant le Mur. Une autre dépeint « l'autre côté », l'Ouest, avec des poulets rôtis et des Mercedes à la parade, une façon d'affirmer qu'on ne se fait pas d'illusion. Dessins marrants sur le thème de la fuite.

La galerie s'est offert un lifting complet pour commémorer les 20 ans de la chute du Mur : les signatures datées témoignent du retour des artistes, 19 ans après. C'est la Loterie qui a financé cette rénovation.

🌴 **La plage locale** (plan Friedrichshain G3, **395**) : Mühlenstr, au début de la East-Side Gallery. Plutôt pittoresque avec ses palmiers, son beau sable, ses chaises longues et sa buvette sur fond de fresques du Mur. Surtout, elle offre une fort belle vue sur la Spree et le superbe Oberbaumbrücke.

🚶 Balade agréable sur la **Schlesische Strasse** (plan Friedrichshain G3) ; très vivante dans la journée, elle vaut la peine d'être arpentée pour ses petits bars déjantés. Au croisement avec la Cuvrystrasse, remarquez l'énorme graffiti blanc sur le mur. Deux visages tirent sur leurs masques respectifs, l'un essaie de l'enlever, l'autre de le mettre…

Oberbaumbrücke *(plan Friedrichshain G3, 396)* : *entre les stations de U-bahn Warschauer Str et Schlesisches Tor.* À notre humble avis, le plus beau pont de la ville, en tout cas le plus photogénique. Édifié en 1894 dans un délicieux style néo-gothique, avec tours et élégantes arches en brique rouge, contrastant harmonieusement avec le métro tout jaune passant au-dessus. Et quand le ciel est d'un bleu démago, que le soleil darde ses rayons et que l'on est sur la plage en face, dans une chaise longue... se croirait-on vraiment à Berlin ? De ce pont, on aperçoit la monumentale sculpture **Molecule Man** *(plan Friedrichshain G3, 398)* de Jonathan Borofsky, qui se trouve plantée dans les eaux de la Spree, près de la rive gauche de la rivière.

Volkspark Friedrichshain *(plan général G2 et plan Friedrichshain G2, 397)* : *Friedenstr et Landsberger Allee. Tram 15 ou M10 ; bus n° 200.* Superbe parc ouvert à tous les publics (donc au peuple, d'où son nom de *Volkspark*), créé en 1840 pour faire le pendant du *Tiergarten* (réservé pour sa majeure partie à la cour). En bordure du quartier de Prenzlauerberg et à l'entrée ouest du parc, ne pas manquer la pittoresque *Märchenbrunnen* (fontaine des Contes de Grimm), construite en 1902 en style néo-baroque, avec de magnifiques personnages sculptés, extraits justement des contes des frères Grimm.

|●| ▼ Une halte s'impose aux terrasses des cafés **Schönbrunn** ou **Pavillon.** Bières, grillades et tartes flambées y sont farouchement convoitées. En hiver, on peut y déguster aussi de copieux brunchs ou de délicieux gâteaux maison.

À voir encore

Gedenkstätte Berlin-Hohenschönhausen *(mémorial-musée-prison de la Stasi ; hors plan d'ensemble par G2)* : *Genslerstr 66.* ☎ 98-60-82-30. ● stiftung-hsh. de ● Pour y aller : S-bahn Alexanderplatz ou Landsberger Allee, puis tram 5 jusqu'à Freienwalder Str ; ou S-bahn Hackescher Markt, puis tram 6 jusqu'à Genslerstr, puis env 10 mn à pied. De la gare routière Lichtenberg, bus n° 256 jusqu'à Genslerstr. Visites guidées pour individuels sur résa par e-mail ou par tél, lun-ven 11h-15h, w-e 10h-16h. Visite en anglais mer à 14h30, sam à 14h. Billet : 4 € ; gratuit lun. Installée à l'emplacement d'un camp d'internement soviétique (près de 20 000 prisonniers furent transférés à pied ou en camion vers les camps d'URSS), la prison

a fonctionné de 1945 à octobre 1990 comme principal centre de détention du ministère de la Sécurité d'État, appelé *MFS*, organisme plus connu sous le nom de Stasi. Près de 91 000 employés travaillaient directement pour la Stasi et 180 000 agents étaient employés comme « indics ».
La Stasi a enfermé dans cette prison des dizaines de milliers d'opposants au régime de la RDA, des hommes et des femmes qui tentèrent de fuir à l'Ouest et des dissidents politiques comme Rudolf Bahro et l'auteur Jürgen Fuchs. Les prisonniers y

vivaient dans des conditions atroces, soumis à d'incessants interrogatoires de police. Après la chute du Mur de Berlin et la réunification de l'Allemagne, elle a été fermée et transformée en Mémorial de la tyrannie communiste.
On visite les cellules de prisonniers, l'hôpital, la cantine, le couloir appelé « U-Boot » (sous-marin)... Et tout comme pour le musée de la RDA à Mitte, il est préférable de comprendre l'allemand pour en saisir le contenu.

– Toujours à Lichtenberg, sur Normannenstrasse, non loin de la prison, le bar-resto nommé **Zur Firma** (« L'Entreprise »), qui a vu le jour fin 2008, a aussitôt fait débat. Les proprios ont voulu se démarquer en choisissant comme thème la Stasi (l'ancien ministère de la Sécurité d'État – devenu aujourd'hui les archives – ne se trouvait qu'à quelques pâtés de maisons plus loin) et en décorant leur établissement d'objets chers aux *Ostalgiques* (les nostalgiques de la DDR) et aux touristes curieux de savoir ce qu'il y avait de l'autre côté du Mur. On y trouve plein d'objets kitsch devenus cultes, mais surtout des gimmicks comme les menus tapés sur une vieille machine à écrire utilisée pour les interrogatoires, et même une fausse caméra de surveillance à l'entrée. Loin de faire l'unanimité, ce bar fascine les jeunes par son côté *pop culture,* mais irrite les voisins qui ne voient pas d'un œil amusé le retour des vieux démons.

LES QUARTIERS PÉRIPHÉRIQUES

LE QUARTIER DE WEDDING (plan général A-E1)

Au nord-ouest de Berlin, à l'image de Kreuzberg, c'est un quartier également cosmopolite, mais en bien moins animé. Il fut pourtant l'un des hauts lieux du communisme d'avant-guerre (le *Wedding rouge – der Rote Wedding*) lorsque le quartier comptait encore beaucoup d'ouvriers travaillant dans les usines *AEG* ou *Osram.* Aujourd'hui, après avoir été au nombre des quartiers placés sous l'administration de la zone française, Wedding vit une renaissance et tente de repousser ses problèmes sociaux loin de la une des quotidiens locaux. Il est proposé aux jeunes créatifs et artistes d'occuper légalement des magasins vides afin de redonner vie au quartier et confiance à ses habitants plutôt chômeurs et déprimés. Et cela semble fonctionner !

Où dormir ?

Bon marché

🛏 *Jugendgästehaus Nordufer* (plan général B1, **89**) : Norderfer 28, 13351. ☎ 45-19-91-12. ● nordufer@ ● berliner-jugendclub.de ● jugendgaestehaus-nordufer.de ● *Accessible du zoo : U9 jusqu'à Leopoldplatz, puis U6 jusqu'à* Seestr et enfin bus n° 106. AJ slt réservée aux moins de 27 ans. Nuitée 20 € ; 24 € en ½ pens. Chambres de 1 ou 7 lits, douche et w-c à l'étage. Calme et bon marché, mais un peu loin du centre.

Prix moyens

🛏 *Hôtel du Centre français de Berlin* (hors plan général par D1, **90**) : Müllerstr 74, 13349. ☎ 41-72-90. ● contact@hotel-defrance-berlin.de ● hotelde france-berlin.de ● *U-bahn : Rehberge.* Entre l'aéroport Tegel et le centre de Berlin ; compter env 15 mn de métro pour rejoindre le Ku'damm. Réception

24h/24. Doubles au confort 3-étoiles 53-70 € selon saison (réduc pour les étudiants) ; petit déj-buffet payant (11 €). 3 studios avec kitchenette. Parking gratuit. Installée dans des bâtiments utilisés jusqu'en septembre 1994 par le gouvernement militaire français de Berlin, cette structure hôtelière offre des prix très intéressants, surtout pour les étudiants et les groupes. Chambres très bien équipées. Le seul hic est l'emplacement de l'hôtel, assez éloigné du centre, mais très bien relié par le métro.

Où manger ?

|●| **Restaurant Rossi** (hors plan général par D1, **190**) : Oudenarder Str 16, dans les cours de Osram, Aufgang 9. ☎ 45-50-80-52. ● susanne.lange@sos-kinderdorf.de ● U-bahn : Seestr. Lun-ven 8h30-14h. Petit déj et déj 3,50-5 €. Ce restaurant est un centre de formation pour la gastronomie. L'endroit idéal pour apaiser sa faim et faire une bonne action ; l'établissement appartient en effet à une association qui s'occupe d'orphelinats.

À voir

🗼 **Anti-Kriegs Museum** (plan général C-D1, **335**) : Brüsseler Str 21. ☎ 45-49-01-10. ● anti-kriegs-museum.com ● U-bahn : Amrumer Str. Tlj 16h-20h. Entrée gratuite. Depuis 1925, ce musée est dédié à toutes les formes de pacifisme.

🗼 **Zucker Museum** (musée du Sucre ; plan général C1, **336**) : Amrumer Str 32. ☎ 31-42-75-74. ● sdtb.de/zucker-museum.6.0. html ● U-bahn : Amrumer Str ou Seestr ; bus n°⁵ 248 et 126. Lun-jeu 9h-16h30, dim et j. fériés (sf 1er mai) 11h-18h. Fermé ven-sam. Entrée gratuite. Tout pour comprendre la culture, le traitement et l'extraction de la canne ou de la betterave à sucre... Rappelons qu'en 1747, c'est ici qu'un certain Andreas Sigismund Marggraf découvrit le sucre de betterave...

> **UNE DÉCOUVERTE BIEN UTILE**
>
> Dans son laboratoire de Prusse, Andreas Sigismund Marggraf découvrit en 1745 que la betterave fourragère contenait du sucre véritable, parfaitement identique à celui de la canne à sucre. Napoléon encouragea les recherches en ce domaine, pour déjouer le blocus exercé par la marine anglaise, qui avait coupé l'Europe des ressources en sucre de canne des Antilles.

🗼 **Berliner Unterwelten e.V.** (hors plan général par E1, **342**) : Brunnenstr 108a. ☎ 49-91-05-17. ● berliner-unterwelten.de ● U-bahn et S-bahn : Gesundbrunnen. Si vous souhaitez visiter le Berlin interdit et caché des bunkers et des stations de métro à l'abandon, voilà la bonne porte (de bunker) où frapper. Plusieurs possibilités de parcours pour découvrir les dessous de la ville et son histoire (également en anglais) les week-end et lundi. Consulter le site ou appeler le ☎ 49-91-05-18, et vous aurez 90 mn de Berlin insolite pour moins de 10 €.

LE QUARTIER DE SPANDAU (plan d'ensemble A-B2)

À l'évocation du mot Spandau, les fondus de musique penseront au groupe des années 1980, Spandau Ballet, et les amateurs d'histoire à la prison militaire (aujourd'hui disparue) où Rudolf Hess, le lieutenant d'Hitler, est mort en 1987 après 41 ans de captivité. À l'ouest de Berlin, c'est aussi un ancien faubourg industriel spécialisé dans la sidérurgie.

Où manger ?

|●| *Zitadellen Schänke :* Am Julius-turm. ☎ 334-21-06. ● *kieselhorst@zita dellenschaenke.de* ● *Tlj sf lun 16h (12h le w-e)-minuit. Résa conseillée. Plats* *jusqu'à 15 € ; menu 40 €.* Repas rustiques dans une superbe cave voûtée. Ambiance et cuisine d'inspiration moyenâgeuse, serveurs en costume.

À voir

🎭🎭 *La vieille ville de Spandau :* à 5 mn de la citadelle, à gauche, de l'autre côté du pont. Son marché de Noël (fin novembre-fin décembre) est l'un des plus grands et des plus typiques de Berlin. Nombreuses fortifications dans la vieille ville de Spandau (entre la Havel et l'Altstädter Ring).

🎭 *La Zitadelle* (☎ 354-94-40 ; visite tlj 10h-17h ; entrée : 4,50 € ; *réduc*) fut construite au XVIe s dans le style des fortifications à l'italienne. Fondations du XIIe s, tour de Julius, exposition sur l'histoire de la citadelle, qui fut, à partir de 1722, un centre de production d'armes. Dans l'*Exerzierhalle,* exposition de canons. En 1874, cette tour de Julius servit de coffre-fort à l'argent de vos arrière-arrière-grands-parents : les 120 millions de marks or qui constituaient l'indemnité de guerre (de 1870-1871) versée par la France à l'Allemagne. Impressionnant système de sécurité... La citadelle abrite aujourd'hui une école d'art et des ateliers d'artistes ouverts au public. Elle accueille

NE PAS REGARDER RUDOLF HESS !

Ne pas fixer le célèbre prisonnier nazi, ne pas le regarder dans les yeux surtout : c'est cette consigne que les 50 soldats des forces alliées chargés de sa garde avaient reçue. A partir de 1972, l'ancien chef nazi se retrouva seul et dernier pensionnaire (le prisonnier n° 7) de la prison militaire. Les soldats lui tournaient le dos quand il déambulait dans la cour de la prison. Lui-même évitait de regarder ses gardes de face. Pourquoi cette consigne ? Nul ne sait vraiment : on dit que c'est Hess lui-même qui l'avait demandé. La honte probablement et la déchéance mentale de celui qui fut le dauphin du Führer.

diverses manifestations culturelles, expositions, concerts, festival de marionnettes...
– *Attention :* contrairement à ce que l'on croit souvent, la citadelle n'est pas la prison où fut enfermé Rudolf Hess de 1946 à 1987. La prison où il fut incarcéré a été rasée et transformée en centre commercial de crainte qu'elle ne serve de lieu de pèlerinage aux néo-nazis.

LE QUARTIER DE DAHLEM
(plan d'ensemble B2 et plan Dahlem)

Quartier assez excentré, au sud-ouest de Berlin. D'Alexanderplatz, compter environ 45 mn en U-Bahn (par les lignes U2 et U3). En fait, ancien village fort prisé de la bourgeoisie berlinoise au début du siècle dernier. Il a d'ailleurs conservé aujourd'hui un côté bucolique et verdoyant exceptionnel. À l'ouest, il est bordé par la forêt de Grünewald et le lac de Wannsee, à l'est, par le jardin botanique de Steglitz. On y trouve même une ferme modèle et des champs cultivés. Surtout, il propose l'un des plus riches musées ethnographiques au monde (on pèse nos mots). À ne vraiment pas manquer ! Accueil dans la charmante station de métro de Dahlem Dorf, construite en 1913 dans un style campagnard qui vous met tout de suite dans l'ambiance. Bon, on y va...

Où manger ?

|●| *Restaurant Diekmann* (plan Dahlem) : Clayallee 99. ☎ 832-63-62. ● josef@j-diekmann.de ● U-bahn : Dahlem Dorf. Dans la Clayallee qui mène au pavillon de chasse de Grünewald. Tlj 12h-minuit. Carte env 20 €. Un restaurant dans un chalet suisse au beau milieu de la forêt verte de Grünewald, c'est un dépaysement assez inattendu, mais le lieu est tellement charmant. De la cuisine suisse avec de délicieux *rös-tis* (pommes de terre râpées et frites en galettes), en hiver de la fondue bien sûr, et dimanche du jazz à 14h.

|●| *Ristorante Piaggio* (plan Dahlem) : Königin-Luise Str 44. ☎ 832-02-266. ● info@ristorante-piaggio.de ● U-bahn : Dahlem Dorf. Près du métro. Tlj 11h-23h30. Pizzas 7-10 €. Une pizzeria sans prétention où des serveurs en tablier noir et chemise blanche vous amènent d'honnêtes pizzas cuites au four. Grande terrasse ombragée.

Les musées

🏃🏃🏃 *Museum Dahlem* (plan Dahlem) : Lansstr 8, 14195 Zehlendorf. ☎ 830-14-38. ● smb.museum ● U-bahn : Dahlem Dorf (sortir du métro à droite, puis prendre Fabeckstr) ; bus n°s 110, 183, X11 et X83. Tlj sf lun 10h (11h le w-e)-18h. Entrée pour les 3 parties du musée : 6 € ; réduc ; gratuit jusqu'à 17 ans. C'est un ensemble de plusieurs musées près de l'université libre, comprenant le *musée des Arts asiatiques*, le *Musée ethnographique* (avec quatre grosses sections) et le *musée des Cultures européennes* (en rénovation jusqu'à fin 2010). Autant dire qu'il est quasiment impossible de tout faire en une seule fois, d'autant plus que certaines sections se révèlent d'une richesse époustouflante. Pour ne pas se perdre, demander le petit plan à l'entrée. Location d'audioguides. Il existe cinq cassettes en anglais. Choisir un thème (Océanie, Extrême-Orient, Amérique du Nord...). Cafétéria et boutique.

🏃🏃🏃 *Museum für Asiatische Kunst* (musée des Arts asiatiques) : ☎ 830-13-82. Mêmes horaires. Muséographie d'une grande sobriété et lumières judicieusement tamisées, mettant remarquablement en valeur les pièces. Contient environ 1 500 objets originaires de l'Inde, mais aussi du Tibet, du Népal, d'Indonésie et d'Asie centrale. Les merveilles de la collection : des pièces provenant de l'oasis de Turfan, carrefour caravanier de la Chine, de l'Iran et de l'Inde. Pas question de tout décrire, voici nos coups de cœur.
– *Section Inde, Népal et Tibet* : les premières salles permettent de s'initier au bouddhisme à travers l'art. Magnifiques bas-reliefs relatant la vie de Bouddha ; sa fuite hors du palais familial, ses errements dans l'ascétisme et finalement son choix du juste milieu ; la recherche du nirvana. Bouddhas debout des IIe et IIIe s apr. J.-C., délicates frises sculptées en schiste de Gandhara. Et concernant les divinités hindouistes et leurs avatars, dieu Harikaha à quatre têtes en pierre à savon et impitoyable Krishna terrassant un démon. Viennent ensuite quelques bijoux de l'art islamique ; magnifiques porcelaines bleues du Pakistan des XVIIIe et XIXe s, fenêtres ajourées en grès rouge, superbes portes et fenêtres en bois ciselé (Gujarat, Madurai). Ne pas rater le Chemin du pèlerin, impressionnante B.D. du XIXe s.
Dans les beaux objets, pas d'accumulation rébarbative mais une sélection serrée de l'art indien. Splendides coffrets en ivoire ciselé, tentures de soie, enluminures... Au milieu, reconstitution d'un temple à fresques. Émouvantes pages de manuscrits polychromes en lambeaux des VIIIe et IXe s. Riche statuaire.
Au 1er étage, art du Népal et du Tibet. Peintures sur soie avec scènes hindouistes. Impressionnante déesse noire *Chakrasamvra*, aux 10 bras. Casque de prêtre du Népal (XVIIIe s), montrant que les moines portaient aussi les armes. Admirables

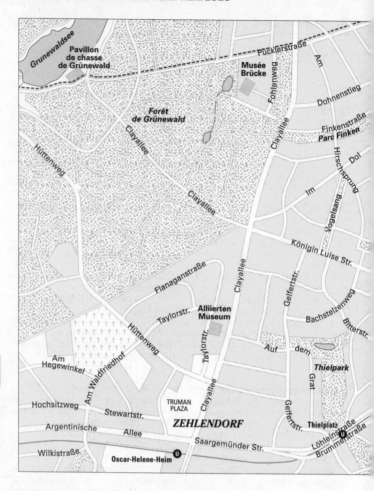

mandalas, adorables statuettes de bronze, Siva linga en cuivre du XVIIIᵉ s. Légende du prince Visvantara de 10 m de long. Vase en terre cuite en forme de buffle de 2300 av. J.-C.

– *Section Extrême-Orient :* au dernier étage. Encore un peu de courage, car il ne faut pas rater cette riche section, qui fascinera les amoureux du Japon. Expo mise en valeur par de grandes photos. Quelques très belles pièces comme cette déesse à 18 bras du XVIᵉ s. Sinon, petit autel en terre cuite verte vernissée, objets domestiques, outils divers, instruments agraires, maquettes de bateaux, porcelaines, lit à baldaquin en bois sculpté, mobilier traditionnel, marionnettes, etc. Une défense d'éléphant de plus de 1,50 m de long, entièrement ciselée de scènes de batailles d'une finesse incroyable ! Salle consacrée au bouddhisme en Chine, assez unique : un bouddha debout sculpté (avec restes de polychromie) de la période *Song* (XIIIᵉ s). Superbes statuettes de nonnes en pierre à savon rouge du XVIIᵉ s, porcelaine *Qing* des XVIIᵉ et XVIIIᵉ s (période *Kangxi*), poterie céladon, masques nô,

DAHLEM

belles aquarelles sur la culture des bonsaïs. Au milieu de l'expo, ne pas manquer les *sutras*, ces petits rouleaux à fond bleu et calligraphiés or et argent (période *Helan*, XIIe s). Extraordinaire travail de miniature !

🎭🎭🎭 *Ethnologisches Museum* (Musée ethnographique) : ☎ 830-14-38. Mêmes horaires.
– *Section Amérique du Nord et centrale (Méso-Amérique) :* Importante expo d'*art précolombien* d'une rare qualité. Pierres géantes de Cozumalhuapa (Guatemala), poteries, statuettes, figures zoomorphes, vases peints, mortiers, urnes funéraires, etc. Puis les cultures mayas et du centre du Mexique (Monte Alban). Vitrines avec de magnifiques lames en obsidienne et haches en pierre polie finement exécutées. Sculptures aztèques (impressionnant serpent enroulé). Importance de la mort dans la culture précolombienne. Maquette de la pyramide de *Tenayuca*.

Indiens d'Amérique du Nord (dans les salles vers la gauche). Très riches collections de vêtements de danse et cérémoniels. Voir le casque comanche, dont les plumes descendent jusqu'au sol : il était destiné au soldat le plus valeureux. Belles pièces de vannerie, poupées katchina hopi et navajo, tissages, poteries peintes. Superbe collection de gravures et de photos de A. Huffman prises de 1876 à 1890 à la façon d'Edward Curtis, le photographe-ethnologue américain. Photos incroyables, tel ce massacre de bisons effectué par les Blancs et destiné à affamer les Indiens (vous avez dit génocide ?). Également, quelques beaux exemples de la *culture eskimo* : vêtements, os et dents de morse ciselés d'une rare finesse, totems, masques de bois, raquettes et kayak de 1912, montrant ce que l'on doit à ces Indiens méconnus.

– **Arts précolombiens d'Amérique du Sud :** après les Indiens d'Amérique du Nord, ce sont ceux du Sud qu'on retrouve au rez-de-chaussée. D'abord les objets en or, statuettes, bijoux, masques... Puis l'archéologie sud-américaine, principalement de Colombie, du Pérou et d'Équateur. Terres cuites zoomorphes, statuettes votives, superbes vases de la culture *chavin*, poterie peinte *nazca*, vases « *moches* » qui sont loin de l'être, puis les cultures *recuay, tinawaku* (Bolivie), *inca, chancay, ica, chimu*, etc. Insolites et jolies rames sculptées et vestiges de tissus aux riches motifs. Enfin, ne pas rater cette petite pièce où sont présentés de belles armes (pittoresques casse-tête notamment), outils, bijoux, bâtons de cérémonie.

– **Section Mers du Sud (Océanie et Pacifique) :** au fond de la salle *Méso-Amérique*, découvrez les cultures du Pacifique. Ce sont celles qui nous ont le plus scotché ! Savez-vous que le musée possède la plus fascinante collection de *malanggan* (masques et totems pour les cérémonies funéraires) au monde ? Expo d'objets venant la plupart de Nouvelle-Guinée et Nouvelle-Irlande. Parmi les pièces les plus impressionnantes, on trouve les énormes statues *(uli)* d'hommes avec des seins – mais, dit-on, ça indique seulement qu'ils sont bien nourris ! Pittoresques vitrines consacrées à la pêche traditionnelle (harpons et hameçons insolites) et aux cultures des îles Salomon, Marshall, etc. (objets domestiques, vêtements, instruments de cuisine). Impossible de tout citer, mais s'attarder surtout sur les rituels funéraires (inquiétant crâne d'homme peint, brrr !) et l'architecture (reconstitution minutieuse de demeures traditionnelles en bambou). Impressionnant culte du crocodile et masques magnifiques en forme de mérou, poisson-scie, cochon, etc. Tambours de guerre et vidéo sur les danses tribales. Exceptionnelle collection de bateaux océaniens, de toutes les tailles, de toutes les formes... En particulier, un immense navire à balancier micronésien, qui n'est pas sans évoquer les actuels catamarans. Les formes de voiles se révèlent souvent également étonnantes.

– **Section Afrique :** au 2e étage, la collection d'Art africain rassemble plus de 200 pièces qui datent d'une période allant de la fin du XIXe s à la Seconde Guerre mondiale. Les objets proviennent essentiellement du Bénin, du Cameroun et du Gabon, mais aussi des Luba du Congo. Ces collections ont eu une grande influence sur l'art européen au début du XXe s mais l'expo montre très bien l'inanité de la notion d'« Art primitif ». Magnifique travail de l'ivoire et du bois (voir ce léopard du Niger, aux taches unicolores). Étonnante *Kraftfigur* du Congo, aux yeux étincelants. Voir aussi le balafon à forme humaine, têtes et pieds.

– **Section d'ethnomusique :** au même étage, intéressante expo d'instruments de musique du monde entier. Ouds, cithares, balafons, tambours, trompes et toutes sortes de choses...

☙ Pour prolonger l'ambiance ethno, la cour du musée abrite une *thétéria* où l'on s'assied (ou se couche) sur des tapis orientaux. Histoire de souffler un peu quand même !

🗝 **Museum Europäischer Kulturen** *(musée des Cultures européennes ; plan Dahlem) :* Arnimallee 25. ☎ 83-01-429. ● smb.spk-berlin.de ● U-bahn : Dahlem Dorf ; bus nos 110 et 183. **Pour cause de travaux, le musée est fermé jusqu'à fin 2010.** Né en 1999 de la réunion de l'ancien musée des Arts populaires allemands et de la collection Europe du musée d'Ethnographie, il présente de grandes expos temporaires thématiques sur ce qui unit et différencie les grandes cultures européennes.

Brücke Museum (*musée Brücke ; plan Dahlem*) : Bussardsteig 9, Berlin-Zehlendorf. ☎ 831-20-29. • bruecke-museum. de • Forêt de Grünewald, après Dahlem. Depuis la gare de Dahlem, prendre le bus n° 183 jusqu'à l'arrêt Clayallee, puis le n° 115 jusqu'à la Pücklerstr. Tlj sf mar 11h-17h. Entrée : 5 € ; réduc. Visite commentée sur rdv.

Créé par des étudiants en architecture, dont Kirchner, Nolde et Heckel, le mouvement tire son inspiration de l'impressionnisme, puis du cubisme. *Die Brücke* constitue, avec le mouvement munichois *Der Blaue Reiter*, le creuset de l'expressionnisme. Encore sous l'influence de l'impressionnisme, les premières

REJETÉ PAR LES NAZIS

Très tôt, Emil Nolde, chef de file de l'expressionnisme allemand, adhère au parti nazi dans l'espoir d'être adoubé par le régime. Apprécié par Goebbels, qui a décoré son appartement de ses aquarelles, il est cependant critiqué par Alfred Rosenberg, le référent d'Hitler en matière culturelle. Ses portraits sont qualifiés de « négroïdes ». En 1937, on lui enjoint de cesser de peindre, ce qu'il refuse. Nolde est alors expulsé de l'Académie des Arts. Au cours de la campagne contre l'Art dégénéré, plus d'un millier de ses œuvres exposées dans les musées allemands sont confisquées, et même détruites. Incroyable déshonneur pour celui qui se réclame de la « germanité » la plus rigoureuse...

œuvres du Brücke sont avant tout graphiques. On distingue une stylisation abrupte, empruntée aux œuvres africaines. Les gravures produites étaient alors publiées chaque année dans un album.

Les tableaux de cette même période reprennent les traits anguleux, les couleurs contrastées et juxtaposées en aplat. Parti de Dresde, le groupe rejoint en 1911 le centre de la vie artistique d'alors, Berlin. *Die Brücke* adopte alors les formes du cubisme ainsi qu'une palette de couleurs plus adoucie.

Alternance entre d'intéressantes expositions temporaires et la collection du musée qui rassemble plus de 400 toiles, des milliers de dessins et de nombreux chefs-d'œuvre de bois gravés.

Quelques noms à retenir :

– *Emil Nolde* : membre du *Brücke* pour une courte période, il est représenté par six de ses œuvres, dont *Le Christ aux outrages,* l'un de ses premiers tableaux religieux de facture expressionniste.

– *Ernst Ludwig Kirchner* : ses scènes de la vie berlinoise avec des figures allongées évoquent le malaise de la vie citadine.

– *Karl Schmidt-Rottluff* : au fil de ses compositions, le peintre affiche une prédilection de plus en plus nette pour la couleur.

– *Erich Heckel* : il emploie les couleurs de manière différente. Les tons froids et austères rappellent parfois Cézanne.

– *Otto Mueller* : d'origine tzigane, c'est parmi les bohémiens qu'il recherche ses modèles. Il privilégie le nu placé dans un décor naturel aux accents lyriques.

Alliiertenmuseum (*musée des Alliés ; plan Dahlem*) : Clayallee 135. ☎ 818-19-90. • alliiertenmuseum.de • U-bahn : Oskar-Helene-Heim ; bus n°s 115 et 183. Tlj sf mer 10h-18h. Entrée gratuite. Inauguré en 1998, à l'occasion du 50e anniversaire du pont aérien, et constitué principalement de dons de vétérans, ce musée est consacré à la présence et au rôle des Alliés à Berlin de 1945 à leur départ en 1994. Il se situe dans l'ancien cinéma *Oostpost,* premier bâtiment construit en 1951 par les Américains, et dans la *Nicholson Memorial Library,* au cœur de l'ancien quartier général de l'armée américaine. Dans la cour, quelques imposants souvenirs lourds de symboles : un avion britannique Hastings utilisé pendant le blocus de Berlin (accessible à partir d'avril, le dimanche de 14h à 17h), un wagon d'un train militaire français, un morceau du Mur et un mirador, ainsi que la guérite de *Checkpoint Charlie,* en service de 1986 au 22 juin 1990. Exposition également en français.

🐾🐾 *Grünewald* (plan Dahlem) : S-bahn : Grünewald ; bus n° 218. Départ de Theodor-Heuss Platz. Magnifique forêt, qui permit aux Berlinois de se chauffer pendant les premiers hivers rigoureux de l'après-guerre... Comme dans un écrin, au bord du premier lac, admirez le pavillon de chasse (fin mai-oct, tlj sf lun 10h-17h ; nov-fin mai, slt w-e 10h-16h ; entrée : 4 €). À l'intérieur, tableaux de Cranach, Rubens et Pesne, petits musées de la chasse et de la forêt. Au centre, la tour de Grünewald (sur le Karlsberg) permet, du haut de ses 56 m, de se perdre, au-delà du lac de Wannsee, jusqu'à Potsdam... si l'on a choisi le bon jour.

Balades

🐾 🧍 *Domäne Dahlem* (plan Dahlem) : Königin-Luise Str 49. ☎ 666-30-00. U-bahn : Dahlem Dorf. Musée tlj sf mar 10h-18h. Un vrai bol de nature juste en face de la station du métro ! Balade sympa avec enfants ou si vous avez du temps (brochures et pancartes en allemand). C'est une ancienne ferme qui a conservé d'immenses champs (en pleine ville !), aujourd'hui transformée en ferme expérimentale. Bien entendu, possibilité de voir les animaux de ferme traditionnels (bovins, cochons, volailles diverses) et de visiter l'atelier du potier et du forgeron. Petit musée avec son antique épicerie et sa machine à fabriquer le chocolat. Devant chaque champ, explications (en allemand) sur les cultures. Activités pour les minots.

🐾🐾 🧍 *Botanischer Garten* (jardin botanique ; plan Dahlem) : Königin-Luise Str, à Steglitz. S-bahn : Botanischer Garten ; bus n° 183 ou 101. Entrée sur Unter den Eichen et Königin-Luise Platz. Tlj de 9h au coucher du soleil. Entrée (musée botanique compris) : 5 € ; réduc. Jardin extraordinaire de 43 ha, avec 22 000 variétés de plantes, 16 serres du début XXᵉ s, dont une gigantesque mesurant 23 m de haut ! Ces chiffres n'étonnent plus depuis longtemps les grand-mères du coin, qui passent leur après-midi à commenter les dernières floraisons. Pour ne rien manquer du spectacle, elles ont pris un abonnement annuel ! À coup sûr, elles vous serviront de guide à travers les camélias, orchidées, cactus, plantes tropicales et médicinales.

🐾 *Teufelsberg* (montagne du Diable ; plan d'ensemble B2) : un des neuf Mont Klamott, petits sommets artificiels, composés d'une partie des ruines de Berlin après la guerre ! Rappelons que ce sont les femmes qui se sont tapé tout le boulot du déblaiement ! Les hommes étaient prisonniers. Le Teufelsberg fait tout de même 114 m de haut ! En hiver, on peut y skier : il y a même un remonte-pente. Le Teufelssee tout proche est l'un des rendez-vous naturistes du grand Berlin.

LE QUARTIER DE WANNSEE (plan d'ensemble A3)

Entre Dahlem et Potsdam, un magnifique enchevêtrement d'îles boisées et de lacs. Un peu partout, des villas que l'on devine luxueuses derrière les feuillages. Du zoo, S-Bahn direct jusqu'à Wannsee (20 mn). Très bon plan : louer ensuite un vélo à la gare pour aller au château de Sans-Souci à Potsdam (8 km par une piste cyclable qui longe la forêt).

Où dormir ?

Bon marché

🏠 *Jugendgästehaus Am Wannsee :* Badeweg 1, 14129 Berlin-Zehlendorf. ☎ 803-20-34. ● jh-wannsee@jugendher berge.de ● jh-wannsee.de ● En direc- | tion de la ville de Potsdam, au bord du lac. S-Bahn S1 ou S7 jusqu'à Nikolassee ; ensuite, marcher env 15 mn : prendre la passerelle Rosemeyerweg qui *enjambe l'autoroute, tourner à gauche dans Kronprinzessinenweg, puis à droite dans Badeweg (c'est fléché). Plus de liaisons régulières par le bus sf en nocturne (N16 jusqu'au S-bahn Wannsee). Fermé 10h-13h. Check-in jusqu'à 22h (bon accueil). Nuitée 15 €/pers avec carte Hostelling International, 20 € sans ; petit déj compris. À 15 mn à pied* de la plage de Wannsee (voir rubrique « Où se baigner ? »), mais loin des chaudes soirées berlinoises. Une grande auberge de jeunesse, fonctionnelle et pratique, mais sans grand caractère. Dortoirs de 4 lits, douche à partager entre 2 chambres avec w-c à l'étage. Draps fournis. AJ très bien située, au calme. Grand jardin au bord du lac.

À voir

🚶 **Museumsdorf Düppel** : Clauertstr 11. ☎ 802-66-71. S-bahn : Zehlendorf, puis bus n° 115, arrêt Ludwigsfelder ; U-bahn : Krumme Lanke, puis bus n° 211 ou 629, arrêt Linderthaller Allee ; ensuite, 5 mn de marche, c'est fléché. Ouv d'avr à mi-oct jeu 15h-19h, dim et j. fériés 10h-17h ; dernière entrée 1h avt fermeture. Entrée : 2 €. Musée vivant retraçant la vie d'un joli petit village du XIIIe s. Conseillé pour les enfants.

Au bord du lac Wannsee

🍴 **Grosser Wannsee** : pour s'y rendre, S-Bahn direct jusqu'à Wannsee (du zoo). Compter 20 mn de trajet. Prolongement de la Havel, un joli lac avec la plus grande plage intérieure d'Europe.
➤ De là, nombreux bateaux pour Kladow, Potsdam ou l'île aux Paons (Pfaueninsel).

🍴 **Pfaueninsel** (île aux Paons) : S-bahn : Wannsee, puis bus A16. En voiture, accès Nikolskoer Weg. On accède à l'île en bac. Avr-oct, mar-dim 10h-17h. Compter 1 € ; réduc. Une réserve naturelle (interdit d'y fumer) avec un étonnant château du XVIIIe s, une maison suisse, un jardin de roses (ouvert de mai à septembre), une laiterie de style médiéval et des paons, bien sûr !

🏖 **Strandbad Wannsee** : la plage de Grosser Wannsee, avec du sable véritable. S-bahn : Nikolassee, puis marcher ; bus spéciaux les j. d'affluence. Station balnéaire payante (4 €) et, on s'en doute, ultra bondée en été. Installations nautiques. Pour ceux qui n'aiment pas trop les bains de foule, d'autres plages sont également accessibles au nord de la Strandbad, en longeant la Havelchaussee (S-bahn : Nikolassee), ou au sud (S-bahn : Wannsee), en longeant Am Grossen Wannsee.

🏖 **Schlachtensee** : au sud-ouest de Berlin. S-bahn ligne 1 : Schlachtensee. Lac à quelques minutes du S-bahn, moins fréquenté que le Wannsee et un peu plus propre.

🍴🍴 **Villa Am Wannsee, le mémorial de la Persécution** (maison de la Conférence) : Am Grossen Wannsee 56-58. ☎ 805-00-10. Du S-bahn (Wannsee, of course !), prendre le bus n° 114 jusqu'à Haus der Konferenz. Tlj 10h-18h. Entrée gratuite. Livret en français. C'est ici qu'eut lieu la conférence du 20 janvier 1942 traitant de la « solution finale » imaginée par Reinhard Heydrich. De nombreux documents, dont le compte rendu de la conférence, qui mentionne des objectifs chiffrés. Remarquable exposition sur les ressorts de l'holocauste. Saisissant !

– Au-delà, de ce côté de Berlin, se trouve Potsdam. Entre les deux, sur la N 1, le fameux **pont de Glienicke**, qui figure dans tant de films d'espionnage (voir plus loin « Potsdam. À voir »).

LES QUARTIERS PÉRIPHÉRIQUES

POTSDAM, LE VERSAILLES PRUSSIEN
(plan d'ensemble A3 et plan Potsdam ; ind. tél. 0331)

Capitale du Brandebourg (administrativement, ce n'est donc plus Berlin) avec 140 000 habitants, l'ancienne résidence royale demeure la quintessence de l'élégance prussienne. Grâce à son fleuve (la Havel) et à ses vastes terrains de chasse, l'emplacement fut choisi par les monarques au début du XVIIe s. La ville est restée dans son jus, très agréable.

UN PEU D'HISTOIRE

Au milieu des forêts giboyeuses environnantes, Potsdam en 1648 n'offre que l'aspect quelconque d'un village de pêcheurs. L'Électeur Frédéric-Guillaume décide alors d'en faire sa résidence. Sous son impulsion, la petite cité bénéficie des premiers aménagements qui en font une ville soignée : pavage des rues, tracé de nouvelles voies et construction d'un château sur l'emplacement d'une ancienne forteresse. En 1685, le Grand Électeur organise la venue de 20 000 huguenots pour repeupler le Brandebourg, saigné par la guerre de Trente Ans. Le monarque jura même : « L'îlot de Potsdam deviendra un paradis ! »

Une ville modèle sous Frédéric Iᵉʳ

Potsdam devient ensuite une ville modèle sous Frédéric Iᵉʳ, alliant un pouvoir fort à la tradition humaniste. Sans modifier la ville autant que son père, il en change l'état d'esprit et y attire une cour brillante. Aimant les fêtes et parties de chasse, Frédéric Iᵉʳ désire alors étaler aux yeux de tout le monde la puissance de son royaume. Son fils, Frédéric-Guillaume Iᵉʳ, peu enclin aux excès festifs de son père, est surnommé le Roi-Sergent. Son obsession de l'équilibre budgétaire l'amène à vendre le mobilier baroque du château, à transformer l'orangerie en écurie et le château de Glienicke en hôpital. Sous son règne, Potsdam devient une ville de garnison (jusqu'à 8 000 soldats), où il aime voir défiler ses grands gars *(Lange Kerls)*, qui constituent la Garde royale. Il fait entourer la ville d'un mur d'enceinte afin de contrôler les entrées et sorties des habitants, et surtout d'empêcher toute tentative de désertion. Il faut néanmoins reconnaître que, sous son règne, Potsdam a bénéficié d'aménagements urbanistiques de taille : rénovation du vieux centre-ville, édification du quartier hollandais et de nombreuses églises.

« Une Athènes resplendissante », selon Voltaire

Outre la construction d'édifices majeurs comme le château de Sans-Souci et le Nouveau Palais, Frédéric II le Grand oblige les propriétaires des demeures bourgeoises à veiller à l'entretien des façades. Ami des arts et des lettres, Frédéric II le Grand s'entoure d'une cour choisie exclusivement d'hommes de culture s'exprimant en français (voir encadré). Selon le récit de Voltaire, ami du monarque éclairé, « la triste Sparte se métamorphosa en une Athènes resplendissante » sous Frédéric II.

VOLTAIRE-FRÉDÉRIC II : UN COUPLE FRANCO-ALLEMAND

Rousseau ayant refusé l'invitation de Frédéric II, Voltaire accepte de s'installer à Potsdam, où il devient, pour 3 ans, « philosophe de cour ». Entre Voltaire, philosophe-roi, et Frédéric II, roi-philosophe, c'est une histoire d'amour ! Ils s'écrivent près de 800 lettres pendant 42 ans. Voltaire regarde et qualifie son protecteur de « Salomon du Nord », auquel il veut « consacrer sa vie ». La Prusse des Lumières est pour lui « le pays des fées... opéra, comédie, philosophie, poésie... grandeur et grâce, grenadiers et muses, repas de Platon, société et liberté ! Qui le croirait ? poursuit Voltaire. Tout cela est vrai. »

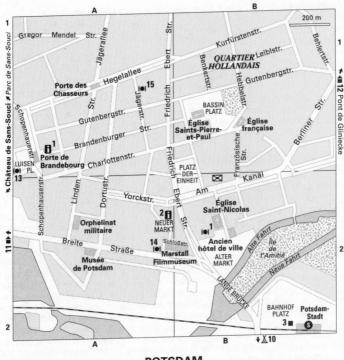

POTSDAM

■ **Adresses utiles**

🛈 1 Potsdam Information
🛈 2 TMB Informations
und Buschuns-service
Reiseland Brandenburg
3 Location de vélos
(Postdam per Pedales)

⚑ ⌂ **Où dormir ?**

10 Campingpark Sans-Souci/
Gaisberg

11 Pension Astrid Schulz
12 Schiffspension Luise

|◉| **Où manger ?**

1 Zum Fliegenden
Holländer
13 Restaurant Luisa
14 Café Im
Filmmuseum
15 Restaurant
Juliette

Les commandes du roi et de la noblesse attirent aussi les architectes, peintres, sculpteurs et musiciens de toute l'Europe, faisant rayonner la réputation de Potsdam.

Ensuite, par une gestion hasardeuse et l'absence de génie militaire, Frédéric-Guillaume II et III conduisent le royaume à sa perte.

Napoléon, l'invasion et le déclin

C'est à Potsdam, en 1805, qu'est scellée la Sainte-Alliance entre la Russie, l'Autriche et la Prusse, régie par Frédéric-Guillaume III. Victorieux à Auerstedt et Iéna, Napoléon et la Grande Armée marchent sur Berlin et occupent Potsdam pendant

2 ans. L'occupation napoléonienne marque un coup d'arrêt temporaire à l'essor prussien. La ville devient alors un dépôt de la cavalerie de l'empereur, qui transforme les églises en écuries mais épargne par respect la *Garnisonkirche,* où repose Frédéric II, qui a fait son admiration.

Au lendemain des guerres de libération, Potsdam devient un centre administratif du royaume prussien. En 1838, la première voie ferrée relie Berlin à Potsdam. En 1848, la ville demeure à l'écart des troubles qui secouent le trône.

L'empereur Guillaume Ier transforme le vénérable château de Babelsberg en un castel néogothique, style très en vogue à cette époque. Guillaume II, lui, s'installe aussi à Potsdam, afin de satisfaire son goût de la représentation : la vie luxueuse de la cour dans le Nouveau Palais n'empêche cependant pas les habitants d'élire en 1912 un socialiste au Reichstag : Karl Liebknecht.

Les accords de Potsdam (1945) et le renouveau

En mars 1933, le ministre de la Propagande d'Hitler, le Dr Goebbels, choisit la ville de Potsdam, symbole du militarisme prussien et de la grandeur passée, pour y organiser une sorte de gigantesque show destiné à marquer la continuité entre la tradition prussienne et la « révolution nationale ». En avril 1945, Potsdam connaît un terrible bombardement britannique qui anéantit la majeure partie de son centre historique. Du 17 juillet au 2 août, Churchill, Truman et Staline, les alliés victorieux du Reich, tiennent au Cecilienhof une conférence qui donne jour aux fameux accords de Potsdam, scellant ainsi le sort des puissances de l'Axe et fixant la carte de l'Europe jusqu'en 1989. Les accords consacrent le triomphe de Staline, dont on a oublié le pacte de non-agression avec Hitler et qui fait valoir les 20 millions de morts du fait de la guerre. Ils prévoient le désarmement et la dénazification de l'Allemagne. En matière de réparations, on propose des prélèvements en nature (machines, matières premières, etc.) par les vainqueurs dans leur zone d'occupation respective, plutôt que des versements monétaires. Les gigantesques transferts de populations (Allemands et Polonais chassés de l'Est, Allemands chassés de Silésie, des Sudètes, de Transylvanie...) sont entérinés. La conférence reconnaît à la Pologne le droit d'administrer les provinces allemandes situées à l'est de la ligne Oder-Neisse. Staline pense de cette façon prévenir toute réconciliation entre la Pologne et l'Allemagne...

Sous le régime de la RDA, les dirigeants communistes s'acharnent à faire disparaître les vestiges de l'ancienne Prusse : le château de la ville et la Garnisonkirche sont dynamités. Ce n'est qu'à partir de 1975 que la municipalité entreprend de grands programmes de restauration de l'héritage culturel prussien. Efforts qui seront d'ailleurs poursuivis et accélérés au lendemain de la réunification allemande.

Comment y aller ?

En voiture

Situé tout près de Berlin, sur ce qui était le territoire de la RDA, Potsdam est accessible par l'Avus (autoroute A 115 partant de la *Funkturm,* tour de Radio).

En train ou S-Bahn

➤ Prendre le S-bahn (ligne S7) et descendre au terminus, Potsdam Stadt. Compter 40 mn de trajet depuis la Hauptbahnhof. Il vous faudra acheter un billet pour les zones ABC. À la gare de Potsdam, louer un vélo pour le *château de Sans-Souci* (env 4 km). À la sortie de la gare, on peut aussi emprunter un des bus touristiques qui font le tour des sites de Potsdam pour 26 €. Fonctionnent avr-fin oct, tlj sf lun, à partir de 11h ; le reste de l'année, slt ven-dim. Avantages : gain de temps dans les déplacements, escales à Sans-Souci et à Cecilienhof (entrées non comprises). Bons commentaires.

– Nouveau : depuis Berlin, 1 fois/h (donc pas tous les trains, consultez les panneaux d'affichage à la gare) le RE1 achemine directement les visiteurs à Sans-Souci. Départ depuis Hauptbahnhof ou Tiergarten.

Adresses utiles

🛈 **Potsdam Information** (plan Potsdam A1, **1**) : Brandeburger Str 3 (Am Brandeburger Tor). ☎ 27-55-80 ou 275-58-29 pour la loc de chambres. ● pots damtourismus.de ● De la gare de Potsdam Stadt, passer le Lange Brücke puis remonter la Friedrich-Ebert Str et prendre à gauche la Charlottenstr. Tlj, nov-mars, slt le mat w-e et j. fériés. Nombreuses brochures à disposition et personnel efficace.

🛈 **TMB Informations und Buschuns-service Reiseland Brandenburg** (plan Potsdam A2, **2**) : Am Neuen Markt 1, Kabinetthaus, 14467. ☎ 12-00-47-47. ● reiseland-brandenburg.de ●
■ **Location de vélos** (plan Potsdam B2, **3**) : **Potsdam per Pedales**, à la gare de Potsdam Griebnitzsee. ☎ 17-48-00-57. ● mail@pedales.de ● Avr-oct 9h-18h30. Résa conseillée. Vous sortez du train et, hop, vous montez sur un vélo...

Où dormir ?

On ne séjourne pas à Potsdam, on y passe juste la journée. C'est pourquoi, si vous venez de Berlin, pensez à prendre votre vélo. Voici néanmoins quelques possibilités d'hébergement.

Camping

⚑ **Campingpark Sans-Souci/ Gaisberg** (plan d'ensemble A3 et hors plan Potsdam par B2, **10**) : An der Pirschheide 4, à env 5 km au sud-ouest du centre-ville de Potsdam. ☎ 951-09-88. ● info@camping-potsdam.de ● De Potsdam, prendre la B 1, direction Brandenburg/Werder. De Berlin, A 10, sortie Michendorf/Potsdam Süd, puis direction Potsdam B 2. Accès en bus (n° 695), en train ou en tramway (n° 94 ou 96), jusqu'à la gare Pirschheide, à 2 km du camping, qui propose un transfert gratuit en minibus 9h-11h, 17h30-20h (sur appel téléphonique pour le retour : ☎ 95-10-988). Liaisons jusqu'à Potsdam ttes les 10 mn jusqu'à 14h ; après, ttes les 15 mn. Ouv avr-fin oct, 8h-13h, 15h-22h. Prévoir 23 € pour 2 avec tente et voiture. Au bord du Templiner See, sous les arbres. Cadre très agréable. Très propre. Possibilité de se baigner, de pêcher et de faire du bateau. Location de vélos. Magasin d'alimentation et restaurant. Machines à laver. Bon accueil.

Prix moyens

🛏 **Chambres chez l'habitant** : résas au Potsdam Information (voir ci-dessus). Grand choix à tous les prix.
🛏 **Pension Astrid Schulz** (hors plan Potsdam par A2, **11**) : Auf dem Kiewitt 8, 14471 ☎ 90-36-78. ● pension-auf-dem-kiewitt.de ● Quasiment dans le centre-ville. De Luisenplatz, prendre Zeppelinstr ; c'est la 2ᵉ à gauche, une rue sans charme, mais calme et verte. Doubles 80-90 €, petit déj en sus. Parking gratuit. Un petit déj offert par chambre à partir de la 2ᵉ nuit sur présentation de ce guide. Petite maison très simple et mignonne, à l'intérieur sans prétention, arrangée avec goût. Chambres douillettes impeccables. Propriétaire sympathique. Location de vélos.

Plus chic

🛏 **Schiffspension Luise** (hors plan Potsdam par B1, **12**) : Berliner Str 58. ☎ 24-02-22. ● schiffspension.de ● S-bahn : Potsdam Babelsberg. Du centre de Potsdam, prendre Berlinerstr ; la péniche est au mouillage sur la droite avt le pont métallique de Gliniecke. Résa conseillée, car il n'y a que quelques chambres. Double 89 € ; simple 49 €. Le romantisme d'une pension sur un bateau. Grande « terrasse » sur le pont du bateau.

Où manger ?

l⬤l Zum Fliegenden Holländer (plan Potsdam B2, 1) : Benkertstr 5. ☎ 27-50-30. ● info@zum-fliegenden-hollaender. de ● À côté de l'office du tourisme. Tlj 10h-minuit (22h dim). Formule soupe + plat env 9 € (lun-ven 11h-15h), repas complet avec vin ou bière 15-35 €. CB refusées. Il y en a pour toutes les bourses. Dans le très beau quartier hollandais, un bar-restaurant à l'atmosphère de pub anglais qui propose de succulentes spécialités hollandaises (tiens donc !) : viandes et poissons en sauce accompagnés de pommes de terre et de fromage fondu, harengs marinés, soupes de pois ou de champignons.

l⬤l Café Im Filmmuseum (plan Potsdam A2, 14) : Breite Str 1a. ☎ 201-99-96. ● restaurant@filmcafe-potsdam. de ● Tlj sf lun 12h-minuit. Repas complet 8 €. CB refusées. Dans les anciennes écuries royales, un temps également orangerie, aujourd'hui musée du Cinéma. Aménagement moderne et cuisine soignée d'inspirations française et italienne. Belles photos sur les murs et animations diverses : lecture, piano, danse orientale...

l⬤l Restaurant Luisa (plan Potsdam A1, 13) : Luisenplatz 6. ☎ 971-90-90. ● info@luisa-potsdam.de ● Tlj 12h-minuit ; dernier service 23h. Repas 15-20 €. Cuisine italienne essentiellement (dont un alléchant buffet d'antipasti), quelques plats bien français (rillettes-baguette !) et allemands (ah, tout de même...). Le patron, jovial et polyglotte, vous accueille dans un décor sobre et de bon goût, avec des fleurs partout. Service rapide et aimable. Bref, une adresse sympa.

l⬤l Restaurant Juliette (plan Potsdam A1, 15) : Jägerstr 39. ☎ 270-17-91. Dans une rue perpendiculaire à la rue piétonne. Tlj le midi. Menus 52-85 € sans les vins ; sinon repas complet 75 €. En pleine Prusse, les boiseries et la cheminée rappellent la Normandie. Terrasse aux beaux jours. La cuisine française très raffinée, secondée par un grand choix de vins, fait de Juliette une adresse chère mais excellente. Un seul reproche : les serveurs n'entendent pas tous la langue de Voltaire !

À voir

🚶🚶 **Filmmuseum** (plan Potsdam A-B2) : Marstall am Lustgarten. ☎ 27-18-10. ● filmmuseum-potsdam.de ● Tlj 10h-18h. Entrée : 3,50 € pour le musée ; 5 € pour les films. Le musée retrace l'histoire des studios de Babelsberg depuis la création de la UFA (Universum Film Aktiengesellschaft) en 1917, de ses productions les plus glorieuses (Metropolis de Fritz Lang) à ses heures les plus sombres, avec, par exemple, la liste interminable des « Filmemigranter » qui ont dû s'exiler sous le régime nazi. Très belle collection de caméras à l'entrée, photos, affiches, souvenirs, comme le peignoir de Marlène Dietrich. Également des expositions temporaires et des projections de films.

🚶🚶 **Le centre-ville :** il ne reste plus grand-chose de ce monument d'art qu'était la cité de Potsdam avant la Seconde Guerre mondiale... Pendant la nuit du 14 au 15 avril 1945, quelques jours avant la reddition de Berlin, un terrible bombardement britannique fit voler en éclats une bonne partie de la vieille ville. Pour la plupart, les palais ont disparu, laissant orphelins la Nikolaikirche, l'ex-hôtel de ville néoclassique et les anciennes écuries du palais (transformées en musée du Cinéma). Toutefois, les rues rescapées du cœur historique, aujourd'hui bien restaurées, donnent une idée de la splendeur passée de Potsdam. Un peu plus haut que la Nikolaikirche, perpendiculaire à la Friedrich-Ebert Strasse, un morceau de l'ancien canal a été reconstitué (devant la Cour des comptes). Opération urbaine qui coûta, dit-on, une fortune. Au bout du canal, le *palais de Brocksches* porte encore les stigmates de la dernière guerre et attend d'être rénové.

🚶🚶🚶 **Le quartier hollandais** *(plan Potsdam B1)* **:** il doit son nom à la tentative de Frédéric-Guillaume Ier d'attirer des artisans néerlandais pour assécher les marécages (en 1752). Il fit construire pour les séduire 134 maisons de style flamand. L'histoire rapporte que ce fut un demi-échec et que des soldats du roi et des artisans locaux en profitèrent. Ce quartier singulier est désormais l'un des plus fréquentés de Potsdam. Ses rues pavées, ourlées de jolies maisonnettes à pignon, conduisent à une foule de cafés, restaurants ou boutiques d'artisanat.

🚶 **La colonie russe d'Alexandrowka :** au nord de la Nauener Tor. Commande de Frédéric-Guillaume III, ce village, paraissant tiré des meilleures pages de Tourgueniev ou de Tolstoï, devait récompenser la fidélité du chœur russe de l'armée impériale. En 1826, 13 confortables demeures de bois furent construites pour eux. Les 26 chanteurs avaient été recrutés en 1812 parmi les soldats russes prisonniers, le tsar n'ayant pas encore rompu avec Napoléon. Deux des maisons sont encore occupées par des familles descendant des habitants d'origine. Menacées par la construction d'une ligne de tramway, ces maisonnettes en bois sculpté ont été sauvées en 1997 grâce à l'intervention de l'Unesco. Un peu plus au nord, cachée dans la forêt, la *chapelle orthodoxe Alexandre Nevski*, qui ressemble à une grosse meringue rose, tranche avec le style habituel de Schinkel.

🚶 **Glienicker Brücke** *(hors plan Potsdam par B1)* **:** tt au bout de Berliner Str. Bordée de casernes et de belles demeures, se trouve le pont de Glinecke, qui relie Potsdam à Berlin. Cette grosse structure métallique est sans grand intérêt en soi, mais il s'agit d'un lieu historique : c'est là qu'avaient lieu les échanges entre les espions de l'Est et de l'Ouest à l'époque du Mur. Entre autres, en 1962, le pilote américain Gary Power, le pilote du fameux U2 (l'avion-espion) abattu au-dessus de la Russie, contre Aber, l'un des plus grands espions du KGB et, en 1985, le mathématicien Charansky, célèbre dissident soviétique. À gauche du pont, encore de belles villas, notamment sur Menzelstrasse. Nombre de Berlinois rêvent d'y vivre.

Le parc et les châteaux de Sans-Souci

➤ *Pour gagner Sans-Souci depuis la vieille ville, empruntez la Brandenburgerstr (rue piétonne) jusqu'à la porte du même nom (pour les mélomanes : c'est au n° 10 que Mozart séjourna l'année de notre Révolution), puis l'allée Nach Sans-Souci, qui vous mène à l'entrée du parc : peintures jaunes en veux-tu, en voilà... Si vous souhaitez prendre le bus, vous pouvez éviter les circuits touristiques ; le bus n° 695 est inclus dans le ticket de zone C et circule ttes les 20 mn entre la gare de Potsdam et le château de Sans-Souci, avec un arrêt au Neues Palais.*
– Pour ts rens concernant le parc et les châteaux : ☎ *969-41-90 ou 969-42-02. Pause 12h30-13h dans ts les monuments.*
– Conseil : il existe plusieurs formules valables pour les sites et édifices du parc de Sans-Souci ; Tageskarte individuelle à 14 € (réduc 10 €), Tageskarte familiale pour 2 adultes et 3 enfants de moins de 18 ans à 24 € (avec le château de Charlottenburg), et enfin Premium Tageskarte individuelle à 19 € (réduc 14 €) incluant le château de Sans-Souci. Elle est intéressante pour qui veut visiter au moins 3 sites.

◉ 🚶🚶🚶 **Le parc :** accès gratuit au départ de la Brandenburger Tor par la Schopenhauer Str (à pied par l'allée Nach Sans-Souci ou bus n° 695 depuis la gare qui vous y conduit en 20 mn ; il fait le tour des châteaux). Plan et guide en français, en vente dans le moulin ou derrière le Nouveau Palais, à côté de l'entrée du théâtre. Portail devant l'obélisque aux hiéroglyphes fantaisistes (exécutés avt la découverte de Champollion !). Couvrant une superficie de 290 ha, ce parc merveilleux recèle d'innombrables trésors : maison chinoise cachée parmi les arbres, cours d'eau, fontaines, jardins botaniques, arbustes exotiques... et quantité de statues ! Les plus fameuses sont du sculpteur français Jean-Baptiste Pigalle, notamment une *Vénus* et un *Mercure*. Louis XV en fit cadeau au « Vieux Fritz » contre quelques chevaux...

⌖ ⚞⚞⚞ *Le château de Sans-Souci :* dans le parc, 2ᵉ bâtiment à droite. Accès depuis la gare avec le bus 394. Tlj sf lun 10h-18h (17h nov-mars). Entrée : 12 €. Visite guidée et en groupe obligatoire.

QUAND BERLIN PARLAIT ET PENSAIT EN FRANÇAIS

Au XVIIIᵉ s, le modèle culturel français règne sur la Prusse. Frédéric II parle plus facilement le français (sans accent) que l'allemand. Au château de Sans-Souci, il s'inspire de Louis XIV, qui avait séparé sa résidence (Versailles) de la capitale (Paris). En 1764, il propose à Jean-Jacques Rousseau de venir à Berlin, où il toucherait une pension. Ce dernier refuse, tout comme d'Alembert. Des savants français répondent à l'invitation : le mathématicien Lagrange et le médecin La Mettrie. Mais c'est surtout Voltaire qui contribue à faire de Berlin une capitale culturelle de l'Europe du XVIIIᵉ s.

Photos interdites. Arriver le plus tôt possible pour réserver ses billets ; il arrive certains j. que la vente des billets s'arrête à midi faute de place.

Inscrit au Patrimoine mondial de l'Unesco. Avec sa façade à un seul étage, il est considéré comme « le joyau du rococo allemand ». Construit au milieu du XVIIIᵉ s, c'était le refuge du roi Frédéric II le Grand, qui y collectionnait les tableaux et y recevait ses amis philosophes. C'est lui qui en dessina les plans. Son ami Voltaire y passa 3 ans (de juin 1750 à mars 1753) : sa chambre est superbe... mais il n'y a jamais dormi, ayant quitté le château avant qu'elle ne soit achevée !

Côté ville, magnifique façade dominant le jardin en terrasses et le bassin central. Abondance du décor, foule de silènes, angelots, bacchantes et vases... Côté intérieur (où se trouve l'entrée), la cour, bordée d'une élégante colonnade.

Quelques temps forts de la visite :

– *Le vestibule :* orné de colonnes corinthiennes et de fresques au plafond de J. Harper, représentant Flora (symbole du printemps). Servait aussi de salle de réception.

– *La Petite Galerie :* début des appartements royaux. Richement ornée de stucs dorés. Tableaux d'Antoine Watteau (en particulier la *Bridal Procession*) et de ses élèves, Pater et Lancret. Frédéric II était fou de peinture française.

– *La bibliothèque :* toute ronde et décorée de lambris en bois de cèdre avec stucs dorés. Superbe plancher marqueté. La grande majorité des visiteurs de Frédéric II n'était pas autorisée à y pénétrer. Plus de 2 000 livres et, bien entendu, les œuvres complètes de Voltaire.

– *Chambre et bureau :* on y trouve le fauteuil où mourut le roi en 1786 et sa table de travail. Portrait de Frédéric II à 28 ans réalisé par Antoine Pesne, peintre de la cour d'origine française.

– *La salle de concert :* là aussi, abondance de rococo. Il y en a partout, sauf sur le plancher ! Cinq toiles de Pesne illustrent les *Métamorphoses d'Ovide*. Flûte du roi, dont il jouait fort bien (il composait même des sonates pour flûte).

– *La salle des Audiences :* beaucoup de toiles, une vraie galerie de peinture. Des œuvres signées Watteau, de Troy (*La Déclaration d'amour*), Lancret et Pater.

– *La salle de Marbre :* immense salle ovale encadrée de colonnes corinthiennes en marbre de Carrare. Sol en incrustation de marbre. Tout autour de la coupole, les symboles des arts et des sciences (musique, peinture, architecture...). C'est ici que Frédéric II organisait ses fameux soupers philosophiques.

– *Les chambres des hôtes :* la première est décorée de chinoiseries ; dans la deuxième, nombreux tableaux dont un délicieux *Banquet italien* de Lancret, exécuté à la manière de Watteau, et deux grands portraits de Pesne. Dans la troisième, tableaux démontrant la passion de Frédéric II pour la peinture italienne de son époque (deux belles vues de Rome par Panini). Parquet de chêne du XVIIIᵉ s d'origine. Dans la quatrième, dite salle des Fleurs blanches, tous les tissus jaunes ont été retissés en 2001 à l'identique à partir d'un échantillon de l'époque retrouvé. Sur les murs, délicat décor de fruits, fleurs et perroquets. Petit buste de Voltaire (d'après Houdon) qui, à propos, malgré une légende tenace, ne dormit jamais dans cette chambre (il partit avant qu'elle ne soit aménagée). On continue cependant à l'appeler la « chambre de Voltaire » !

🎨🎨 *La galerie de tableaux :* à côté. ☎ 969-41-81. Mai-oct slt, tlj sf lun 10h-18h. *Entrée :* 3 €. Le musée le plus ancien d'Allemagne (1755), dans un bâtiment construit précisément pour l'abriter. Pittoresque dôme sur la partie centrale, élégantes portes-fenêtres en arcades. Devant la façade, belle série de sculptures, allégories des arts et des techniques. Une très belle salle qui s'étend sur toute la longueur du bâtiment. Quelques belles toiles italiennes et flamandes (Bassano, Le Tintoret, Rubens, Van Dyck...) et de fines fresques murales. Des concerts y ont lieu en été.

🎨🎨 *Le château de Neue Kammern* (Nouvelles Chambres) : *parallèle à Sans-Souci (les jardins des 2 châteaux communiquent).* ☎ 969-42-06. Ouv slt mai-oct, tlj sf lun 10h-17h. *Entrée :* 4 €. Construit d'abord comme orangerie en 1747, puis transformé en hébergement pour les hôtes en 1771. Ravissant décor, notamment dans la galerie d'Ovide et la galerie des Glaces. Moins célèbre que son voisin mais tout aussi intéressant ; son style baroque fait tout de suite plus sobre. Regarder, lorsqu'on est au bas du jardin, l'étonnant mélange que forment l'édifice et, derrière, le gros moulin qui fonctionne toujours et qui semble posé sur le château de façon incongrue.

🎨 *Le château de l'Orangerie :* un peu plus loin, après le petit château de Neue Kammern. ☎ 969-42-80. Mai-oct slt, tlj sf lun 10h-18h. *Entrée :* 4 €. Construit en 1851 dans un style italianisant (inspiré de la Villa Médicis à Rome, dit-on). Au départ, il abritait en hiver les plantes tropicales. On visite aujourd'hui les appartements du tsar Nicolas Iᵉʳ et une salle abritant les copies de 47 tableaux de Raphaël. Conçu comme le refuge de Frédéric-Guillaume IV (celui qui avait un petit grain...), ce rêve italien est assez enchanteur (somptueux décor et mobilier).

🎨🎨🎨 *Le Nouveau Palais :* au fond du parc. ☎ 969-42-00. *Mêmes horaires que le château de Sans-Souci, mais fermé mar. Entrée :* 6 €. Un brin mégalo : 400 pièces, 428 statues et 322 fenêtres sur 213 m de long ! Il fut construit en 1763 pour prouver que la Prusse ne sortait pas ruinée de la guerre de Sept Ans...
Parmi les curiosités : une pièce en forme de grotte marine *(salle 2)* au décor assez époustouflant. Décor de bandes de marbre alternées, rehaussées d'incrustations de verre, de divers minéraux de la

région, de coraux et de coquillages. Le tout fut enrichi à la fin du XIXᵉ s de pierres semi-précieuses, de fossiles et de coquilles d'escargot provenant du monde entier. Dans des niches, de ravissantes fontaines.
On découvre ensuite la *galerie de marbre,* dans un style rococo de fin de règne totalement maîtrisé, presque austère comparé à d'autres salles. Au plafond, trois fresques figurant la Nuit, le Matin et le Midi (métaphore d'Apollon dispersant les ténèbres). Ensuite, visite des appartements de Frédéric II. Impossible de tout décrire, chambres et antichambres rivalisant dans la richesse décorative. On y trouve nombre d'œuvres de Rubens, Van Dyck, de grands maîtres italiens et un

luxueux mobilier. En particulier, la chambre de travail (*salle 7*) est l'une des rares du château à avoir conservé leur agencement d'origine. Admirer la commode décorée de marqueterie d'écaille, de nacre et d'ivoire, l'un des plus beaux exemples de meubles prussiens de cette époque. Appartements princiers tout aussi luxueux (salle de concert, chambres des Dames, etc.). Enfin, on découvre dans l'aile droite un étonnant théâtre de 300 places.

🏃 *Le château de Charlottenhof :* au sud du parc, à côté des bains romains. ☎ 969-42-28. Tlj sf lun, mai-oct, 10h-18h. Visite guidée obligatoire : 4 €. Lui aussi sent l'Italie. Œuvre du grand architecte Schinkel en 1826. Voir surtout l'intérieur, de style classique. De la terrasse du *Hofgartnerhaus* des bains romains, la vue sur le château est délicieuse... Ne pas manquer de flâner dans la superbe petite roseraie.

🏃 *Le belvédère de Pfingstberg :* au nord de la ville ; accès par Netlitzer Str. ☎ 200-57-93-72. Juin-août 10h-20h ; avr-mai et sept-oct jusqu'à 18h ; mars et nov, slt w-e 10h-16h. Entrée : 3,50 € ; réduc ; mais parc gratuit. Édifié à 76 m d'altitude, sur le mont de la Pentecôte. Le roi Frédéric-Guillaume IV en commença la construction en 1847. Utilisé à des fins militaires et de surveillance par les Soviétiques de 1945 au début des années 1990, le jardin disparut. Le belvédère tomba aussi en ruine. Ils furent rénovés en 1999 et ont retrouvé aujourd'hui toute leur splendeur. Quant au *temple de Pomona,* ce fut, en 1801, la première œuvre de Schinkel.

🏃🏃 *Le palais de Marbre :* ☎ 969-42-46. Bus n° 694. Mai-oct, tlj sf lun 10h-18h ; nov-avr, slt w-e 10h-16h. Entrée : 5 €. Visites guidées. Construit en 1787 sur les bords du *Heiligen* (le lac Sacré), remanié en 1843. Résidence préférée du roi Frédéric-Guillaume II. Intérieur richement meublé et magnifiques marqueteries. Depuis sa restauration, le palais est plus coquet que jamais. Pour épargner les parquets, on vous demandera d'enfiler de grosses pantoufles sur vos chaussures. Le marbre se décline sur tous les tons et tous les supports, des commodes (rococo mais superbes !) à la cage d'escalier, le clou de la visite. Placez-vous bien au centre et levez la tête : vous découvrirez alors le belvédère qui surplombe le bâtiment central du palais.

🏃🏃 *Le château de Cecilienhof :* tram n° 92 puis, en cours de trajet, changement et bus n° 692. Tlj sf lun 9h-18h (17h nov-mars). Entrée : 6 €. Visites guidées. Une partie du château a été transformée en hôtel de luxe.
C'est ici que se déroula la grande conférence d'après-guerre des puissances victorieuses. Le choix du lieu s'était porté sur Potsdam parce que les destructions des bombardements y avaient été beaucoup moins importantes qu'à Berlin. Le château, dernier édifice prussien de l'histoire, fut construit en 1917 pour le prince héritier Guillaume. Style Tudor à colombages évoquant les manoirs campagnards anglais.
La conférence s'y tint donc, du 17 juillet au 2 août 1945, en présence de Staline, Truman, Churchill (remplacé par Attlee) et Anthony Eden. C'est durant la conférence de Potsdam que Truman apprend la réussite du premier essai atomique dans le désert du Nouveau Mexique et en communique le résultat à Staline (qui connaissait l'existence du projet *Manhattan* par ses espions) et obtient la promesse d'une déclaration de guerre de l'URSS contre le Japon. Une phrase de Staline, prononcée lors de la conférence dans un moment d'abandon (ou de distraction), mérite d'être retenue : « Tout gouvernement librement élu sera antisoviétique, et cela, nous ne pouvons le permettre. »
La visite commence par l'élégante cour intérieure fleurie. Curieusement, on y trouve encore l'étoile rouge centrale réalisée en fleurs et imposée en juillet 1945 par les Soviétiques (qui souhaitaient montrer ainsi qu'ils étaient bien les organisateurs de la conférence). Explication logique à la présence de l'étoile : ça fait tout simplement partie de l'histoire. Petite expo sur la conférence : photos, documents, etc. Puis visite de certaines salles (parmi les 176 pièces du château), comme le *salon de la Princesse* en forme de cabine de bateau, la *salle de concert* où débutèrent les chefs d'orchestre Karajan et Kempf, le bureau de Staline ou

Salon rouge, ancien salon de la Princesse. Les meubles furent choisis personnellement par Staline... À noter que tout avait été fait pour que les délégations ne se rencontrent jamais en dehors de la salle de conférence. Chacune d'elles avait son entrée indépendante.

La conférence s'est tenue dans l'immense salle de séjour, pièce centrale du château (longue de 26 m sur 12 m de haut). Typique toujours du style campagnard anglais. Noter le superbe escalier baroque en bois sculpté (cadeau de la ville de Dantzig). La table fut fabriquée à Moscou, et on avait agrémenté les chaises à accoudoirs des trois chefs d'État... d'adorables *putti* dorés. L'ancien

> **LE VIEUX LION MIS AU RANCART**
>
> *En juillet 1945, Churchill, qui incarne la résistance héroïque de l'Angleterre face à Hitler, se rend à la conférence de Potsdam pour recueillir les fruits de son entêtement, et surtout contrer les appétits de l'ogre russe, Staline, dont il se méfie le plus. Son vieux complice Roosevelt est mort 3 mois plus tôt et il ne connaît pas son successeur, Harry Truman. En plein milieu de la conférence, il doit rentrer à Londres pour des élections législatives. Surprise, il y est battu, et son adversaire travailliste Clement Attlee le remplace au pied levé. Staline en profite pour rouler les deux bleus dans la farine et asseoir sa mainmise sur la moitié de l'Europe.*

fumoir servit de bureau pour la délégation américaine et celle de la délégation anglaise s'installa dans la bibliothèque du Prince. Chambre à coucher du couple princier également ouverte au public.

LE QUARTIER DE BABELSBERG *(plan d'ensemble A3)*

À l'est de Potsdam, de l'autre côté de la Havel.

À voir

🚶 **Le château de Babelsberg :** *S-bahn : Babelsberg. Avr-oct, tlj sf lun 10h-18h.* Dans un plus petit parc, sans touristes... Résidence d'été de Guillaume Ier, de style néogothique.

🚶🚶🚶 **Filmpark Babelsberg** *(studios de cinéma) : entrée au Grossbeerenstr 22, Potsdam.* ☎ 721-27-50. ● *filmpark.de* ● *S-bahn : Babelsberg, puis bus n° 690 ou 692 à destination de Gehölz, arrêt Ahornstr. Début avr-fin oct, tlj sf lun 10h-18h. Entrée : 19 € (3 € de parking) ; réduc pour les couples accompagnés de 4 enfants maxi (et pas plus !). Prix réduit à partir de 3h avt fermeture du site.*

Avec une superficie de 46 ha, ce sont les plus vastes studios d'Europe et les plus anciens. Avant de devenir un outil de propagande aux ordres de Goebbels, puis à la gloire du socialisme, les studios ont abrité l'UFA, centre névralgique du cinéma allemand triomphant de l'entre-deux-guerres. Murnau y tourna *Nosferatu* en 1922, Fritz Lang *Metropolis* en 1927, Sternberg y dirigea Marlène Dietrich dans *L'Ange bleu* en 1930... Aujourd'hui, sous l'impulsion de Volker Schlöndorff et d'un groupe français, Babelsberg redevient la capitale européenne de l'image. Roman Polanski loua les studios pour tourner des scènes de son film *Le Pianiste* dont l'action se déroule à Varsovie pendant l'occupation nazie.

Malheureusement, les cinéphiles ne sont pas invités à la fête ! En réalité, il y a deux Babelsberg : celui des artistes, retranché derrière une muraille inexpugnable, et celui des touristes, un parc d'attractions assez décevant. Seule une courte balade en petit train à travers quelques décors évoque le fastueux passé du studio. Pour le reste, les quelques spectacles et attractions pour mômes ne parviennent pas à faire oublier le prix de l'entrée...

LES QUARTIERS DE TREPTOW ET KÖPENICK
(plan d'ensemble C-D2)

À voir

🎏 *Treptower Park :* S-bahn : Treptower Park (ça ne s'invente pas !). Avr-oct, départ des vedettes de la compagnie Stern und Kreis pour le Müggelsee, Köpenick, Potsdam... Attention, pour la plupart, les départs ont lieu entre 10h et 15h, organisez-vous ! Outre le mémorial dédié aux soldats de l'Armée rouge tombés lors de la bataille de Berlin, en 1945, faites un tour à *Haus Zenner* (à 1 km du S-bahn en longeant la Spree). Le week-end, jeunes et moins jeunes, entre copains ou en famille, s'y donnent rendez-vous pour assister à des concerts tout en mangeant des grillades copieuses et des salades. Au choix, en fonction des conditions climatiques : l'intérieur et son magnifique cadre tout en bois ou l'extérieur en terrasse au bord de la Spree. Dans les deux cas, la bière coule à flots !

🎏 *Museum der Verbotenen Kunst (musée de l'Art interdit) :* Schlesischer Busch. ☎ 229-16-45. À mi-chemin entre la station de U-bahn Schlesischer Tor et celle de S-bahn Treptower Park. Ouv en principe le w-e 12h-18h. Entrée gratuite. Plus que le contenu du musée (expositions tournantes), c'est le lieu qui est intéressant : il s'agit en effet de la seule tour de garde du Mur non détruite à ce jour ! La visite n'excède pas 5 mn.

🎏🚶 *Britzer Garten (jardin de Britz) :* entrée principale sur Mohriner Allee (Neukölln). ☎ 700-90-60. U-bahn : Alt Mariendorf, puis bus n° 181. Tlj 9h-20h (18h mars et oct, 16h en hiver). Entrée : 2 € pour la journée. Se repérer sur le plan à l'entrée. Le w-e et les j. fériés, petit train qui parcourt le parc en s'arrêtant à plusieurs stations : entre 2 et 3 € ; réduc pour les enfants. Parc construit à l'occasion de la Bundesgartenschau, l'exposition florale de 1985. Décor idyllique et bucolique, charme néerlandais... Nombreux jeux pour enfants, jardin de roses, vers le sud à la droite du lac, au bout de la Mohriner Allee. De l'autre côté du pont aux pics en bois qui enjambe le lac, toute petite plage. Baignade autorisée. Moulin, *Biergarten*, scène en plein air, concerts et spectacles en été.

🎏🚶 *Le château de Köpenick :* rens au ☎ 657-15-04. S-bahn : Köpenick, puis bus n° 167 ou tram (n°s 27, 60, 62, 67 et 68) jusqu'au château. Un petit bijou de château baroque de la fin du XVIIe s. Stucs et trompe-l'œil à profusion. C'est ici que le père du futur Frédéric II jugea celui-ci pour tentative de désertion avant de décapiter son petit ami qui avait eu la même idée que lui...

🎏 *Deutsch-Russisches Museum Berlin-Karlshorst (musée germano-russe) :* Zwieseler Str 4, à l'angle de la Rheinsteinstr. ☎ 501-508-10. ● museum-karlshorst. de ● Prendre la ligne S3 jusqu'à Karlshorst puis continuer à pied (15 mn) ou avec le bus n° 396. Tlj sf lun 10h-18h. Entrée gratuite. La création du musée actuel date de 1991, après la réunification. C'est dans l'ancien bâtiment de l'école des pionniers de la Wehrmacht que fut signée, dans la nuit du 8 au 9 mai 1945, la capitulation sans condition de l'armée allemande. On entame, pas à pas, la visite par le récit du conflit germano-soviétique : 4 années de guerre mises en scène sobrement, avec des pièces émouvantes. On clôture par la grande salle du musée, au décor inchangé depuis 60 ans, avec ses tables de conférence drapées de vert, carafes d'eau en cristal et les drapeaux des quatre puissances victorieuses. L'administration militaire soviétique occupe ensuite les lieux (voir le bureau du maréchal Joukow) avant de céder la place en 1967 à un premier musée, à la gloire de l'Armée rouge (de nombreux chars et canons sont encore présentés dans le parc). Les panneaux explicatifs, uniquement en russe et en allemand, peuvent avoir des problèmes de compréhension, mais l'atmosphère du lieu permettra à elle seule une sensibilisation à des événements historiques dont les traces marquent encore les murs de Berlin.

LE QUARTIER D'ORANIENBURG
(hors plan d'ensemble par B1)

À voir

🎥🎥 **Le mémorial de Sachsenhausen :** *Strasse der Nationen 22, à Oranienburg.*
● *stiftung-bg.de* ● *S-bahn ligne 1 jusqu'au terminus ; ensuite, à droite en sortant de la gare (env 20 mn de marche). Tlj 8h30-18h (16h30 oct-mars). Expos fermées lun. Vente d'un plan et de brochures en français à l'entrée.*
À la différence de beaucoup d'autres camps nazis, Sachsenhausen fut un camp où peu de juifs furent envoyés. On y internait essentiellement des prisonniers dits politiques. Des ressortissants de nombreuses nationalités y séjournèrent, y compris des hommes politiques et résistants français : Léon Blum, Paul Raynaud, Georges Mandel, et même Iakov Djougachvili, le fils de Staline que les nazis voulaient échanger contre le maréchal Paulus, le vaincu de Stalingrad.
C'est à Sachsenhausen qu'était installé l'état-major de Himmler et que l'inspection centrale de la SS fit expérimenter ses nouvelles méthodes d'extermination avant de les faire appliquer dans les autres camps.
Dans l'ancienne cuisine des détenus (bâtiment 12), exposition sur la vie quotidienne dans le camp. Mémorial depuis 1961, Sachsenhausen a d'abord servi de camp de concentration (204 000 détenus en 1944 et près de 100 000 morts entre 1936 et 1945), En août 1941, un massacre de masse y fut perpétré avec l'exécution de plus de 13 000 soldats soviétiques. Puis il fut utilisé comme camp d'internement par les Soviétiques de 1945 à 1950. On peut encore y voir l'« infirmerie » (bâtiment 20), la « pathologie », où étaient menées les pires expériences (bâtiment 21), les fondations de la « station Z », dernière étape avant le four crématoire, ou la piste d'essai des chaussures destinées aux soldats allemands : les détenus devaient parcourir 40 km par jour en portant une charge de 15 kg, sur différents terrains (cailloux, sable, eau...).
Dans la « baraque 38 », exposition sur les détenus juifs du camp de 1936 à 1945. Les baraques 38 et 39 accueillirent jusqu'à 400 juifs ; elles étaient prévues pour 140. En 1992, peu après la visite du Premier ministre israélien Yitzhak Rabin, elles furent incendiées par un groupe d'extrême droite.

QUITTER BERLIN

EN TRAIN

🚆 Des centres d'informations et de réservations se trouvent dans toutes les grandes gares berlinoises : *Zoologischer Garten, Alexanderplatz, Ostbahnhof,* et à la nouvelle gare centrale, *Lehrter Hauptbahnhof.*

EN AVION

Avant de partir, vérifiez bien le nom ou code de l'aéroport indiqué sur votre billet. Il est en effet facile de se tromper et, après, il sera trop tard, étant donné l'éloignement des aéroports de la ville entre eux.

✈ *Aéroport de Berlin-Schönefeld* (plan d'ensemble C3) : à 24 km du centre. ☎ 0180-500-01-86. Une ligne de S-bahn le relie directement au centre, la S9 ; on peut prendre également le train Airport Express, *plus rapide mais moins régulier.* Il devrait devenir l'aéroport central en 2012. De nouvelles lignes sont régulièrement proposées avec la forte présence de compagnies *low-cost,* ainsi que des lignes régulières à destination de l'Europe centrale.

✈ *Aéroport de Berlin-Tegel* (plan d'ensemble C2) : ☎ 0180-500-01-86. C'est l'aéroport utilisé par la majorité des grandes compagnies aériennes, dont *Air France* et *Lufthansa.* Centralisme français oblige, peu de destinations directes. Pour rejoindre Tegel, le plus simple, rapide et économique est de prendre le bus *TXL.*

EN STOP

Les *Mitfahrzentralen* sont l'équivalent du *Allô Stop* français ; elles vous permettent d'aller n'importe où en Allemagne et ailleurs pour trois fois rien. On paie un droit d'inscription *(env 10 €),* puis on participe aux frais d'essence. Pour un trajet Berlin-Paris, par exemple, compter env 50 € ; réduc pour les étudiants et les moins de 26 ans.

■ *Citynet* a également 2 filiales : l'une à Joachimstaler Str 17 et l'autre à Bergmanstr 57. ☎ 194-44.

EN BUS

■ *ZOB Reisebüro :* la Zentral-Omnibusbahnhof de Berlin se trouve à Masurenallee 4-6, à Charlottenburg. ☎ 301-03-80. ● zob-reisebuero.de ● berlinlinienbus.de ● U-bahn : Kaiser-damm ; S-bahn : Messe-Nord/ICC. Ouv 6h-21h (15h le w-e). Idéal pour voyager à petits prix dans toute l'Allemagne et dans la plupart des pays européens.

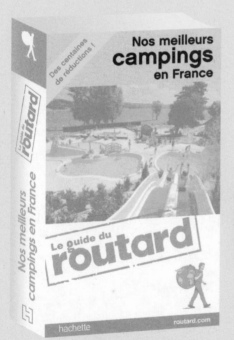

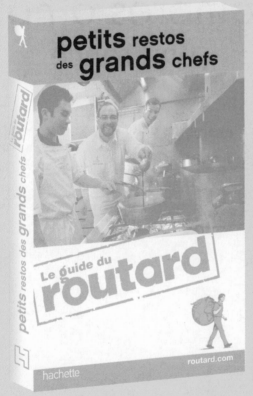

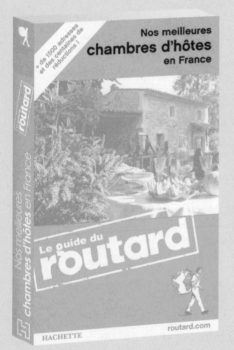

routard
ASSURANCE
LIGHT
L'ASSURANCE VOYAGE
SPÉCIAL UNION EUROPÉENNE

VOTRE ASSISTANCE
SPÉCIAL UNION EUROPÉENNE

RAPATRIEMENT MEDICAL **ILLIMITÉ**
(au besoin par avion sanitaire)
VOS DEPENSES : MEDECINE, CHIRURGIE, (env. 50.000 FF) **7.500 €**

BILLET GRATUIT DE RETOUR DANS VOTRE PAYS : **BILLET GRATUIT**
En cas de décès (ou état de santé alarmant) **(de retour)**
d'un proche parent, père, mère, conjoint, enfant(s)

BILLET DE VISITE POUR UNE PERSONNE DE VOTRE CHOIX **BILLET GRATUIT**
si vous êtes hospitalisé plus de 7 jours

Rapatriement du corps – Frais réels **Sans limitation**

FRANCHISE DE 30 € PAR SINISTRE POUR LES FRAIS MÉDICAUX

AVANCES DE FONDS
A L'ETRANGER

CAUTION PENALE .... (env. 49.000 FF) **7.500 €**

HONORAIRES AVOCATS ....(env. 10.000 FF) **1.500 €**

VOS BAGAGES ET BIENS PERSONNELS A L'ETRANGER

Vêtements, objets personnels pendant toute la durée de votre voyage à l'étranger :

vols, perte, accidents, incendie, (env. 3.200 FF) **500 €**
Dont APPAREILS PHOTO et objets de valeurs (env. 1.600 FF) **250 €**

NOUVEAUTÉ
CONTRAT
"ROUTARD SÉNIOR"
Nous consulter Tél. : 01 44 63 51 00
Souscription en ligne : www.avi-international.com

POUR LES VOYAGES HORS UNION EUROPÉENNE,
DEMANDEZ : ROUTARD ASSURANCE ET/ OU
ROUTARD ASSURANCE SPÉCIAL FAMILLE
Nous consulter Tél. : 01 44 63 51 00
Souscription en ligne : www.avi-international.com

routard
ASSURANCE LIGHT
L'ASSURANCE VOYAGE
SPÉCIAL UNION EUROPÉENNE

BULLETIN D'INSCRIPTION

NOM : M. Mme Melle |_____|

PRENOM : |_____|

DATE DE NAISSANCE : |_____|

ADRESSE PERSONNELLE : |_____|

|_____|

|_____|

CODE POSTAL : |_____| TEL. |_____|

VILLE : |_____|

E-MAIL : ....

DESTINATION PRINCIPALE..

Calculer exactement votre tarif selon la durée de votre voyage

> Pour un Long Voyage (2 mois...), demandez le **PLAN MARCO POLO**
> Nouveauté contrat Spécial Famille - Nous contacter

COTISATION FORFAITAIRE 2009-2010

JE VOYAGE DU |_____| AU |_____| = |___| JOURS
SOIT

JUSQU'À 3 JOURS : **6,50 €**

POUR 4 ET 5 JOURS : **7,00 €**

POUR 6-7 ET 8 JOURS : **8,00 €**

JE N'AI PAS PLUS DE 65 ANS

Chèque à l'ordre de ROUTARD ASSURANCE – *A.V.I. International*
28, rue de Mogador – 75009 PARIS – FRANCE - Tél. 01 44 63 51 00
Métro : Trinité – Chaussée d'Antin / RER : Auber – Fax : 01 42 80 41 57

ou Carte bancaire : Visa ☐   Mastercard ☐   Amex ☐

N° de carte : |_____|

Date d'expiration : |___| |___| Signature

Cryptogramme : |____| Notez les 3 derniers chiffres du numéro à
7 chiffres au verso de votre carte

*Je déclare être en bonne santé, et savoir que les maladies
ou accidents antérieurs à mon inscription ne sont pas assurés.*

Signature :

Faites des copies de cette page pour assurer vos compagnons de voyage.

Information : www.routard.com / Tél : 01 44 63 51 00
Souscription en ligne : www.avi-international.com

INDEX GÉNÉRAL

C

D

E

F

L

M

N-O

P-Q

R

S

OÙ TROUVER LES CARTES ET LES PLANS ?

Les **Routards** *parlent aux* **Routards**

Faites-nous part de vos expériences, de vos découvertes, de vos tuyaux.
Indiquez-nous les renseignements périmés. Aidez-nous à remettre l'ouvrage à jour.
Faites profiter les autres de vos adresses nouvelles, combines géniales... On adresse
un exemplaire gratuit de la prochaine édition à ceux qui nous envoient les lettres les
meilleures, pour la qualité et la pertinence des informations. Quelques conseils cependant :
– Envoyez-nous votre courrier le plus tôt possible afin que l'on puisse insérer vos
tuyaux sur la prochaine édition.
– N'oubliez pas de préciser l'ouvrage que vous désirez recevoir.
– Vérifiez que vos remarques concernent l'édition en cours et notez les pages du
guide concernées par vos observations.
– Quand vous indiquez des hôtels ou des restaurants, pensez à signaler leur adresse
précise et, pour les grandes villes, les moyens de transport pour y aller. Si vous le
pouvez, joignez la carte de visite de l'hôtel ou du resto décrit.
– N'écrivez si possible que d'un côté de la lettre (et non recto verso).
– Bien sûr, on s'arrache moins les yeux sur les lettres dactylographiées ou correctement écrites !
En tout état de cause, merci pour vos nombreuses lettres.

Les Routards parlent aux Routards :
122, rue du Moulin-des-Prés, 75013 Paris

e-mail : guide@routard.com
Internet : routard.com

Le Trophée du voyage humanitaire ROUTARD.COM s'associe à VOYAGES-SNCF.COM

Ils ont aidé à la création d'un poste de santé autonome au Sénégal, à la reconstruction
d'un orphelinat à Madagascar... Et vous ?
Envie de soutenir un projet qui favorise la solidarité entre les hommes ? Le Trophée du
Voyage Humanitaire Routard.com est là pour vous ! Que votre projet concerne le
domaine culturel, artisanal, écologique, pédagogique, en France ou à l'étranger, le
Guide du routard et Voyages-sncf.com soutiennent vos initiatives et vous aident à les
réaliser ! Si vous aussi vous voulez faire avancer le monde, inscrivez-vous sur
● *routard.com/trophee* ● ou sur ● *tropheesdutourismeresponsable.com* ●

Routard Assurance 2010

Routard Assurance et Routard Assurance Famille, c'est l'Assurance Voyage Intégrale.
Dépenses de santé et frais d'hôpital pris en charge directement sans franchise jusqu'à
300 000 € + caution + défense pénale + responsabilité civile + tous risques bagages et
photos. Assurance personnelle accidents : 75 000 €. Très complet ! Tarif à la semaine
pour plus de souplesse. Tableau des garanties et bulletin d'inscription à la fin de chaque *Guide du routard* étranger. Pour les départs en famille (4 à 7 personnes), demandez le bulletin d'inscription famille. Pour les longs séjours, contrat *Plan Marco Polo*
« spécial famille » à partir de 4 personnes. Pour un voyage « éclair » de 3 à 8 jours
dans une ville d'Europe, bulletin d'inscription adapté dans les guides villes avec des
garanties allégées et un tarif « light ». Également un nouveau contrat *Seniors* pour les
courts et longs séjours. Si votre départ est très proche, vous pouvez vous assurer par
fax : 01-42-80-41-57, en indiquant le numéro de votre carte de paiement. Pour en
savoir plus : ☎ 01-44-63-51-00 ou ● *avi-international.com* ●

Photocomposé par MCP - Groupe Jouve
Imprimé en Italie par L.E.G.O. S.p.A. - Lavis (Tn)
Dépôt légal : février 2010
Collection n° 13 - Édition n° 01
24/4880/1
I.S.B.N. 978.2.01.244880-3